POLSKIE
TRADYCJE
ŚWIĄTECZNE

Kasi i Erykowi
pod choinkę
Dziadek

Boże Narodzenie 2004

Hanna Szymanderska

POLSKIE TRADYCJE ŚWIĄTECZNE

Świat Książki

Projekt okładki
Małgorzata Karkowska

Ilustracje
Jowita Płoszajska

Wydawca
Joanna Salak

Zdjęcie na okładce
Piotr Jamski
Malarstwo K. Tetmajer „Cykl Twardowskiego"

Redaktor
Magdalena Hildebrand

Redakcja techniczna
Lidia Lamparska

Korekta
Beata Paszkowska

Świat Książki
Warszawa 2003

Skład i łamanie
Plus 2

Druk i oprawa
Białostockie Zakłady Graficzne S.A

ISBN 83-7391-309-2
Nr 4549

OBCE RZECZY WIEDZIEĆ DOBRZE JEST, SWOJE – OBOWIĄZEK

Z. Gloger

„Cudze chwalicie, swego nie znacie"– dziś, jak twierdzą socjologowie, polska młodzież znacznie więcej wie o św. Patryku, walentynkach, Halloween niż o katarzynkach, Zielonych Świątkach czy sobótce. „Obce rzeczy wiedzieć dobrze jest, swoje – obowiązek", pisał Zygmunt Gloger, dziewiętnastowieczny etnograf.

Myślę więc, że niektóre z obchodzonych w Polsce świąt warte są dokładniejszego przypomnienia.

Pierwsza wojna światowa była w pewnej mierze cezurą odcinającą dziewiętnastowieczny styl życia od nowej obyczajowości. Druga z kolei, stała się kresem wielu zwyczajów i obyczajów wywodzących się z wielowiekowej tradycji narodowej; prawie pięćdziesiąt powojennych lat też nie przyczyniło się do kultywowania starych tradycji. Nie nawołuję tu do ścisłego przywrócenia dawnych obyczajów, ale znać je na pewno warto, a całkowicie przekreślić je i zgubić w gorączce dzisiejszego życia byłoby chyba szkoda.

Myślę, że dobrze byłoby zastosować się do rady Jana Kochanowskiego zawartej w „Pieśni świętojańskiej o sobótce", a chociażby zastanowić się nad nią:

> Dzieci, rady mej słuchajcie,
> Ojcowski rząd zachowajcie:
> Święto niechaj świętem będzie,
> Tak bywało przedtym wszędzie.
> Święta przedtym ludzie czcili
> A przedsię wszytko zrobili;
> A ziemia hojnie rodziła,
> Bo pobozność Bogu miła.
> Dziś bez przestanku pracujem,
> I dniom świętym nie folgujem:
> Więc tez tylko zarabiamy,
> Ale przedsię nic nie mamy.

5

Niezwykle istotną rolę w przypadku wszystkich świąt odgrywają wierzenia – poglądy i przekonania o występowaniu w ludzkim życiu i przyrodzie zjawisk nadprzyrodzonych. Jeśli zgodne są one z zasadami religii, mówimy wówczas o wierzeniach religijnych; jeśli są z nią sprzeczne, nazywamy je przesądami, zabobonami lub wierzeniami magicznymi. Jedne i drugie są ważnym elementem folkloru – kultury ludowej. Pierwiastki wierzeniowe w każdej kulturze odgrywają rolę niesłychanie doniosłą. Bez ich znajomości nie sposób zrozumieć literaturę, malarstwo, muzykę – jednym słowem całą ogromną kulturę narodową.

❖ ❖ ❖

Od wieków daty prawie wszystkich świąt wiązały się z cyklami upraw i zjawiskami astronomicznymi. Okazją do świętowania były siew i dożynki, nadejście wiosny, lata czy jesieni – po prostu człowiek żyjący w harmonii z przyrodą traktował pory roku jak naturalny kalendarz. Nasi pradziadowie łączyli Ziemię i jej owoce z bogami i boginiami, a płodność Ziemi – czas siewu, kwitnienia, dojrzewania – czczono w całej tradycji europejskiej podczas świąt i festynów. Były one dowodem ogromnej wdzięczności ludzi wobec tajemnych sił przyrody, dawano też wtedy upust apetytom i czerpano radość z owoców ciężkiej pracy.

❖ ❖ ❖

Religia pogańskich Słowian była kultem przyrody, ożywionych ciał niebieskich i zjawisk atmosferycznych. Obok tradycyjnego kultu ognia, rozwijał się kult Słońca, prastary kult Matki-Ziemi, drzew, gajów i wód. Wszystkim świątecznym obchodom towarzyszyły śpiewy, tańce i zabawy. Hucznymi ucztami czczono bóstwa; obrzędowe uczty zastawiano dla zmarłych.

U progu lata obchodzono święto zwane później sobótkami, z wieloma magicznymi zabiegami oczyszczającymi – skokami przez ogień i rytualną kąpielą. A wszystkiemu towarzyszyły swawolne igraszki.

Uroczyście obchodzono też przesilenia słoneczne letnie i zimowe. Podczas wielu uroczystości z upodobaniem ubierano się w skóry zwierząt (konia, wilka czy tura), przebierano za niedźwiedzia, nakładano na głowy ptasie maski, tworzono taneczne korowody ściśle związane z określoną obrzędowością.

Wiara w życie pozagrobowe wpływała z kolei na rozwój obrzędów ku czci zmarłych. Dusze zmarłych zapraszano z ich świata, zwanego nawiem, do przygotowywanych na mogile posiłków – obowiązkowo wśród potraw znajdowało się jajko, które przetrwało w wielkanocnym święconym – i do ogni rozpalanych w żalnikach celem ogrzania dusz („dziady").

Przed przyjęciem chrześcijaństwa mieszkańcy ziem polskich mieli własny kalendarz obrzędowy. J.St. Bystroń pisał: „Mamy tu przede wszystkim do czynienia ze świętami wyznaczającymi pory roku: świętem zimy, świętem nadchodzącej wiosny i początku lata, ze świętami wegetacyjnymi, których pierwotnym sensem było utrzymanie ciągłości wegetacji zbóż i drzew owocowych, dalej ze świętami miłości, w którym to okresie łączyły się młode pary i których przeżytkiem są dzisiejsze zwyczaje w okresie Zielonych Świątek i w wigilie świętego Jana, wreszcie święta pamięci zmarłych poświęcone".

❖❖❖

Ze wszystkimi uroczystościami związane były określone obrzędy – utrwalone przez tradycję czynności, gesty i słowa, stanowiące zewnętrzną oprawę świąt, pielęgnowaną i przekazywaną możliwie wiernie z pokolenia na pokolenie.

Dziś bardzo trudno dokładnie wyjaśnić, co każdy z elementów obrzędu oznaczał, jakim celom dawniej służył, przed czym miał chronić lub o co błagać bóstwo czy duchy przodków. Następujące w ciągu wieków religie i kultury przejmowały część starych form, dostosowując je do nowych wymagań. Stąd w naszych obrzędach ludowych wyśledzić można także wpływy religii antycznych. Zwłaszcza niezwykle dużo w naszej obrzędowości odnajdujemy elementów pochodzących ze starożytnej Grecji.

Cały sens świętowania polega na oderwaniu się od codzienności. Grecy obchodami podkreślali najważniejsze chwile życia, a uroczysty nastrój i solidarny udział wszystkich obywateli potęgowały dynamikę emocjonalną przeżyć. W greckim roku obrzędowym mieściły się helleńskie święta rodzinne, zawodowe i państwowe. „Kalendarz świąt greckich przedstawia najpiękniejszy organiczny zespół świąt społecznych (...) Wszystkim banalnym zdarzeniom życiowym nadali Hellenowie tak uroczą i stylową oprawę, że mimo zmienionych warunków kulturalnych, rytuał świąt przez nich stworzony żyje po dziś dzień z bardzo nieistotnymi zmianami" (*Zarys dziejów religii*).

Spójrzmy na niektóre helleńskie święta i związane z nimi obrzędy.

Świąteczny charakter najrozmaitszych obchodów wyrażały te same obrzędy i formy, jak np. zakaz pracy, procesje, palenie ogni, odświętne stroje, publiczna uczta ofiarna czy udawanie się do świątyń; pod tym względem święta greckie pokrywają się z dzisiejszymi świętami religijnymi. Istnieje np. ogromne podobieństwo naszych obrzędów sprzed Wielkanocy lub na Zielone Świątki z greckim świętem Kallyntheria – świętem ozdabiania domu zielenią, wieńcami. Z greckich Hydrophorii – święta noszenia wody i oczyszczania źródeł, obchodzonych w czasie zrównania dnia z nocą – wyprowadza się nasz ogień świętojański i sobótki. W tym dniu kobiety ozdabiały źródła wieńcami i wrzucały wieńce do rzeki, palono ogniska i śpiewano pieśni.

❖ ❖ ❖

Przyjęcie chrześcijaństwa rozbiło dawny rok obrzędowy, wprowadzając własny, liturgiczny.

Rok liturgiczny w kościele rzymskokatolickim rozpoczyna się w pierwszą niedzielę adwentu, a w kościołach wschodnich 1 września. Jego rytm wyznaczają wielkie święta chrześcijańskie: Boże Narodzenie, Wielkanoc i Zesłanie Ducha Świętego.

A oto – myślę, że wart przypomnienia – kalendarz roku liturgicznego:
- adwent rozpoczyna się cztery niedziele przed Bożym Narodzeniem;
- okres Bożego Narodzenia kończy się w niedzielę Chrztu Pańskiego;

8

- czterdziestodniowy okres Wielkiego Postu przed świętem Wielkanocy rozpoczyna się w Środę Popielcową i kończy w Wielką Sobotę;
- apogeum roku liturgicznego stanowi święto Zmartwychwstania Pańskiego. Okres Wielkanocny trwa do dnia Zesłania Ducha Świętego (Zielone Świątki), przypadającego na pięćdziesiąty dzień po Wielkanocy;
- czterdzieści dni po Wielkanocy, a zatem zawsze w czwartek obchodzi się święto Wniebowstąpienia. W kościele rzymskokatolickim obchodzi się jeszcze uroczystość Trójcy Przenajświętszej w pierwszą niedzielę po Zielonych Świątkach i w najbliższy czwartek Uroczystość Najświętszego Ciała i Krwi Chrystusa (Boże Ciało);
- Z innych ważnych świąt w liturgii rzymskokatolickiej należy wymienić święto Ofiarowania Pańskiego i Oczyszczenia NMP (Matki Boskiej Gromnicznej) – 2 lutego; Zwiastowanie – 25 marca (dla uczczenia poczęcia Jezusa); Święto Jana Chrzciciela – 24 czerwca; Święto Apostołów Piotra i Pawła, przypominające o powiązaniu wszystkich kościołów z Rzymem – 29 czerwca;
- uroczystość Wniebowzięcia NMP – 15 sierpnia, przypominające o zaśnięciu Marii i wzięciu jej do nieba, zwane w ludowej obrzędowości świętem Matki Boskiej Zielnej;
- 1 listopada – dzień Wszystkich Świętych na ziemi i w niebie i 2 listopada – święto Zmarłych, dzień Zaduszny;
- rok liturgiczny kończy uroczystość Chrystusa Króla (przed pierwszą niedzielą adwentu) dla podkreślenia, że Chrystus jest panem czasu.

Bardzo wcześnie do kalendarza liturgicznego włączony został kalendarz świąt ku czci świętych. Na wsi uroczystości takie często oznaczały początek lub zakończenie prac polowych, wielkich targów czy okresów płatności (godzenia i zwalniania służby).

❖❖❖

„W dobie kontrreformacji wyjątkowo silnie zaznaczyła się katolizacja dawnych zwyczajów pogańskich i zastępowanie ich zwyczajami chrześcijańskimi, nadawania dawnym tradycjom nowych form i znaczenia (...) Zmiany te zachodziły jednak powoli, były często po-wierzchowne, często uroczystości chrześcijańskie łączono z prakty-kowaniem pogańskich wprost zwyczajów. Wieś i miasteczko przez długie wieki wiernie strzegły swej obyczajowości (...) Oddziaływanie Kościoła doprowadziło więc do sytuacji, w której w XVII, a szczegól-nie w XVIII wieku sfera religijna ze świeckim życiem obyczajowym tak się splotła, że stanowiła powszechnie nierozerwalną część. Ob-rządki kościelne przejęły funkcje pradawnych pogańskich zwycza-jów, święta traktowano jako dni radości, nie zaś jako dni poważnych medytacji, obchodzono je więc nie tylko wesoło, ale także rozwięź-le" (Z. Kuchowicz *Obyczaje staropolskie*).

Pomimo jednak przyjęcia chrześcijaństwa, wierzenia i obrzędy po-gańskie przetrwały długie wieki, a relikty dawnych systemów wie-rzeniowych zachowały się do dzisiaj w folklorze.

Niejeden zwyczaj wyprowadza swój rodowód z dawnych praktyk obrzędowych, z guseł i zabobonów, sięgających nawet starszej epoki kamiennej. I jeśli do trzech podstawowych składników – form an-tycznych, pogańskich (słowiańskich) i chrześcijańskich dodamy spe-cyficzne, drobne cechy regionalne, otrzymamy doskonały obraz pol-skich obrzędów ludowych – dorocznych i rodzinnych.

Wiara w szczególną opiekę pewnych świętych nad wybranymi za-wodami przyczyniła się do powstania obrzędów „zawodowych". Ta-kim jest Barbórka – obchodzona na Śląsku 4 grudnia jako dzień gór-nika, Hubertowiny – święto wszystkich myśliwych, obchodzone 3 listopada w dniu świętego Huberta, czy bogata niegdyś oprawa ob-chodów świętego Mikołaja (6 grudnia) – patrona pasterzy.

❖❖❖

Niezwykle istotnym elementem wszystkich uroczystości były wróżby – prastare zjawiska folklorystyczne, żywe po dzień dzisiej-szy i zabarwiające w ten czy inny sposób kulturę ludową i literaturę tradycyjną.

Persowie i Germanie wróżyli z rżenia koni, w starożytnej Grecji przepowiadano przyszłość z szumu liści, rzymscy kapłani wróżyli z lotu ptaków i głosów, jakie wydawały (pozostałość: nasłuchiwanie kukułki), z błyskawic, z wnętrzności ptaków i zwierząt ofiarnych (do dziś – z gęsich kości).

Chrześcijaństwo oficjalnie zlikwidowało wróżby, ale zachowały się one do dziś w niewinnych, szczątkowych formach: wróżenie z kart, z ręki czy z fusów, z kichania, swędzenia uszu, oczu, czkawki. Powszechnie wróży się do dziś z roślin – czterolistna koniczynka, podwójny kłos, liście akacji – czy ze zjawisk przyrody.

Polskie praktyki ludowe nie różnią się pod tym względem od praktyk w innych krajach Europy. Zdolność wróżenia, prorokowania, przewidywania przyszłości wszędzie uważano za dar bogów, dany tylko jednostkom wyjątkowym.

❖❖❖

Istotną część wszelkich uroczystości od wieków stanowiło jedzenie; pewne potrawy kojarzono z określonymi świętami. W czasie niektórych świątecznych dni dieta była prosta i nieurozmaicona, inne dni w roku rezerwowano na rozpasane ucztowanie. Część tych obyczajów przetrwała do dziś, choć w nieco zmienionej formie. Ślad zachował się w tradycji.

❖❖❖

I właśnie o tym wszystkim jest ta książeczka. Życzę Państwu miłej lektury!

ADWENT, czyli początek roku kościelnego

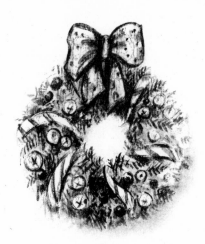

Jest w kalendarzowym cyklu okres szczególny – kulminacja wszystkich oczekiwań i nadziei – adwent, okres czterech tygodni poprzedzających Boże Narodzenie, rozpoczynający się w niedzielę między 27 listopada a 3 grudnia, bo *adventus* znaczy „przyjście". Ponieważ data rozpoczęcia nowego roku liturgicznego nie jest ściśle określona i zależy od dnia tygodnia, w jaki wypada wigilia, stąd też stare polskie przysłowia:

„Święta Katarzyna adwent rozpoczyna, a święty Jędrzej jeszcze mędrzej", czy też „Święta Katarzyna adwent zawiązuje, a święty Andrzej poprawuje".

Bo właśnie niedziela najbliższa dniu świętego Andrzeja (30 listopada) jest początkiem adwentu.

Historia liturgii mówi o dwóch tradycjach kształtowania się adwentu: galijsko-hiszpańskiej, znanej od IV wieku, i późniejszej rzymskiej (schyłek V wieku).

W Rzymie okres poprzedzający przyjście Zbawiciela był czasem radości; liturgia galijsko-hiszpańska nadawała mu bardziej pokutny charakter. Synody Galijskie nakazywały post od 1 grudnia, a nawet od 11 listopada, dlatego zwano go *quadragesima sancti martini*. Tak też – „czterdziestnicą" – nazywali adwent Polacy i tak też – od świętego Marcina – go obchodzili. Stąd powstał zwyczaj objadania się pieczoną gęsią, uznawaną za wielki przysmak, w ostatnim dniu przed długim, czterdziestodniowym postem.

Dziś adwent to cztery tygodnie postu i duchowego przygotowania się do najbardziej rodzinnych polskich świąt – Wigilii i Bożego Narodzenia.

Do najstarszych i najpiękniejszych polskich tradycji adwentowych należą znane w Polsce od XIII wieku roraty – odprawiana przed świtem msza wotywna. Godzina rozpoczęcia nabożeństwa miała symboliczne znaczenie. Zaczynając modlitwy przed wschodem słońca, chrześcijanie okazywali „czujność w oczekiwaniu na przyjście Zbawiciela i gotowość na Sąd Ostateczny".

Nazwa tej odprawianej w niedziele adwentowe mszy pochodzi od rozpoczynających ją słów: *rorate coeli desuper* – spuśćcie rosę niebiosa.

Podczas mszy w lichtarzu na ołtarzu pali się siedem świec, zwanych „siedem roratnic". W książce *Ozdoba kościoła katolickiego*, napisanej w 1739 roku, znajdujemy następujące wyjaśnienie: „...osobliwie i w Polsce prawie tylko, używają tej ceremonii, którą zaczął w Poznaniu Przemysław Pobożny, a przyjął w Krakowie Bolesław Wstydliwy (...), uważając że trzeba się z wiarą świecącą dobrymi uczynkami na sąd Boski stawić wraz z siedmiu stanami".

Tak więc „przystępował do ołtarza najpierw król ze świecą rozpaloną i tę na najwyższym środkowym lichtarzu osadzał, mówiąc: »Gotów jestem na Sąd Boży«. Drugą świecę stawiał obok pierwszy biskup (...), trzecią senator świecki, czwartą ziemianin, piątą rycerz, szóstą mieszczanin, a siódmą »kmieć w siermiędze, każdy powtarzając to, co król powiedział«".

> Od Bolesława, Łokietka, Leszka
> Gdy jeszcze w Polsce Duch Pański mieszka,
> Stał na ołtarzu przed mszą roraty
> Siedmio-ramienny lichtarz bogaty.
> A stany państwa szły do ołtarza.
> I każdy jedną świecę rozzarza:
> Król – który berłem potęznem włada,

13

Prymas – najpierwsza senatu rada,
Senator świecki – opiekun prawa,
Szlachcic – co królów Polsce nadawa,
Żołnierz – co broni swoich współbraci,
Kupiec – co handlem ziomków bogaci,
Chłopek – co z pola, ze krwi i roli
Dla reszty braci chleb ich mozoli,
Każdy na świeczkę grosz swój przyłozy,
I każdy gotów iść na Sąd Bozy.

(Wł. Syrokomla *Staropolskie roraty*)

I tak do dzisiaj w całej Polsce płonie:
Roratna świeca z białą kokardą
Z dna wieków woła ludu grzesznymi wargami
Czas ściera ludzi, idee i mocarzy
A ona płonie światłem wieków (...)

(T. Szaja *Roratna Świeca*)

Nadal w adwent palą się roratnice, nie spotyka się już jednak chyba w żadnym polskim mieście czy wiosce adwentowych hejnałów. Dawniej, np. w Krakowie, podczas adwentu kapela instrumentów dętych grała z wieży mariackiej hejnały, na pamiątkę zapowiedzianego prze Pismo Święte wezwania przez archanioła na Sąd Ostateczny, gdy Chrystus przyjdzie powtórnie. W innych regionach Polski, np. na Mazowszu i Podlasiu, rano i wieczorem „otrąbywano adwent na ligawkach: w każdej wsi miewano po kilka ligawek (...) przy domu grano codziennie cały adwent, dobywając uroczyste tony g, c, e, g, c, a, g, c itp., dla przypomnienia sądu ostatecznego (...) Głos ligawki w cichy pogodny wieczór zimowy, podczas adwentu, słyszeć można z odległości półmilowej", pisał Gloger w swojej *Encyklopedii*. Ten wiejski zwyczaj przeniknął z czasem do kościołów, i w czasie rorat często używano ligawek. Ligawka, czyli legawka, czyli trombita to ludowy instrument muzyczny, drewniana trąba długości 1,5–3 m. Najprawdopodobniej najstarszy instrument muzyczny w Polsce. Jej przenikliwy głos podobny jest trochę do tonu oboja, ale ostrzejszy i znacznie silniejszy.

Ostatnio rozpowszechniły się w Polsce ozdobne czekoladowe kalendarze adwentowe dla dzieci i niezwykle popularne na zachodzie Europy (m.in. we Francji i Niemczech) wieńce adwentowe, umieszczane na widocznym miejscu w mieszkaniu, zwykle na stole, przy którym się jada. Wieniec wykonany jest z jedliny i ozdobiony czterema świecami.

Pierwszą zapala się w pierwszą niedzielę adwentu – symbolizuje ona wybaczenie przez Boga Adamowi i Ewie; druga, zapalana w drugą niedzielę, jest symbolem wiary patriarchów w dar Ziemi Obiecanej; świeca zapalana w trzecią niedzielę symbolizuje radość Dawida, świętującego przymierze. W czwartą niedzielę palą się już wszystkie cztery świece – czwarta jest symbolem nauczania proroków zapowiadających królestwo pokoju i sprawiedliwości. Tak więc w każdą niedzielę na adwentowym wieńcu przybywa świec, a to oznacza, że przybliża się czas wybaczenia i pojednania, tak by potem przy wigilijnym stole nikt nie był samotny.

W obyczajowości ludowej adwent rozumiany był wieloraka. Post adwentowy i towarzyszące mu zwyczaje bardzo silnie wpłynęły na folklor i znalazły odbicie w literaturze ludowej. Dla rolników był to okres odpoczynku po ciężkich pracach polowych, regulowany obyczajowym zakazem: „Kto ziemię w adwent pruje, ta mu trzy lata choruje". W adwencie zakazane też były wesela, śluby i zabawy.

Dzień świętego Marcina zgodnie z tradycją był wolny od gospodarskich zajęć. Stawały młyny i wiatraki, w tym dniu składano daniny i czynsze dzierżawne. Wigilie dni świętej Katarzyny – 25 i świętego Andrzeja – 30 listopada, to wieczory wróżb o charakterze matrymonialnym.

Podczas adwentu w Polsce uroczyście obchodzi się też święto Barbary – patronki górników. Ten wróżebny dzień przepowiada pogodę na Boże Narodzenie.

Niezwykle uroczyście obchodzonym niegdyś przez wieś był 6 grudnia, dzień świętego Mikołaja, opiekuna chłopów i pasterzy. Ludność wiejska ofiarowywała wówczas księżom jajka, kury, barany. Dziś jest to wesołe święto obchodzone przez dzieci.

Najnowszym w Polsce świętem obchodzonym w adwencie, szczególnie w miastach, gdzie ma swoje sklepy Ikea, jest przeniesiony ze Skandynawii i obchodzony 13 grudnia dzień świętej Łucji, męczennicy z Syrakuz, patronki chorych dzieci, ludzi ociemniałych i skruszonych prostytutek. Nie sposób zresztą wymienić wszystkich podopiecznych tej świętej – tyle legend jest z nią związanych. Ponieważ dzień św. Łucji jest dniem astronomicznego „zatrzymania się słońca", kiedy ustanawiają się proporcje długości dnia i nocy, aby około 20 grudnia przechylić je na korzyść dnia, stare polskie przysłowia głoszą: „Święta Łuca dnia przyrzuca", „Na świętą Łucę noc się z dniem tłuce", czy „Święto Łuci noc króci". Wprawdzie od 13 do 22 grudnia dni są coraz krótsze, ale to wcale nie znaczy, że stare przysłowia są bez sensu. Dzień świętej Łucji przypadał niegdyś na 23 grudnia. Zmiana to skutek gregoriańskiej reformy kalendarzowej, kiedy to po 4 października 1582 roku odjęto z kalendarza 10 dni. Przysłowia jednak są starsze niż kalendarz gregoriański. Dawniej imię Łucja (łac. *Lucia* – od *lux* – światło) nadawano dziewczynkom urodzonym o brzasku dnia.

Już w adwencie, od świętego Mikołaja lub Niepokalanego Poczęcia Najświętszej Marii Panny (8 grudnia), zwanego też Matki Boskiej Adwentowej, rozpoczynały się pochody maszkar. Chodziły w nich kozy, bociany, konie, wilki, niedźwiedzie oraz krowy, w niektórych regionach Polski zwane turoniami. Oczywiście przebierańcy, chodząc po domach, liczyli na poczęstunek, nic więc dziwnego, że w tym okresie pieczono niezliczoną liczbę tzw. adwentowych bułeczek. Przygotowywano je z mąki gryczanej wymieszanej z mąką razową z dużą ilością przypraw korzennych i rodzynek – każda gospodyni miała swoje pilnie strzeżone przepisy na te smakołyki, stanowiące przedsmak świątecznych pierników.

Adwentowe bułeczki przed upieczeniem nacinano ukośnie, a liczba nacięć odpowiadała kolejnym upływającym tygodniom adwentu. Bardzo często bułeczki takie smażono na oleju z konopi na „otwartym ogniu, a później dopiekano w piecu".

W adwencie domy pachniały więc korzennie i miodowo. Do dzisiaj nie wiadomo, ile jest odmian piernikowego ciasta. Już starożytni Grecy w czasie uroczystości i świąt raczyli się korzenno-miodo-

wymi wypiekami. Oprócz najsławniejszych chyba toruńskich i no-
rymberskich, są pierniki krakowskie, gdańskie, czarnogórskie, karls-
badzkie, żydowskie, węgierskie, słowackie... Gdzież ich nie ma.

Polska tradycja piernikowa sięga czasów kuchni starosłowiańskiej.
W czasach tych, gdy o cukrze nie miano jeszcze pojęcia, jedynym
i bardzo cenionym rodzajem „słodyczy" był miód dzikich pszczół, łą-
czony z grubo miażdżonymi ziarnami pszenicy. Było to obrzędowe
danie na pogańskich ucztach – przodek naszego dzisiejszego piernika. Na przestrzeni wieków ten obrzędowy niegdyś placek pogańskich Słowian stał się przysmakiem, który doprowadzono w Polsce
do doskonałości.

Receptura pierników nie była skomplikowana. Ciasto przygotowywano z czystego miodu, korzeni (kardamon, goździki, cynamon,
pieprz, imbir, anyż), mąki żytniej i pszennej po połowie, spirytusu
i potażu (węglan potasu używany wyłącznie do spulchniania piernikowego ciasta). Praca przy nich też nie była skomplikowana, ale
żmudna i uchodziła za prawdziwą sztukę. Piernikowe ciasto było
bardzo gęste i twarde. Wybijać, wygniatać i wyciągać je musiały
przez wiele dni bardzo silne dziewczęta. Takie ciasto dojrzewało powoli i mogło być przechowywane w stanie surowym całymi miesią-
cami. Najważniejszym składnikiem piernikowego ciasta był sam zaczyn; tym lepszy, im więcej liczył lat. Był on rzeczą tak cenną, że
stanowił część posagu panny młodej. Po upieczeniu pierniki staropolskie były twarde jak żelazo. Dopiero po wielu tygodniach leżenia stawały się zdatne do jedzenia, a wtedy – same rozpływały się
w ustach. Jak niegdyś mawiano, były cztery rzeczy najlepsze w Polsce: toruński piernik, gdańska wódka, krakowska panna i warszaw-
ski trzewik. Popularne toruńskie pierniki znane były już w pierwszej
połowie XVII wieku, a ich wyrób był najściślej strzeżoną tajemnicą
cechową. Przyrządzano mocno korzenne i mało słodkie pierniki do
wódki oraz bardzo słodkie, z bakaliami – na wety. Nazwa piernika –
zwanego w dawnej Polsce miodownikiem – pochodzi od pieprznej
(po staropolsku „piernej") przyprawy korzennej.

Dziś ciasto piernikowe można przygotować miesiąc przed pieczeniem i przechowywać w lodówce lub w zimnej piwnicy, a upiec tydzień przed świętami, zanim jeszcze rozpocznie się przedświąteczna

17

gorączka. Na jakość pierników ma wpływ odpowiednia ilość sody, potażu lub soli amoniakalnej. Zbyt duży dodatek środka spulchniającego powoduje „uciekanie piernika" z formy. Potem ciasto opada i staje się włókniste. Gdy jest go za mało – ciasto nie urośnie i będzie twarde. W czasie pieczenia piernika nie należy ruszać, ponieważ ciasto łatwo opada. Dobry piernik powinien być pulchny, słodki i w miarę korzenny.

Pierniki są najzdrowszymi ze znanych ciast, a wypiekano je we wszystkich domach staropolskich przez cały adwent: przed świętą Katarzyną pieczono małe „katarzynki" – najczęściej w kształcie serduszek, na świętą Katarzynę rozpoczynano pieczenie dużych pierników bożonarodzeniowych; na świętego Mikołaja – „mikołajki", pierniczki w różnych kształtach, najczęściej zwierzątek, lukrowane i często posypywane kolorowym groszkiem.

Ciasteczka to w bajkach przedmioty najczęściej magiczne. W dawnych czasach, np. w Prowansji, w adwencie panny piekły ciasteczka adwentowe, a kawalerowie je licytowali.

❖ ADWENTOWE CIASTECZKA KORZENNE ❖

Składniki:

250 g krupczatki, łyżeczka proszku do pieczenia, 100 g cukru pudru,
100 g masła, jajko, 50 g drobno usiekanych orzechów włoskich, pół łyżeczki
mielonego cynamonu, pół paczki cukru waniliowego,
ćwierć łyżeczki mielonych goździków, po szczypcie imbiru i szafranu

Mąkę wysypujemy na stolnicę, siekamy nożem z masłem i proszkiem do pieczenia, korzeniami i drobniutko usiekanymi orzechami. Dodajemy cukier, jajko i cukier waniliowy. Ciasto dokładnie zagniatamy, owijamy w celofan lub folię aluminiową i wstawiamy na 1–2 godziny do lodówki. Rozwałkowujemy na oprószonej mąką stolnicy, wycinamy foremkami ciasteczka, układamy na wysmarowanej masłem blasze, wstawiamy do nagrzanego piekarnika i pieczemy ok. 10–15 minut. Po ostudzeniu można ciasteczka posmarować lukrem.

KATARZYNKI, czyli męskie wróżenie

Andrzej i Katarzyna to dwa imiona, które otwierają adwent. Katarzynki przypisane były chłopcom: „W dzień świętej Katarzyny pod poduszkę dziewczyny", a „Na świętego Andrzeja dziewczęcych wróżb nadzieja".

„Kto zaleca się w adwenta, ten będzie miał żonę w święta" – głosi inne ludowe przysłowie, a osiągnięciu tego celu miały pomagać adwentowe wróżby matrymonialne.

Najsłynniejsze dni wróżebne to wigilie świętej Katarzyny i świętego Andrzeja – wieczory czy noce, kiedy nie było przeszkód w nawiązywaniu kontaktu z zaświatami. Skomplikowane są losy świętych patronów, których tradycja ludowa obarczyła zadziwiającymi obowiązkami. Ani bowiem święta Katarzyna z Aleksandrii, ani święty Andrzej apostoł nie przewidzieli, że przyjdzie im władać ewidentnie pogańskimi zwyczajami. Obydwa święta powstały podobno w starożytnej Grecji. O greckim pochodzeniu wróżb w wigilię świętej Katarzyny świadczyć ma pokrewieństwo greckiego wyrazu *katharos* – „czysty" z imieniem Katarzyny, patronki niewinnych i czystych dziewic.

19

Poradzić się Minerwy – sposób to jedyny,
Którą świat pod imieniem wielbi Katarzyny

– radził kawalerom w XVIII wieku Stanisław Trembecki.

Wróżby w tym dniu nie dorównywały panieńskim, ponieważ kawalerom nie tak śpieszno było do żeniaczki jak pannom na wydaniu. Ale jeszcze sto lat temu w Polsce chłopcy zwracali szczególną uwagę na to, co przyśniło im się tej nocy – biała kura wróżyła, że poślubi panienkę; czarna – wdowę; kura z kurczętami – wdowę z dziećmi; sowa – żonę mądrą, ale ponurą; siwy koń – dozgonne kawalerstwo. Aby zakochanemu przyśniła się przyszła żona w naturalnej postaci, należało spać z... ukradzioną halką pod poduszką lub wytrzeć twarz po wieczornym myciu ściągniętą ze sznura spódnicą.

Ale jedna męska wróżba była prawdziwie romantyczna i piękna – to wróżba z gałązką wiśni. Należało ją uciąć w dniu świętej Katarzyny i wsadzić do wody. Jeśli zakwitła w okresie Bożego Narodzenia, młodzieniec mógł być pewny, że los pozwoli mu: „Stanąć na ślubnym kobiercu z damą miłą sercu", i była zapowiedzią szczęśliwego małżeństwa. Posługiwano się też kartkami, uważano bowiem, że najpewniejszą wróżbą jest wyciąganie spod poduszki kartki z imieniem przyszłej żony. Tak powstało stare polskie przysłowie: „Na świętej Katarzyny są pod poduszką dziewczyny".

Na wsi tradycyjnie wesela odbywały się najczęściej jesienią, po zbiorach, aż do świętej Katarzyny, dlatego mawiano: „Na świętą Katarzynę, bierz swoją pod pierzynę".

To, co było dozwolone jeszcze w dniu świętej Katarzyny, później w adwencie było zabronione. Nic więc dziwnego, że: „Święta Katarzyna śmiechem, święty Andrzej grzechem", Święta Katarzyna adwent zawiązuje; Sama hula, pije, a nam zakazuje", „Święta Katarzyna śluby ucina", a więc: „Święta Katarzyna adwent zawiązała, dziewucha nieszczęśliwa, że się nie wydała".

Specjalnie też na ten dzień pieczono słynne pierniczki:

❖ KATARZYNKI ❖

Składniki:

750 g płynnego miodu, ½ kg mąki żytniej, pół szklanki przegotowanej wody, 2 jajka, łyżeczka zmielonych nasion anyżku, sok i otarta skórka

z pomarańczy, po pół łyżeczki mielonych goździków i kardamonu,
kieliszek (25 g) spirytusu, surowe żółtko, łyżeczka sody oczyszczonej,
3–4 łyżki drobno usiekanych orzechów

Miód zagotowujemy z wodą, anyżkiem, kardamonem i goździkami, sokiem
i skórką z pomarańczy. Do miski przesiewamy ogrzaną mąkę, zalewamy wrzącym miodem i dokładnie ucieramy drewnianą łyżką. Do ciepłego jeszcze, ale doskonale wyrobionego ciasta wbijamy po 1 jajku, cały czas ucierając, po czym od-
stawiamy, aby przestygło. Dokładnie mieszamy sodę ze spirytusem i surowym
żółtkiem, wlewamy do zimnego ciasta i bardzo dokładnie wyrabiamy, aż będzie
gładkie i lśniące. Pod koniec wyrabiania wsypujemy orzechy. Blachę smarujemy
masłem, ciasto rozwałkowujemy, wycinanamy serduszka, układamy na blasze,
pieczemy w temperaturze ok. 200°C ok. 40–45 minut. Po upieczeniu polewamy
polewą czekoladową lub lukrem.

❖ PIERNICZKI CAŁUSKI ❖

Składniki:

300 g mąki, pół szklanki miodu, jajko, 100 g cukru, łyżka masła,
pół łyżeczki sody, łyżeczka przyprawy korzennej, jajko do smarowania,
40 g migdałów do przybrania

W rondelku zagotowujemy miód. Przesiewamy mąkę na stolnicę, robimy dołek,
wlewamy miód i mieszamy nożem, po czym dodajemy cukier, przyprawę korzen-
ną, sodę, masło i jajko. Zagniatamy ciasto. Wygniatamy energicznie i długo, inaczej pierniczki nie urosną. Dobrze wyrobione ciasto rozwałkowujemy, wycinamy
ciasteczka i układamy na natłuszczonej blasze, smarujemy jajkiem, dekorujemy
połówką migdała lub orzecha, wstawiamy do nagrzanego piekarnika. Pieczemy
15–20 minut w niezbyt gorącym piekarniku (powinny urosnąć 3-krotnie). Upieczone i ostudzone ciasteczka przekładamy do słoja lub puszki. Muszą poleżeć co
najmniej tydzień, gdyż po upieczeniu są bardzo twarde; kruszeją po kilku dniach.

❖ PALUSZKI NARZECZONEJ ❖

Składniki:

350 g mąki, 60 g cukru, 2 jajka, sól, woda przegotowana, 200 g miodu,
olej do głębokiego smażenia

Do miski przesiewamy mąkę, dodajemy szczyptę soli, cukier, wbijamy jajka i dolewając przegotowaną wodę, wyrabiamy twarde ciasto. Zostawiamy, aby ciasto lekko odpoczęło, po czym rozwałkowujemy na placek grubości 1–1,5 cm, kroimy na paski długości ok. 5 cm, kształtujemy paluszki, smażymy na gorącym oleju na złoty kolor. Po wyjęciu łyżką cedzakową zanurzamy paluszki w płynnym miodzie. Podajemy na ciepło lub zimno.

❖ PIERNIK STAROPOLSKI ❖

Składniki:

250 g masła, 500 g miodu, 2 szklanki cukru, 1 kg mąki pszennej, 3 jajka,
3 łyżeczki sody oczyszczonej, pół szklanki zimnego mleka lub śmietanki,
pół łyżeczki soli, po łyżce mielonych: cynamonu, goździków, imbiru,
kardamonu, pół szklanki posiekanej smażonej w cukrze skórki
pomarańczowej, pół szklanki posiekanych orzechów włoskich,
2 łyżki posiekanych orzechów laskowych

W rondlu rozgrzewamy miód z cukrem i masłem i stale mieszając, podgrzewamy aż do wrzenia. Zdejmujemy z ognia, studzimy. W mleku lub śmietance rozpuszczamy sodę. Do przestudzonej masy miodowej stopniowo, cały czas ucierając, dodajemy przesianą mąkę, po 1 jajku, wlewamy sodę, dodajemy korzenie i dokładnie wyrabiamy ciasto, dodając posiekane orzechy i skórkę pomarańczową. Ciasto starannie wyrabiamy. Owijamy je w lnianą ściereczkę, umieszczamy na dole w lodówce. Ciasto powinno leżakować ok. 4 tygodni. „Dojrzałe" ciasto dzielimy na 3 części, rozwałkowujemy, układamy na blasze, pieczemy trzy placki. Uwaga: po upieczeniu placki są twarde, po 2–3 dniach, gdy zmiękną, przekładamy je przygotowanymi masami.

Masa orzechowa:

400 g zmielonych orzechów włoskich, 250 g masła, 300 g cukru pudru,
3 surowe żółtka, pół laski wanilii, pół kieliszka rumu

Masło ucieramy z cukrem na pianę i cały czas ucierając, stopniowo dodajemy po 1 żółtku i łyżce orzechów. Pod koniec ucierania dodajemy posiekaną wanilię i rum. Utartą masę lekko schładzamy.

Masa śliwkowa:

500 g suszonych śliwek bez pestek, pół szklanki rumu, 2–3 łyżki miodu,
2 łyżeczki mielonego cynamonu, łyżeczka mielonych goździków,
pół szklanki płatków migdałowych, 3 łyżki posiekanych pistacji

Umyte śliwki sparzamy wrzątkiem, osączamy, wkładamy do salaterki, zalewamy rumem, przykrywamy i zostawiamy na godzinę. Potem miksujemy z miodem, cynamonem i goździkami, mieszamy z płatkami migdałowymi i orzeszkami pistacjowymi.

Po przełożeniu masami piernik owijamy pergaminem, układamy na deseczce, przykrywamy drugą i obciążamy.

ANDRZEJKI – wróżby dziewczęce

„Na świętego Andrzeja dziewkom z wróżby nadzieja". Andrzejki, zwane dawniej jędrzejówkami, to stara panieńska zabawa we wróżby mające zdradzić imię i wygląd przyszłego męża oraz stronę świata, z której ukochany przybędzie. Wiele z tych wróżb praktykowano od zarania dziejów – nasi przodkowie niezwykle często sobie wróżyli, zwłaszcza w dniach kultu zmarłych, obchodzonych niegdyś cztery razy w roku w okresach przesilenia. Badacze wróżb i zabobonów różnych narodowości spierają się o to, gdzie powstał andrzejkowy zwyczaj. Istnieją dwie główne hipotezy: niemiecka i grecka.

Uczeni i historycy greccy uważają, że andrzejkowe wróżby powstały dawno temu na Sporadach – malowniczych wyspach w południowo-wschodniej części Morza Egejskiego, gdzie najrozmaitsze wróżby z ulanych woskowych figur były bardzo popularne.

Z kolei niemieccy etnografowie zapewniają, że „andrzejki" to zwyczaj niemiecki, a święty Andrzej, nazywany „najlepszym ze świętych", odziedziczył swoją magiczną moc po bogu Freyu – „patronie stadła małżeńskiego, dawcy dzieci i wszelkiego urodzaju".

24 Nie można tu też pominąć wersji, że święty Andrzej swoją wielką moc odziedziczył nie po germańskim Freyu, ale po słowiańskim boż-

ku weselnych godów – Godunie. *Mitologia słowiańska*, wydana
w 1911 roku, tak wyjaśnia pochodzenie tego zwyczaju: „starosło-
wiańskim bożkiem miłości był Lubicz, a jego towarzyszem bożek
weselnych godów – Godun" i tak „bogini Łada upiększała młodzież,
znajomiła ją między sobą podczas święta schadzki i pociągała ku sobie wzajemną sympatią. Bożek Lubicz ją rozpłomieniał, a Godun łączył węzłem małżeńskim...".

Na świętego Andrzeja kończy się zazwyczaj rok kościelny. Ten
święty, urodzony w I wieku w galilejskiej Betsaidzie, był przede
wszystkim patronem książąt burgundzkich, którzy jego krzyż (został bowiem ukrzyżowany) przyjęli za emblemat całej Burgundii.
Czczono go już w IV wieku; przez wiele wieków jego imieniem zwano grudzień i uważano, że noc świętego Andrzeja (z 29 na 30 listopada) jest najwłaściwszą porą na podejmowanie ważnych decyzji.
I choć jest opiekunem rybaków, rzeźników, górników, żeglarzy i wo-
ziwodów, bardzo często przywoływany bywał w panieńskich modli-
twach o dobre małżeństwo. Istnieje też hipoteza, że wesołe wróżby
są zjawiskiem stosunkowo młodym i wyrosły dopiero na gruncie
wierzeń chrześcijańskich.

Najdawniejszym chyba polskim świadectwem istnienia wróżb
w wigilię świętego Andrzeja jest *Komedia Justyna i Konstancjej*
z 1557 roku, w którym to dziele autor, Marcin Bielski, radzi:

> Nalejcie wosku na wodę,
> Ujrzycie swoją przygodę
> Słychałam od swej macierze
> Gdy która mówi pacierze
> W wigilię Andrzeja świętego
> Ujrzy oblubieńca swego (...)
> Nie kuś Bogiem, ni jego świętymi
> Nie pętaj się czarami przeklętymi!
> Nie pomogą tobie lane woski,
> Jest każdej dar obiecany boski!

Już wtedy więc lanie wosku cieszyło się wielkim powodzeniem.
I tak jest do dzisiaj. Od wieków dziewczęta wlewały do naczynia

25

z wodą roztopiony wosk, po czym zastygłą formę oświetlały tak, aby rzucała cień, z którego kształtu wróżyły. Pilnie obserwowano też zachowanie wylewanego na wodę wosku – jeśli dwie grudki zbliżały się do siebie, to znak, że ślub blisko; jeżeli krążyły oddzielnie – nadal czekało życie w panieńskim stanie.

Mowę lanego na wodę wosku tłumaczyły najbardziej znane symbole: skrzydlata postać lub anioł zwiastowały dobrą nowinę; brama lub drzwi – mówiły o bliskim szczęściu; bryłka wosku w kształcie czapki zapowiadała kłopoty; drzewo wróżyło dobry los; harfa – zgodę lub powodzenie w miłości; półksiężyc zwiastował miłosną przygodę; dzban – zdrowie, a owoce – dobrobyt. Wszystkie dziewczęta oczywiście gorąco pragnęły, aby lany przez nie wosk zastygł w kształcie zamku, to wróżyło bowiem męża – bajkowego księcia.

W Polsce odgadywano małżeńską przyszłość nie tylko z lanego wosku, ale też z ołowiu i cyny. Poeci i pisarze wszystkich wieków podpowiadali w tym dniu panienkom, w jaki sposób zdobyć męża. Jan Krasicki na początku XVII wieku pisał: „w wigilię święta swego wzywany jest on przez poszczące dziewice, przepowiada mężów przyszłych", a obdarzony dużym poczuciem humoru dziewiętnastowieczny poeta i pisarz Władysław Sabowski radził:

> Ową przyszłość dziś bez wielkich mozołów
> Wskazać może wosk stopiony lub ołów,
> Gdy swobodną kroplą w wodę upadnie.
> Rzecz ciekawa co tam z niego się złozy...
> Pewno młodzian urodziwy a hozy.

Ołów uchodził za metal mający przyciągać szczęście, a małżeństwo wywróżone ołowiem miało być trwalsze niż wywróżone woskiem, ale jak „powiadały doświadczone matrony – ciężkie".

Same panienki też bawiły się w układanie wierszyków. W osiemnastowiecznym *Kalendarzu Polskim i Ruskim* znajduje się próbka takiej twórczości pióra panny (pani) Kunegundy Jasielskiej:

26

> W wigiliją świętego Andrzeja
> Spełniona moja nadzieja,

Bodaj to się sprawdziło,
Co mi się ongi śniło,
Że z rąk ojca dobrodzieja
Zostałam wydana za pana Stefana!

Lanie wosku, ołowiu lub cyny na wodę to tylko jedna z wróżb czynionych w tym dniu. Pomysłowość dziewcząt w tym zakresie była niewyczerpana, a i poświęcenie ogromne. Aby we śnie zobaczyć przyszłego męża, należało „pościć abo i suszyć dzień cały, nawet wody nie pijąc, po czym na wieczerzę jeno śledzia słonego zjadłszy, położyć się spać, a uważać pilnie na młodziana, co we śnie wody poda, on ci będzie mężem". Dobrze było jeszcze odmówić modlitwę andrzejkową: „łóżko moje depczę ciebie, Panie Boże proszę Ciebie; niech mi się ten przyśni, kto mi będzie najmilszy". Dziewczęta na Podlasiu miały nielekko, bo chcąc się dowiedzieć, który z chłopców zostanie ich mężem, musiały zmówić „dziewięć pacierzy stojąc, dziewięć klęcząc, dziewięć siedząc", a oprócz modlitw, poszczenia i jedzenia śledzia, aby wzmocnić siłę wróżby, kładły się spać z męskimi spodniami pod poduszką i wałkiem do maglowania bielizny u boku.

Zgodnie z innym andrzejkowym zwyczajem tuż przed pójściem spać dziewczyna nadgryzała jabłko, potem kładła je pod poduszkę, wierząc, że ukochany – jeśli nawet nie przyjdzie skosztować nadgryzionego jabłka – to chociaż się przyśni.

Ciekawą wróżbą było też sianie przez pannę konopi. Dziewczyna szła samotnie wieczorem w pole i siejąc konopie, modliła się do świętego Andrzeja, a później kładła się i opierając głowę na kamieniu, czekała, aby we śnie ujrzeć wychodzącego z konopi męża. Mniej odważne siały siemię lniane do jakiejś glinianej skorupy napełnionej ziemią albo rozrzucały je po drewutni, śpiewając:

Święty Andrzeju,
Ja tobie len sieję,
Daj mi znać,
Z kim będę się brać.

Twarz przyszłego męża można też było tego wieczoru ujrzeć w lustrze wiszącym naprzeciwko drzwi albo w studni; jeśli noc była jasna i świecił księżyc, w wodzie ukazywała się twarz ukochanego. Nie zaszkodziło też zajrzeć o północy do chlebowego pieca – lepiej jednak było nie ujrzeć w nim śpiącego mężczyzny, bo to oznaczało, że przyszły małżonek będzie niezwykle leniwy.

Niezawodnymi wróżbitami w tym dniu były także zwierzęta domowe – pies, kot, kura; a w Krakowskiem, Sandomierskiem i na Kujawach opinią znakomitego wróża cieszył się gąsior. Gąsior wróżył z zawiązanymi oczami. Dziewczyna, do której pierwszej podszedł, mogła być pewna małżeństwa, a ta, którą uskubnął, musiała złapać swego chłopaka i nakłonić do szybkiego dania na zapowiedzi.

W wielu okolicach Polski dziewczęta wypiekały dla zwierząt-wróżbitów specjalne pierożki zwane „jędrzejkami".

Jędrzejki lub ulepione z tłuszczu kulki z doczepionymi karteczkami z imionami chłopców rozkładano na podłodze, po czym wprowadzano psa i obserwowano, który kawałek chwyci najpierw. Podobnie wróżyła czarna kura, zjadając jedną z gałek chleba rozrzuconych na podłodze przez dziewczęta. Kolejność zjadanych przez nią gałek oznaczała kolejność marszu do ślubnego kobierca. Kot – najlepiej czarny z białą plamką na czole – wpuszczany był do środka ścisłego kręgu utworzonego przez dziewczęta. Ta, koło nóg której usiłował wydostać się na zewnątrz, pierwsza miała wyjść za mąż.

Popularne do dzisiaj – oprócz lania wosku – są też wróżby, do których dziewczęta używają obuwia; zebrane w jednej izbie, ustawiają kolejno swoje buciki jeden za drugim. Czyj but najszybciej znajdzie się przy drzwiach – ta panna najszybciej zostanie mężatką.

Niezwykle popularne było rzucanie butem ponad głową, ku drzwiom. Jeżeli but upadnie na podłogę podeszwą, a noskiem ku drzwiom – oznacza to szybkie zamążpójście i opuszczenie rodzinnego domu.

Za niezwykle skuteczną wróżbę uchodziły palące się świeczki. Dwie umieszczone na tekturkach świeczki, zapalano i puszczano na wodę, czekając niecierpliwie, czy zetkną się ze sobą. Jeśli tak – można było kupować ślubną suknię, jeśli nie – należało nie tracić nadziei. Często dziewczęta próbowały pomóc losowi, dmuchając na wodę i popychając świeczki, ale takie wróżby uchodziły za nieważne. Na Śląsku puszczano na wodę trzy świeczki – trzecia symbolizowała księdza – zetknięcie się wszystkich było wróżbą długiego i niezwykle szczęśliwego małżeństwa.

W okolicach Bytomia i Raciborza zamiast świeczek do wody wkładano igły, którym nadawano imiona dziewcząt i chłopców; gdy zeszły się w wodzie razem, wróżyło to połączenie się pary węzłem małżeńskim.

Inna wróżba polegała na chowaniu pod talerzem różnych drobiazgów: kwiatków, różańca, czepka, pieniędzy, chleba, grudek ziemi. Należało z zawiązanymi oczami wybrać jeden talerz. Wyciągnięcie rośliny oznaczało staropanieństwo, różańca – wstąpienie do klasztoru, czepka – zamążpójście, pieniądze przepowiadały bogactwo, chleb – głód (biedę), a ziemia – zetknięcie się ze śmiercią.

Na południu Polski, podobno pod wpływem karpackiego wampira i rumuńskich wierzeń, dzień świętego Andrzeja był porą szczególnej aktywność wiedźm i upiorów. To w obronie przed nimi na drzwiach obór i domów kreślono główką czosnku znak krzyża. Po tym zabiegu czosnek oczywiście nabierał szczególnych właściwości. Wystarczyły trzy ząbki zjedzone przed snem – co robiły wyposzczone góralki – aby ukazał się we śnie przyszły mąż.

W wielu miejscach wierzono, że w noc świętego Andrzeja wychodzą z grobów dusze samobójców, rozpalano więc z palm wielkanocnych, trzymanych dotąd za świętymi obrazami, tzw. „ognie świętego Andrzeja". I z resztek niedopalonych palm, wyciąganych z ognia z zamkniętymi oczami, wróżyły sobie dziewczęta: długa, jaskrawo żarząca się wróżyła gorącą miłość i długie, szczęśliwe małżeństwo, krótka, szybko gasnąca – odwrotnie. Za skuteczne uchodziło również nawdychanie się zapachów dymu z palących się palm i natychmiastowe położenie się spać – „zanim kur zapiał". We śnie przychodził lub – jeśli bogatszy – przyjeżdżał na koniu przyszły mąż.

Niezwykle łatwe było odgadnięcie, skąd nadejdzie przyszły mąż. Wystarczyło o północy wyjść przed dom i posłuchać, z której strony zaszczeka pies. Na temat sytuacji, gdy rozszczekały się wszystkie Burki we wsi, wróżby milczą. Wobec tego znacznie pewniejsze było

29

pochylenie się nad studnią i wołanie „hop-hop", a echo odzywające się w którymś z kątów zagrody wskazywało stronę świata, z której miał nadejść ten przeznaczony przez los.

Najodważniejsze dziewczęta mogły sobie też wywróżyć w tym dniu imię przyszłego męża. Sposób był niezwykle prosty: wystarczyło wyjść samotnie nocą na rozstajne drogi i spytać pierwszego przechodzącego mężczyznę o imię. Mniej odważne przerzucały z zamkniętymi oczami kartki kalendarza i ta, na której się zatrzymywały, zdradzała imię. Najprzyjemniejsze i najprostsze było jednak wypisanie kartek z męskimi imionami i włożenie ich wieczorem pod poduszkę. Rano wystarczyło tylko sięgnąć po jedną z nich.

Jeszcze jedna trudność czekała w tym dniu pragnące wyjść za mąż dziewczęta – kradzież lub ciężka praca.

W całym kraju pieczono niegdyś andrzejkowe bałabuszki. Aby te maleńkie, okrągłe bułeczki miały czarodziejską moc, musiały być pieczone z mąki pochodzącej z domu upatrzonego kawalera. Ale uwaga! Mąkę należało ukraść.

Jeśli nie udało się ukraść, to trzeba było ziarna zemleć na żarnach obracających się w lewo, czyli „pod słońce". Woda do bałabuszek powinna być źródlana, czerpana o północy lub w samo południe, a dziewczyna niosąca ją do domu nie mogła się obejrzeć za siebie. Każda z dziewcząt powinna upiec piętnaście bułeczek. Później wszystkie zbierały się w jednej izbie, by rozpocząć wróżby. Specjalnie oznakowane bułeczki układano w jednym rzędzie na stole (o kolejności decydowało losowanie). Potem wpuszczano wygłodzonego psa. Aby wróżba była pomyślna i zamążpójście szybkie, pies musiał zjeść pochwyconą bułeczkę; jeśli tylko nadgryzł, wróżyło to, że dziewczyna zostanie porzucona przez swojego chłopaka. Najgorsze jednak było, kiedy pies schwytał bułeczkę i nie zjadł, tylko zaniósł ją pod próg lub pod okienny parapet – to wróżyło tragedię.

Bałabuszki służyły też do wróżb w samotności. Dziewczyna układała upieczone przez siebie bułeczki, z których każda oznaczała innego chłopaka, a pies decydował, który z nich zostanie mężem.

Tyle o andrzejkowych wróżbach, ale przecież w tym dniu odbywały się też ostatnie tańce. Podczas zabaw najczęściej podawane były ciasteczka i lekkie napoje.

Oto kilka andrzejkowych propozycji:
Najpierw *Espera marido*, czyli „Czekając na męża" – portugalski deser, którego nazwa znakomicie pasuje do tego wieczoru wróżb:

✦ CZEKAJĄC NA MĘŻA ✦

Składniki:

250 g cukru, 6 jajek, pół szklanki wody, cynamon

Gotujemy na małym ogniu wodę z cukrem, aż utworzy się lukier (do nitki). Zdejmujemy z ognia, studzimy. Dokładnie roztrzepujemy jajka i wlewamy je do prawie zimnego lukru, cały czas ubijając. Stawiamy na małym ogniu i ubijamy trzepaczką, aż masa zacznie rosnąć, wówczas przelewamy do salaterek, posypujemy zmielonym cynamonem. Podajemy na zimno lub ciepło.

✦ MAKARONIKI ✦

Składniki:

4–5 surowych białek, 250 g migdałów, sok i otarta skórka z cytryny,
350 g cukru pudru, 1–1½ łyżki mąki, łyżeczka masła

Migdały sparzamy wrzątkiem, obieramy ze skórki, układamy na blasze, suszymy w nagrzanym piekarniku, mielimy. Ubijamy na sztywno pianę z białek i cały czas ubijając, stopniowo dodajemy cukier puder. Gdy cukier się rozpuści, dodajemy zmielone migdały, sok i otartą skórkę z cytryny oraz mąkę, dokładnie mieszamy. Blachę smarujemy masłem, posypujemy mąką, łyżeczką nakładamy małe porcje masy. Pieczemy w średnio nagrzanym piekarniku.

✦ OBWARZANKI POMARAŃCZOWE ✦

Składniki:

100 g mielonych migdałów, 100 g cukru pudru,
otarta skórka z 2 pomarańczy, łyżka soku z pomarańczy, 2 surowe żółtka

Ucieramy na parze żółtka z cukrem pudrem do białości; stale ucierając, dodajemy skórkę pomarańczową i sok z pomarańczy, podgrzewamy, a następnie studzimy i mieszamy z mielonymi migdałami. Z masy kształtujemy małe obwarzanki, układamy je na blasze, wstawiamy do nagrzanego piekarnika i suszymy na maleńkim ogniu.

❖ CIASTECZKA ANYŻKOWE ❖

Składniki:

200 g mąki, 200 g cukru, 8 jajek, płaska łyżka mielonego anyżku,
2 łyżki grubego cukru

Do rondelka wbijamy jajka, wsypujemy cukier i ucieramy na parze (bądź w mikserze). Dobrze utarte jajka zestawiamy, żeby masa przestygła. Ostudzoną masę stawiamy na maleńkim ogniu i trzepaczką ubijamy aż do zbielenia. Zdejmujemy, studzimy, po czym ponownie stawiamy na ogniu, dodajemy anyż i przez kilka minut ucieramy masę. Zestawiamy z ognia, stopniowo dodajemy mąkę i ciasto dokładnie ucieramy. Blachę lekko smarujemy masłem, wykładamy cienką warstwą ciasta, wstawiamy do nagrzanego piekarnika, pieczemy. Ciepłe ciasto posypujemy grubym cukrem, kroimy na niewielkie kwadraty.

❖ GRZANIEC STAROPOLSKI ❖

Składniki:

Butelka czerwonego wytrawnego wina, 2 surowe żółtka, 1–2 łyżki miodu
(najlepiej gryczanego), 1 łyżka cukru, 3–4 goździki, szczypta cynamonu

Żółtka ucieramy z cukrem na pianę. Wino wlewamy do rondelka, podgrzewamy pod przykryciem z goździkami i cynamonem. Nie gotujemy. Zdejmujemy z ognia, dodajemy miód, wyjmujemy goździki. Gorące wino powoli wlewamy do żółtek, cały czas ubijając trzepaczką. Wstawiamy rondel do garnka z gorącą wodą i jeszcze kilka minut ubijamy, potem rozlewamy wino do szklanek i od razu podajemy.

❖ KORDIAŁ MORELOWY ❖

Składniki:

100 g suszonych moreli bez pestek, ćwierć szklanki przegotowanej wody,
po pół łyżeczki mielonego imbiru i miodu, po ćwierć łyżeczki mielonego
cynamonu i ziela angielskiego, po ćwierć łyżeczki od kawy mielonych
goździków i tartej gałki muszkatołowej, szklanka piwa imbirowego,
łyżeczka od kawy soku z cytryny

32 Umyte morele wkładamy do rondelka, dodajemy korzenie, zalewamy gorącą wodą, doprowadzamy do wrzenia, a później gotujemy na niewielkim ogniu ok. 20 mi-

nut. Zdejmujemy z ognia, studzimy, miksujemy z miodem i piwem, lekko pod-grzewamy, doprawiamy do smaku sokiem z cytryny.

❖ NAPÓJ MIODOWY ❖

Składniki:

4 szklanki białego wytrawnego wina,
szklanka miodu płynnego (najlepiej gryczany lub akacjowy),
3 szklanki wody, po łyżce soku z cytryny i pomarańczy, 4 surowe żółtka

Zagotowujemy wodę, mieszamy ją z sokiem z cytryny i pomarańczy. W rondelku miksujemy dokładnie żółtka z miodem. Cały czas miksując, stopniowo dolewamy gorąca wodę. Gęsty krem łączymy z winem, dokładnie mieszamy. Podajemy na-tychmiast po przygotowaniu.

❖ PONCZ ANANASOWY ❖

Składniki:

Puszka ananasa w kostkach, 4 łyżeczki herbaty,
2 szklanki wrzątku, 100 g cukru, kieliszek słodkiego
czerwonego wina, sok z 1 cytryny, 4 szklanki czerwonego wytrawnego
wina, pół szklanki koniaku

Herbatę wsypujemy do szklanego dzbanka, zalewamy wrzątkiem, parzymy 5–6 mi-nut, przecedzamy, mieszamy z cukrem. Do rondla wrzucamy kostki ananasa, wle-wamy słodkie wino i sok z ananasa, herbatę, sok z cytryny i czerwone wino wytraw-ne. Podgrzewamy do wrzenia, wlewamy koniak, zestawiamy z ognia. Wlewamy do wazy lub rozlewamy do szklanek.

❖ PONCZ I ❖

Składniki:

5 szklanek mocnego naparu herbaty,
10–11 łyżek cukru, po pół szklanki soku z cytryny i koniaku,
szklanka złocistego rumu,
dokładnie umyta cytryna

Cytrynę kroimy na plasterki. Mocny herbaciany napar wlewamy do rondelka, do-prowadzamy do wrzenia, zdejmujemy z ognia, dodajemy sok z cytryny, koniak, rum i cukier, dokładnie mieszamy, podgrzewamy. Podajemy w nagrzanych szklaneczkach udekorowanych plasterkami cytryny.

✦ PONCZ II ✦

Składniki:

6 łyżeczek herbaty, 2 szklanki wrzątku, 150 g cukru,
4 szklanki białego wytrawnego wina, pół szklanki rumu,
skórka z 1 cytryny

Cytrynę dokładnie szorujemy, sparzamy wrzątkiem, ostrym nożem ścinamy żółtą skórkę. Do szklanego dzbanka wsypujemy herbatę, zalewamy wrzątkiem, parzymy 5–6 minut, przecedzamy, mieszamy z cukrem, wlewamy do rondla, dodajemy wino, skórkę z cytryny i podgrzewamy do wrzenia. Wlewamy rum, mieszamy, podgrzewamy (nie dopuszczając do zagotowania). Natychmiast rozlewamy do szklaneczek lub do wazy. Uwaga! Przed nalewaniem ponczu do szklanek dobrze jest włożyć do nich łyżeczki, aby uchronić szkło przed pęknięciem. Jeśli chcemy podać „płonący poncz", na łyżeczce opartej o krawędź szklanki można położyć kostkę cukru nasączoną koniakiem lub rumem i podpalić.

✦ PIWO Z KORZENIAMI I SOKIEM POMARAŃCZOWYM ✦

Składniki:

3–4 szklanki jasnego piwa, 4 łyżki miodu, 4 goździki, 4 ziarna kardamonu,
½ łyżeczki gałki muszkatołowej, sok i otarta skórka z 1 pomarańczy

Piwo podgrzewamy pod przykryciem z przyprawami, sokiem i otartą skórką z pomarańczy, przecedzamy, mieszamy z miodem, podgrzewamy, rozlewamy do szklanek.

ŚWIĘTA BARBARA, czyli CZWARTEGO GRUDNIA

Niegdyś prawie każdy zawód miał swojego patrona, a cechy odprawiały nabożeństwa ku ich czci. I tak patronem cieśli był święty Józef, szewców – Kryspin, pasterzy – Mikołaj, rolników – Izydor, lekarzy i aptekarzy – Kosma i Damian, prawników – Iwon, muzyków – Cecylia, żołnierzy – Jerzy, studentów – Grzegorz, a flisaków i górników – Barbara.

W Polsce kult świętej Barbary od wieków jest niezwykle żywy. Najstarszy polski kościół pod jej wezwaniem wzniesiono w 1262 roku w Bożygniewie koło Środy Śląskiej; wzmianki o niej znaleźć można w jedenastowiecznym *Modlitewniku Gertrudy*, córki Mieszka II, a w XV wieku wydział teologiczny Akademii Krakowskiej obrał ją sobie za patronkę. Święta Barbara należy do dziewic męczennic, których akta zaginęły, ale pamięć i legendy są żywe do dzisiaj. Nie wiadomo więc naprawdę, kiedy i w jaki sposób poniosła śmierć. Stało się to zapewne około 305 roku.

Jedna z legend o życiu świętej Barbary mówi, że była ona piękną córką niezwykle bogatego człowieka, stąd pewnie, dla podkreślenia jej szlacheckiego pochodzenia, na licznych obrazach przedstawiana jest w stroju królowej i w koronie. O jej rękę ubiegało się wielu mło-

35

dych ludzi, ona jednak odrzucała wszystkie propozycje, ponieważ przyjęła chrześcijaństwo i złożyła śluby dozgonnej czystości. Ojciec jej, ze strachu o własne stanowisko, a być może i życie, próbował wszelkich sposobów, aby zmusić córkę do wyrzeczenia się wiary. A kiedy zamknięcie w wieży i głodzenie nie dały rezultatów, oskarżył ją, a skazaną na śmierć przez ścięcie – sam zabił.

Inna legenda głosi, że święta Barbara, uciekając przed ojcem, schroniła się w głębi góry, która się przed nią rozstąpiła. Znaleziono ją jednak i poddano okrutnym torturom. Ojciec, który sam ściął jej głowę, zginął od pioruna.

Być może dlatego właśnie wszyscy, którzy narażeni są na nagłą i niespodziewaną śmierć, obrali ją sobie za patronkę. Jest więc święta Barbara patronką więźniów, rybaków i marynarzy. Niegdyś w warszawskim kościele NMP na Nowym Mieście w dniu świętej Barbary zbierali się rybacy, a po porannych i wieczornych nabożeństwach rozdawali ubogim ryby. Ponieważ zaś „żaden majtek bez Barbarki na wodę się nie puścił", każda budowana łódź musiała mieć wizerunek świętej Barbary.

Jest też Barbara patronką górników, kamieniarzy, żołnierzy i tajnych drukarzy:

Święta Barbaro górników patronko
zejdź w niewoli podziemia czarne
i szaty swojej koronką osłoń
tajną drukarnię.
Patronko pracy podziemnej –
Rozświetl krecią ciemność
Lochów, w których się broń wykuwa;
Nim padnie hasło,
Nad górnikami narodu czuwaj
A wrogom oczy zasłoń (...)
Święta Barbaro, patronko podziemia
Rozświetl ciemność więzienia (...)
Wyprowadź naszą młodość niecierpliwą,
Z odkrytą przyłbicą,
Z ciasnoty konspiracji – na kulomioty!

Daj zapłacić krwią żywą
Za Wielką Polskę!

Tak modliła się w 1942 roku Krystyna Przygodzka; tak też wzdychało do swojej patronki w 1982 roku, w stanie wojennym, wielu drukarzy i kolporterów.

Dzień świętej Barbary, czyli zdrobniale Barbórka, najważniejszy jest jednak dla górników, którzy z dawien dawna słynęli z pobożności; „Barbara święta o górnikach pamięta". Przez lata całe narażani na ciągłe niebezpieczeństwo i pracujący niezwykle ciężko, polscy górnicy przed zjazdem do kopalni modlili się do swej patronki, a po szychcie dziękowali jej za opiekę.

W dzień świętej Barbary szli na mszę i odmawiali wspólny pacierz; cały zresztą Barbórkowy dzień był niezwykle uroczysty. W tym dniu odbywały się „wyzwoliny" na górnika i „skakanie przez skórę" (bez „skóry", rodzaju specjalnego fartucha, nie mógł się obyć pod ziemią żaden rębacz ani ładowacz). To na Barbórkę – jak nakazywał stary obyczaj – każdy nowo mianowany górnik stawiał swoim towarzyszom „nieckę krupnioku", nie zapominając naturalnie o „napitku".

Także w tym dniu najlepszym górnikom wręczane były szpady, w dawnych wiekach noszone dla bezpieczeństwa. Przywilej nadawania szpady najlepszym górnikom przywrócił w XVIII wieku Stanisław Staszic i od tej pory górnicze uroczystości odbywały się z wielkim splendorem. Według tradycji górnicy, którzy przepracowali w kopalni 25 lat, otrzymywali prezenty – w czasach PRL-u często był to srebrny zegarek.

W Barbórkę na całym Śląsku odbywają się liczne festyny, zabawy i koncerty. Starym zwyczajem górnicy, odświętnie ubrani w galowe czarne mundury i paradne czapki z pióropuszami, zaczynają dzień od zebrania się w kopalni i przemaszerownia do kościoła na nabożeństwo. Po mszy w kopalni wydawany jest uroczysty obiad, na którym nie może zabraknąć piwa i kieliszka wódki, a także „krupnioków", „żymloków", śląskiej kiełbasy z musztardą, gotowanej golonki ani tradycyjnego „górniczego garnuszka".

Po zakończeniu oficjalnych uroczystości – pisze Wera Sztabowa – odbywają się rodzinne spotkania. Na świąteczny obiad podaje się najczęściej potrawy z drobiu, królika i wieprzowiny. Napojami bywa piwo, wino lub „warzonka" – alkohol z korzeniami i miodem podawany na gorąco w ogrzanych kamionkowych garnuszkach. Obiad kończą typowe dla śląskiej kuchni kruche lub półkruche ciasteczka, kołaczyki z francuskiego ciasta lub kołacze z różnymi nadzieniami (W. Sztabowa *Krupnioki i moczka*).

❖ WARZONKA ❖

Składniki:

Szklanka spirytusu, 1½ szklanki przegotowanej wody,
3 łyżki miodu, 3 łyżki cukru, sok i otarta skórka z cytryny,
kawałek cynamonu, 2–3 goździki

W rozgrzanym rondlu topimy cukier, a gdy się skarmelizuje, dodajemy sok i otartą skórkę z cytryny, miód, wrzucamy korzenie, wlewamy wodę i gotujemy, mieszając, na niewielkim ogniu, aż cukier się rozpuści. Wrzący syrop zdejmujemy z ognia i cały czas mieszając, powoli wlewamy spirytus. Podajemy na gorąco.

❖ PIWO GRZANE ❖

Składniki:

2 butelki jasnego piwa, 2 surowe żółtka, 4 łyżki cukru, kawałek skórki
z pomarańczy, 3–4 goździki, kawałek cynamonu, ćwierć łyżeczki
startej gałki muszkatołowej

Do rondelka wrzucamy skórkę pomarańczową i korzenie, wlewamy piwo i podgrzewamy na niewielkim ogniu (nie gotujemy) ok. 15 minut. Przecedzamy, podgrzewamy. W garnku ucieramy żółtka z cukrem na pianę, wstawiamy do garnka z gotującą się wodą. Powoli wlewamy piwo, ubijając trzepaczką, aż powstanie gęsty napój. Podajemy na ciepło.

❖ GARNUSZEK GÓRNICZY ❖

Składniki:

1 kg ugotowanych w mundurkach ziemniaków, 500 g fasolki szparagowej,
250 g kiszonych ogórków, po 400 g chudej wołowiny i wieprzowiny

bez kości, 100 g wędzonego boczku, 1 duża cebula,
1½ szklanki esencjonalnego rosołu wołowego, 2 łyżki smalcu,
2 łyżki masła, 2 łyżki mąki, sól, pieprz, po ćwierć łyżeczki cząbru
i pierzu ziołowego, łyżka soku z cytryny

Umyte i osuszone mięso kroimy na cienkie plastry (po 6–8 plastrów z każdego mięsa), rozbijamy tłuczkiem, skrapiamy sokiem z cytryny, posypujemy cząbrem, pieprzem i solą, obtaczamy w mące, smażymy na rozgrzanym smalcu z obu stron. Przekładamy do rondla, zalewamy rosołem i dusimy na niewielkim ogniu. Boczek i obraną cebulę kroimy w kostkę. Na patelni rozgrzewamy łyżeczkę smalcu, wrzucamy boczek i cebulę, lekko rumienimy.

Obraną z włókien fasolkę wrzucamy na osolony wrzątek, gotujemy 8–10 minut, wyjmujemy łyżką cedzakową, studzimy, kroimy na kawałki. Obrane ogórki kroimy w grubą kostkę. Ugotowane ziemniaki obieramy i kroimy w plastry.

W rondelku topimy masło, dodajemy mąkę, robimy białą zasmażkę. Rozprowadzamy ją kilkoma łyżkami wywaru z fasolki i mieszając, gotujemy, aż sos zgęstnieje. Łączymy z sosem z duszonych zrazików, mieszamy, dodajemy ogórki i fasolkę i chwilę podgrzewamy. Doprawiamy do smaku solą, pieprzem ziołowym i pieprzem. Przygotowujemy sześć kamionkowych garnuszków. W każdym układamy warstwę ziemniaków, przykrywamy cebulą usmażoną z boczkiem, układamy po zraziku wołowym i wieprzowym przykrywamy plastrami ziemniaków, polewamy przygotowanym sosem. Garnuszki wstawiamy na kilkanaście minut do mocno nagrzanego piekarnika. Potrawę podajemy na stół w garnuszkach.

Istnieje w Polsce wiele starych przysłów i zwyczajów związanych z imieniem Barbary, jak choćby: „W dzień świętej Barbarki idź do boru na tarki", głosiło przysłowie, bo po pierwszych przymrozkach owoce tarniny najlepsze są na przetwory.

✦ NALEWKA NA TARKACH ✦

Składniki:

2–2½ kg lekko przemarzniętych owoców tarniny, 1 litr spirytusu,
2 szklanki wody, 600 g cukru, otarta skórka z pół cytryny

Starannie wytarte owoce wrzucamy do słoja, zalewamy 2 szklankami spirytusu, szczelnie zamykamy, zostawiamy na miesiąc. Przygotowujemy gęsty syrop

z 300 g cukru, otartej skórki z cytryny i wody, odszumowujemy, studzimy. Zlewamy nalewkę z owoców, wlewamy do gąsiorka, łączymy z syropem i pozostałym spirytusem, szczelnie korkujemy. Zostawiamy na następny miesiąc. Owoce
zasypujemy pozostałym cukrem i również zostawiamy na miesiąc, aż cukier wy-
ciągnie z nich cały sok. Wówczas zlewamy sok, owoce lekko przeciskamy przez
płótno. Sok wlewamy do gąsiorka z nalewką, mocno potrząsamy, zostawiamy
na kilka dni, po czym filtrujemy, rozlewamy do butelek i znów zostawiamy na
kilka miesięcy.

❖ TARNINÓWKA WUJA ZDZISŁAWA ❖

Składniki:

> 200 g lekko przemarzniętych owoców tarniny, 100 g suszonych śliwek
> bez pestek, 80 g rodzynek, 6 szklanek wódki, pół szklanki spirytusu

Owoce zbieramy po pierwszych przymrozkach. Myjemy, osuszamy, nakłuwamy
i wrzucamy do słoja. Dodajemy pokrojone w paseczki śliwki i rodzynki, zalewamy wódką wymieszaną ze spirytusem, korkujemy, mocno potrząsamy, zostawiamy na 6 tygodni, od czasu do czasu potrząsając słojem. Po 6 tygodniach zlewamy
wódkę, owoce odciskamy. Sok z owoców łączymy z nalewką, mieszamy, wlewamy do gąsiorka, zostawiamy na 2 tygodnie, po czym filtrujemy i rozlewamy do
butelek.

❖ LIKIER Z TARNINY ❖

Składniki:

> 1 kg lekko przemarzniętych owoców tarniny, 5–6 goździków,
> kawałek cynamonu, pół łyżeczki startej gałki muszkatołowej,
> 4 szklanki wódki, szklanka spirytusu, 500 g cukru, 2 szklanki wody

Umyte owoce tarniny wrzucamy na blachę, wstawiamy na kilka minut do nagrzanego piekarnika, drylujemy, miąższ wrzucamy do gąsiorka, dodajemy korzenie
i nasionka z 6–8 pestek, zalewamy wódką i spirytusem, szczelnie zakrywamy i zostawiamy na 10–12 dni, od czasu do czasu potrząsając gąsiorkiem. Potem przecedzamy przez lnianą ściereczkę. Zagotowujemy syrop z wody i cukru, odszumowujemy, zdejmujemy z ognia, stopniowo wlewamy macerat, dokładnie mieszamy.
Wlewamy do gąsiorka, przykrywamy i zostawiamy na 2–3 dni. Filtrujemy i rozlewamy do butelek.

Warto też pamiętać o tym, że dzień świętej Barbary przez wieki był niezwykle popularnym dniem dziewczęcych wróżb. W tym dniu młode panny robiły to, co młodzieńcy w dzień świętej Katarzyny – ścinały gałązki bzu i wiśni i wkładały do wody. Jeśli gałązki rozkwitły na Wigilię, panna mogła mieć pewność, że w nadchodzącym karnawale znajdzie sobie męża.

MIKOŁAJKI, czyli czas prezentów

Święty Mikołaj urodził się w połowie III wieku w mieście Petara. Dziś nazwano by go zapewne „złotym młodzieńcem", bowiem był zapalonym myśliwym, lubił wino, wypływanie w morze i łowienie ryb. Ale już jako biskup Mirry, portowego miasta w Licji, za rządów cesarza Dioklecjana (284–305), podczas straszliwego prześladowania chrześcijan, bohatersko występował w ich obronie, za co wtrącono go do więzienia i torturowano. Uwolniony został dopiero przez Konstantyna Wielkiego. Zmarł 6 grudnia 345 roku. W całej Europie krążyły o nim liczne legendy: a to o tym, jak wytrącał katu miecz z ręki i uwalniał skazańca, a to o ratowaniu okrętu podczas burzy, a to o uciszaniu słowem rozszalałego morza, a to o wspieraniu potajemnie swoim majątkiem wszystkich potrzebujących lub o rozdawaniu biednym dzieciom miodowych placuszków. We wszystkich tych opowieściach mowa jest o robionych przez niego podarunkach.

Jedna z legend wyjaśnia zapewne, dlaczego święty Mikołaj jest patronem biednych panien i mikołajkowych podarunków. Otóż pewnego razu biskup Mikołaj szedł ulicą rodzinnej Petary. Zza okna jednego z domów dobiegał gorzki płacz. Biskup zajrzał i zobaczył trzy płaczące szlachcianki i ich zafrasowanego ojca, gotowego popełnić niegodziwość, aby zdobyć posag dla córek. Jeszcze tej samej nocy biskup Mikołaj po kryjomu wrzucił tyle złotych monet do izby biednego szlachcica, że starczyło na posag dla najstarszej córki. Wkrótce w podobny sposób wyposażone zostały pozostałe dwie.

Po śmierci biskupa legendy nabrały jeszcze większego znaczenia, a do ich powstawania przyczyniły się cuda, jakich dokonywał jego duch – zawsze nocą. I tak ukazywał się biednym pasterzom i wysłuchiwał ich skarg na zły los, po czym znikał, a w szałasach pasterzy pojawiały się złote monety; innym razem świecił rybakom jako latarnia morska.

Przy grobie biskupa z Mirry chorzy odzyskiwali zdrowie, smutni – radość życia, a zawiedzeni – zaufanie do bliźnich. Te wszystkie opowieści sprawiły zapewne, że dzielny biskup Mirry został patronem tak wielu zawodów. Bo święty Mikołaj to patron niezwykły i bardzo zapracowany. Choć nigdy niczego sam nie napisał, obrano go patronem literatów. Jest też opiekunem chłopów i pasterzy, księży i zakonników. Patronuje więźniom i karczmarzom, pielgrzymom i podróżnikom, żeglarzom, marynarzom i rybakom. Uznany jest za patrona prawników, kupców, aptekarzy, a także dzieci, panien bez posagu, dziewic i... kurtyzan. Dziś mikołajki to wesoły zwyczaj polegający na dawaniu sobie drobnych, często dowcipnych prezentów. Warto jednak przypomnieć, jaki przebieg miały niegdyś obchody dnia biskupa z Mirry, bo bez tego trudno zrozumieć przysłowia i wiersze związane z tym świętym.

W dawnych wiekach w całej Europie dzień 6 grudnia łączył guślarskie praktyki z głęboką wiarą w opiekuńczą moc świętego.

W Polsce dzień św. Mikołaja jako patrona rolników i pasterzy najbardziej uroczyście obchodzony był na wsi. W wigilię, czyli 5 grudnia pasterze ściśle przestrzegali postu, „aby wilki nie napadały na ich trzodę", a chłopi składali na ręce kapłanów dary dla biskupa Mirry – barany, kury, zboże.

Mikołaj Rej w 1534 roku w *Krótkiej rozprawie między trzema osobami, Panem, Wójtem a Plebanem* pisał:

Tak kazał święty Mikołaj;
Bo jeśli mu barana dasz –
pewny od wilków spokój masz.

To samo mniej więcej powtarzał Wacław Potocki we fraszce „Nie oszukasz Boga":

Starą na dzień Świętego Mikołaja fozą*
Ci kury do kościoła, drudzy skopy wiozą

Podobno w dniu św. Mikołaja odbywały się wilcze sejmiki, na których zwierzęta debatowały o podziale przyszłych łupów. I dlatego;

Starym ksiądz pleban mówił z ambony zwyczajem,
Niech się każdy podzieli ze świętym Mikołajem
Nie chce li kto w dobytku szkody mieć od wilka
Więc mu pośle barana, gęsi i kur kilka.

(W. Potocki *Kur kilka*)

Składano więc ofiary, pasterze pościli i smagali bydło wiechciami, a na noc zostawiali na łąkach zatknięte wiechy, by nabrały czarodziejskiej mocy. Potem tymi gałązkami uderzano każdą sztukę bydła, aby wiedziało w którą stronę uciekać przed wilkami. Stare przysłowia radziły pasterzom:

„Na Mikołaja strzeż bydła i koni, bo świnia psiajucha niech się sama broni".

Nie tylko dobytku strzegł święty Mikołaj przed wilkami, ale i ludzi:

„Święty Mikołaju, trzymaj wilka w raju, trzymaj go za nogę, aż trafię na drogę" – pisała w 1893 roku Maria Konopnicka.

Dziś dzień świętego Mikołaja – rozdawcy podarunków – znają dzieci całego chrześcijańskiego świata. Zwyczaj obdarowywania się prezentami przyszedł do nas z Zachodu. Mikołajki urządzano głównie małym dzieciom, a prezentami początkowo były medaliki, krzyżyki, święte obrazki, książki. W wigilię św. Mikołaja rodzice zwykli „dla zachęcenia do nabożeństwa dziatkom swoim śpiącym różne podarunki zawięzować i podrzucać, powiedając, że im to św. Mikołaj

44
_____

*foza – zwyczaj, moda.

przyniósł, ale rozkazał: żebyście paciorek nabożnie rano i wieczór mówili, rodziców słuchali, przy czym rodzice dają dzieciom inne jeszcze napomnienia".

W końcu XVII wieku przyszła wielka moda na obdarowywanie dzieci ptaszkami w klatkach „ku wyrobieniu w dzieciach czułości dla zwierząt". Niegrzeczne dzieci nie otrzymywały nic, a bardzo niesforne rózgę, która „wielu przestraszyła, nikogo nie uderzyła".

Na świętego Mikołaja ucieszy się dzieciąt zgraja,
bo chłopaki i dziewczęta wyczekują na prezenta,
jedne będą miały cacko, że się sprawowały gracko,
a zaś drugie dla zachęty, by nie były wiercipięty.

(L. Zienkowicz)

Mniej więcej od połowy XVIII wieku najczęstszymi prezentami stały się słodycze, orzechy i zabawki, a wkrótce upowszechniła się druga, bardziej widowiskowa forma mikołajek. Święty Mikołaj z długą siwą brodą, ubrany w czerwony płaszcz i czerwoną czapę, z pastorałem w dłoni, w towarzystwie aniołów i diabła ciągniętego na łańcuchu przez pomocnika świętego, wędrował od domu do domu i egzaminował dzieci ze znajomości katechizmu i z umiejętności godnego zachowania wobec starszych. Po egzaminie następowało rozdawanie prezentów (w końcu trzeba było sobie nań zasłużyć), lub wymierzanie łagodnych kar; dbano jednak, by nie popsuć nastroju zabawy.

Przychodzenie Mikołaja do domów przetrwało do dziś, tylko przesunęło się na okres Bożego Narodzenia. Poza tym Mikołaj chodzi raczej samotnie.

Dorośli, którzy pozazdrościli dzieciom prezentów w dniu św. Mikołaja, zwracali się doń z prośbami:

Święty Mikołaju wewieź nas do raju,
Daj nam tyle złota ile mamy błota.

Najmłodszą formą mikołajkowych zabaw która rozpowszechniła się dopiero w pierwszej połowie XX wieku jest obdarowywanie się w szkole dowcipnymi prezencikami.

45

Amerykanizacja Europy pozbawiła to radosne święto dawnego uroku i uczyniła 6 grudnia kolejnym «świętem handlu» . Już od początku listopada krążą ubrani w czerwone płaszcze, z przyczepionymi białymi brodami agenci sklepów i domów towarowych – zainteresowani raczej naszą kartą kredytową, niż radością dzieci.

Jedno jest jednak pocieszające – ciągle jeszcze tysiące małych dzieci co roku wysyła listy adresowane: „Święty Mikołaj – Niebo – do rąk własnych". I to jest dobra wiadomość!

Prawie w całej Europie mikołajkowym przysmakiem są korzenne twarde, kruche, przyprawiane cynamonem, kardamonem, goździkami, imbirem i gałką muszkatołową ciasteczka – w Polsce zwane „mikołajkami".

Są one też wielkim mikołajkowym przysmakiem w Niemczech, Luksemburgu i Belgii. Po zagnieceniu ciasto wkłada się do drewnianych form w kształcie różnych figur i piecze w piekarniku. Ciasteczka zawdzięczają wielką popularność nie tylko korzennemu smakowi, ale również fantazyjnym kształtom – ludzi, zwierząt, roślin.

W Polsce mikołajki pieczono w tajemnicy, nocą w przeddzień św. Mikołaja, kiedy dzieci już spały . Ciasteczka wycinane były w kształcie półksiężyców, gwiazdek, kwiatów, choinek i zwierząt. W Krakowskiem wielką furorę robiły ciastka w kształcie lajkonika lub pana Twardowskiego siedzącego na księżycu. Dawniej korzenne ciasteczka były dodatkiem do prezentów rozdawanych rankiem 6 grudnia. Tak jest do dzisiaj w Holandii, gdzie panuje tradycja spotkania się całej rodziny wieczorem w wigilię św. Mikołaja (5 grudnia) w domu dziadków i wręczanie sobie drobnych prezentów. Później wszyscy siadają do stołu, jedzą słodkie *speculaas*, popijają gorącą czekoladą.

❖ KRUCHE CIASTECZKA KORZENNE ❖

Składniki:

200 g mąki, 140 g masła, 30 g posiekanych drobno migdałów, 80 g cukru, gotowane żółtko, po szczypcie mielonych goździków, cynamonu, imbiru, kardamonu i startej gałki muszkatołowej, łyżeczka soku i pół łyżeczki skórki otartej z cytryny, białko do smarowania, gruboziarnisty cukier lub posiekane orzechy włoskie do posypania

46

Siekamy nożem mąkę z masłem i ugotowanym żółtkiem, dodajemy migdały, cukier, przyprawy, sok i skórkę cytrynową. Zagniatamy ciasto i wstawiamy na 60 minut do lodówki. Na posypanej mąką stolnicy ciasto rozwałkowujemy, wycinamy ciasteczka i układamy je na wysmarowanej tłuszczem blasze. Smarujemy białkiem, posypujemy cukrem lub orzechami i wstawiamy do nagrzanego piekarnika. Pieczemy na wolnym ogniu do lekkiego zrumienienia.

CIASTECZKA CYNAMONOWE

Składniki:

170 g mąki, 120 g cukru pudru, 50 g mielonego cynamonu,
2 utłuczone goździki, 250 g masła

Masło ucieramy mikserem na pianę, dodajemy cukier i cały czas ucierając, dodajemy cynamon i goździki. Łączymy z mąką, wyrabiamy ciasto, lekko schładzamy. Na posypanej mąką stolnicy rozwałkowujemy ciasto, wycinamy foremką ciasteczka, układamy na posypanej mąką blasze i pieczemy w nagrzanym piekarniku (10–15 minut).

CIASTECZKA ŚMIETANKOWE

Składniki:

400 g mąki, 200 g masła, 150 g cukru pudru, łyżeczka przyprawy
do pierników, 3 łyżki drobno posiekanych orzechów laskowych,
łyżka grubego cukru, jajko, 2 łyżki śmietany

Ucieramy dokładnie masło z cukrem i łyżką posiekanych orzechów, pod koniec dodajemy śmietanę. Potem dosypujemy mąkę, wyrabiamy ciasto, lekko schładzamy. Stolnicę posypujemy mąką, rozwałkowujemy ciasto, wykrawamy foremką ciasteczka, układamy je na posypanej mąką blasze. Każde ciasteczko smarujemy rozkłóconym z wodą jajkiem wymieszanym z posiekanymi orzechami i cukrem. Wstawiamy do nagrzanego piekarnika i pieczemy na złoty kolor.

ÓSMY GRUDNIA – SKĄD TO ŚWIĘTO

W naszym kraju niezwykle silny jest kult Matki Bożej, wszystkie więc związane z nią święta obchodzone są bardzo uroczyście.

> 8 grudnia –
> gwiazdka z kwiatu mirtowego
> niepokalane poczęcie
> śniegu
> i panienki....

(J.B. Ożóg)

Obchodzone w polskim kościele Święto Niepokalanego Poczęcia Maryi wynika z powszechnej nauki Kościoła. W 1854 roku papież Pius IX wydał bullę *Ineffabilis Deus*, w której ogłosił dogmat o wolności Najświętszej Maryi Panny od grzechu pierworodnego. Bulla tak to formułowała: „Na chwałę Świętej i niepokalanej Trójcy (...) ogłaszamy, orzekamy i określamy, że nauka, która utrzymuje, iż Najświętsza Maryja Panna od pierwszej chwili swego poczęcia – mocą szczególnej łaski i przywileju Wszechmocnego Boga mocą prze-widzianych zasług Jezusa Chrystusa, Zbawiciela rodzaju ludzkiego – została zachowana nietknięta od wielkiej zmazy grzechu pierworodnego, jest prawdą przez Boga objawioną i dlatego wszyscy wierni powinni w nią wytrwale i bez wahania wierzyć (...)".

Tajemnicę Niepokalanego Poczęcia pięknie ujął Józef Ruffer w wierszu „Maryja Panna":

> *Jakkolwiek to nad rozum, o Maryjo Panno,*
> *Godna jesteś, izbyś duszom pięknie dobrych ludzi*
> *Była Matką, co Boga z łona swego budzi,*
> *A jaśnieje czystością słodką, nienaganną.*
> *Jakkolwiek to nad rozum, o Maryjo Panno,*
> *Niechaj Twego Poczęcia Nieskalane Dziwo*
> *Przyświeca znojom duszy gwiazdą miłościwą,*
> *Kojące tajemnice niechaj się w nim kryją (...)*

Święto 8 grudnia kształtowało się powoli, w miarę jak w świadomości Kościoła rodziła się owa tajemnica.

Najwcześniej, bo w VIII wieku, święto „Poczęcia Maryi" zaczęto obchodzić na Wschodzie; pierwsze dowody istnienia tego święta na Zachodzie znaleźć można w IX wieku w Irlandii i w Neapolu, a w X wieku w Anglii, skąd przeszło do Francji, mimo sprzeciwów świętego Tomasza z Akwinu i świętego Bernarda. Najmocniej propagowali to święto franciszkanie, którzy w 1263 roku wprowadzili jego obchody w całym zakonie.

W 1437 roku sobór bazylejski uznał, że jest to święto całego kościoła, w roku 1476 zatwierdził je Sykstus IV, a papież Klemens XI w 1708 roku ustanowił ten dzień dniem wolnym od pracy. Po ogłoszeniu dogmatu przez Piusa IX wprowadzono nowe teksty liturgiczne obowiązujące do dziś.

Od dziesiątek lat poeci polscy modlą się w tym dniu własnymi słowami, a wśród nich najpiękniej chyba robił to Stanisław Wyspiański w wierszu „ Niepokalana":

> *Niepokalana Królowo,*
> *Bądź pochwalona, bądź zdrowa!*
> *W błękitach, w gwiazd zawierusze*

49

Królujesz Pani Słoneczna,
Niepokalana, Ty wieczna.
Królujesz Pani Słoneczna
W odmętach, gwiazd zawierusze
Po smokach stąpasz bezpieczna,
Niepokalana, Ty wieczna.
Królowo Polska... przez Syna,
Oto wybiła godzina –
Zbaw duszę! (...)

WIGILIA

WIGILIA I BOŻE NARODZENIE

Wigilia. Narodowe dzieje sprawiły, że Wigilia wpisała się w polską tradycję jako wieczór prawdziwego zbliżenia, wzajemnego odpuszczenia win, czas miłości, wieczór zadumy i refleksji, najbardziej uroczyste i rodzinne święto w roku. A przecież jeszcze w XVII i na początku XVIII wieku była dniem radosnym, pełnym psot, facecji i krotochwili.

Wigilia rozpoczyna święta Bożego Narodzenia. Wieczór wigilijny jest w tradycji polskiej najbardziej uroczystym i najbardziej wzruszającym wieczorem w roku.

Na powstanie świąt Bożego Narodzenia (obchodzonych od IV wieku naszej ery) złożył się bardzo długi i bardzo skomplikowany proces historyczny. I nic dziwnego, bo od najdawniejszych czasów dzień przesilenia zimowego obchodzono uroczyście.

Na przestrzeni wieków zwyczaje ludowe i obrzędy religijne różnych wyznań, narodowości i kręgów kulturowych nawarstwiały się, splatały ze sobą, łączyły w przedziwne formy. Jedne z nich stopniowo zanikały i do nowszych czasów dotrwały jedynie w formie szczątkowej, inne wzbogacały się i rozrastały. Antyczne, pogańskie zwyczaje zespoliły się ze zwyczajami chrześcijańskimi, a każdy na-

53

ród zabarwił je specyficznymi cechami własnej kultury i nadał im własną treść.

Istnieje zastanawiająca zbieżność dat obchodzonego przez chrześcijan święta Bożego Narodzenia, dawnych świąt hellenistycznych i świąt słowiańskiego pogaństwa. Na przełomie grudnia i stycznia świat pogański obchodził wielki cykl świąt roku. Święto przesilenia zimowego – przypadające 25 grudnia – zajmowało w kalendarzu słowiańskim poczesne miejsce, jako pierwszy dzień nowego roku; 24 grudnia obchodzono pogańskie święto zmarłych, będące zarazem ostatnim dniem roku i wigilią zimowego święta przesilenia dnia z nocą.

W starożytnym Rzymie zaś obchodzono następujące święta zimowe: od 17 grudnia – trwające kilka dni Saturnalia; 23 grudnia – Larentalia, rzymskie święto zmarłych, 25 grudnia – Święto Narodzin Niezwyciężonego Słońca (*Dies Natalis Solis Invicti*), a po nim 1 stycznia – *Calendae Ianuariae* – rzymski nowy rok, 3 stycznia – Vota – święto na cześć zdrowia i pomyślności monarchy i wreszcie 6 stycznia – Epifania – objawienie się boga.

Temu Niezwyciężonemu Słońcu pogańskiego świata Kościół uznał za właściwe przeciwstawić Chrystusa – słońce sprawiedliwości. Z całą świadomością zamienił więc dzień Narodzin Niezwyciężonego Słońca w narodziny Zbawiciela Świata, *Solis Salutis*, słońca, które wzeszło, aby zbawić świat.

Kościół wprowadził wprawdzie własny cykl świąt zimowych, lecz pokrył je dokładnie z terminami uroczystości pogańskich: Boże Narodzenie, Nowy Rok i Trzech Króli (upamiętniające objawienie się Chrystusa poganom w osobach trzech magów). Ta dalekowzroczna i głęboko przemyślana polityka kościoła katolickiego sprawiła jednak, że nastąpiło pewne pomieszanie, stąd też bogata i wielce skomplikowana jest obrzędowość świąt Bożego Narodzenia.

I tak splatają się w niej poważne i smutne momenty związane z pogańskim kultem zmarłych z niefrasobliwym nastrojem rzymskich obrzędów saturnalijno-noworocznych i tajemniczym charakterem przełomowej nocy wigilijnej, szczególnie silnie przemawiającym do wyobraźni ludowej.

54

Z nocą wigilijną związane są szczególnie liczne wierzenia. Jest to noc, w czasie której błąkają się duchy, a w wierzeniach ludowych to moment czarów, dziwów, niesamowitych zjawisk i nadprzyrodzonych mocy, czas rządzony przez tajemniczy i nieodgadniony świat zmarłych. Wieczór to nad wyraz osobliwy: radosny i straszny zarazem, kiedy to nie ma rzeczy niemożliwych. Według starych wierzeń wtedy właśnie otwiera się wnętrze ziemi i jasnym płomieniem świecą ukryte w nim skarby. Na chwilę woda w źródłach, potokach i rzekach zamienia się w wino i miód, a nawet w płynne złoto. Wtedy też srebrną gwiazdką zakwita kwiat paproci (dopiero w późniejszych baśniach „przeniesiony" w noc świętojańską). W noc wigilijną nawet wyschła zawsze róża jerychońska otwiera swój kielich, a pod śniegiem rozkwitają cudownie pachnące kwiaty, drzewa owocowe w sadach pokrywają się kwieciem i tej samej nocy wydają owoce. Ptaki rozmawiają wtedy ludzkim głosem, mówi także bydło domowe: woły, krowy i konie. Pszczoły w ulach budzą się z zimowego snu, a zatopione dzwony na dnie zamarłych jezior głucho skarżą się i jęczą. Nawet martwe kamienie ożywają i obracają się wokół własnych osi. Jednym słowem, przez całą przyrodę przebiega tajemniczy dreszcz i wszystko zlewa się w mistycznym zapamiętaniu.

Takie były dawne wierzenia. Biada jednak człowiekowi, który wiedziony próżną ciekawością usiłowałby zerwać zasłonę z tajemnic tej niezwykłej nocy. W tradycji ludowej zachowało się mnóstwo opowieści o śmiałkach pochłoniętych przez źródła, z których chcieli zaczerpnąć wina, o gospodarzach, którzy od własnych wołów usłyszeli wyrok śmierci, podsłuchując ich tajemną rozmowę, o zagubionych na zawsze, którzy wybrali się szukać kwiatu paproci...

Kościół katolicki, w ciągu wielu wieków zwalczający pozostałości pogańskich wierzeń, był jednak niezwykle tolerancyjny wobec ludowych zwyczajów świątecznych i obrzędów, do których lud był szczerze przywiązany potęgą tradycji niezliczonych pokoleń. Działając z wielką cierpliwością przez wiele wieków, nadał dawnym zwyczajom nowy sens, przyjął dawne formy i wypełnił je własną treścią. W początkach naszej ery jednoczesne istnienie pogańskiej i chrześcijańskiej uroczystości – do tego obchodzonej tego samego dnia – wytwarzało dogodne warunki do przenoszenia poszczególnych czynności obrzędowych i obyczajowych z jednej na drugą.

55

Na całym ogromnym obszarze imperium rzymskiego następowało naturalne zjawisko przenoszenia i przyjmowania obyczajów; był to efekt zawierania mieszanych małżeństw i długiego przebywania rzymskich żołnierzy wśród innych ludów. W ten sposób obce zwyczaje przenikały do Rzymu, a rzymskie do ludów obcych. Klasycznym przykładem tego jest właśnie Święto Narodzin Niezwyciężonego Słońca, od II wieku włączone do kalendarza rzymskiego, a będące starym perskim świętem Mitry na cześć boga słońca, którego kult był bardzo rozpowszechniony wśród legionów rzymskich z Małej Azji. Dzięki przenoszeniu się legionów z jednego miejsca postoju do drugiego, wkrótce rozpowszechniło się ono w całej pogańskiej Europie.

W obrzędowości Bożego Narodzenia wyraźnie widać, i to nawet po dwóch tysiącach lat, wpływ rzymskich świąt na cześć boga zasiewów i urodzajów Saturna – legendarnego władcy złotego wieku (okresu dostatku, szczęścia, równości stanów i sprawiedliwości społecznej). Saturnalia, trwające wiele dni, rozpoczynały się od darowania sobie wzajemnie urazów (co przeszło do naszej obrzędowości wigilijnej). Domy rzymskie dekorowano zielenią, a do wnętrza wnoszono zimozielone drzewko. Święto miało charakter radosny, beztroski, hałaśliwy, wręcz orgiastyczny. Tradycyjną rozrywką była gra w kości „na orzechy" (a nie na pieniądze), będące symbolem wieku złotego, wolnego od pieniędzy. Gra „na orzechy" do niedawna jeszcze była i w Polsce ulubioną zabawą w czasie świąt Bożego Narodzenia.

W czasie Saturnaliów następowało zbratanie stanów, a nawet odwrócenie na ten czas ról społecznych – rzymscy panowie usługiwali niewolnikom. Stąd też się pewnie wywodził polski tradycyjny obyczaj zapraszania do wigilijnego stołu służby. W czasie Saturnaliów dozwolone były wszelkie figle i psoty, a nawet kradzieże „na szczęście"; obowiązkowo jednak własność należało potem zwrócić. Jeszcze kilkadziesiąt lat temu w Polsce kradzieże wigilijne były istną plagą, a przodowali w nich kolędnicy. Podczas Wigilii starano się niepostrzeżenie przywłaszczyć sobie najdrobniejszą choćby cudzą rzecz; uczciwi zwracali to potem w żartach...

56

W tym samym starorzymskim święcie należy zapewne szukać korzeni zwyczajowych psot robionych podczas nocnego nabożeństwa wigilijnego, czyli Pasterki – zszywania modlącym się kobietom sukien, przyczepiania klęczącym rąbka spódnicy do kołnierza, dolewania atramentu do wody święconej, związywania sznurkiem kilku modlących się razem, czy też tego, że podczas „nocy wigilijnej młodzi parobcy wynosili z cudzych podwórek różne narzędzia i albo rzucali je gdzieś na kupę, albo też chowali na dachach i w rowach..." (W. Klinger, *Obrzędowość ludowa*).

Silny wpływ na obrzędowość naszych świąt Bożego Narodzenia – oprócz rzymskich Saturnaliów – wywarły też pogańskie święta na cześć zmarłych. Słowianie obchodzili je cztery razy w roku (w czasie przesileń i równonocy), a najbardziej uroczyście zimą, w dniu naszej Wigilii. Zamiast wieczerzy wigilijnej mieli dawni Słowianie stypę zaduszną. Dobór obrzędowych potraw i zwyczajów wigilijnych wyraźnie świadczy, że korzenie tej wieczerzy sięgają czasów prasłowiańskich. Elementy pradawnych obrzędów i zwyczajów najlepiej zachowały się na wsi, gdzie do niedawna jeszcze panowała powszechna wiara, że w dzień wigilijny zjawiają się na ziemi dusze zmarłych i przybierając postać wędrowców czy zwierząt (szczególnie wilków), przychodzą do swoich domów. Ponieważ zmarli przebywają w chatach między żywymi, nie wolno w tym dniu tkać, prząść, rąbać, energicznie zamiatać w kierunku drzwi, a nawet siadać, nie zdmuchnąwszy uprzednio miejsca, ażeby nie wypłoszyć, nie przygnieść, nie wymieść, nie uszkodzić niewidzialnych gości. W czasie gdy goście z zaświatów przebywają między żyjącymi, niedozwolone są kłótnie, płacz, smutek, pożyczanie czegokolwiek od sąsiadów, a już szczególnie – ognia.

Troska o ogień w dniu wigilijnym to bardzo stara tradycja. Palono światła, w wielu okolicach przez całą noc podtrzymywano ogień w piecu, aby zziębnięte dusze zmarłych mogły się przy nim ogrzać. Obecność zmarłych nadawała temu zimowemu wieczorowi szczególnie uroczysty charakter, a nieposzanowanie tego – według starych wierzeń – mogło sprowadzić wszelkie nieszczęścia. Bo jak wierzono – jaka Wigilia, taki cały następny rok.

W starosłowiańskich wierzeniach ludowych był więc wieczór wigilijny świętem niezwykle osobliwym, a to dzięki obecności istot łączących doświadczenia ziemskie z pozaziemskimi, istot z zaświatów, biorących ponadto czynny udział w wieczerzy.

> *A trzy krzesła polskim strojem*
> *koło stołu stoją próżne,*
> *i z opłatkiem każdy swoim*
> *idzie do nich spłacać dłużne.*
> *I pokłada na talerzu*
> *Anielskiego chleba kruchy...*
> *Bo w tych krzesłach siedzą duchy*
>
> (W. Pol *Pieśń o domu naszym*)

Pod wpływem religii chrześcijańskiej wkrótce duchy zmarłych zastąpione zostały w ludowej wierze innymi gośćmi z zaświatów – niewidzialnymi uczestnikami wieczerzy wigilijnej stali się Matka Boska, święci pańscy i aniołowie niebiescy.

Ale stara tradycja trzymała się długo. Na wschodnich terenach Polski jeszcze w XIX wieku wierzono, że w czasie wieczerzy wigilijnej można ujrzeć osobę zmarłą w roku bieżącym, należy tylko w czasie „kucyi" wyjść do sieni i spojrzeć przez dziurkę od klucza, a wówczas ujrzy się ją siedzącą na opróżnionym miejscu. Na kresach dawnej Polski (skąd przeszło do nas wiele zwyczajów) „gospodarz przed wypiciem gorzałki wylewa jej trochę na obrus. To samo czynią po kolei wszyscy domownicy. Gdy kieliszek obejdzie w ten sposób wszystkich domowników, gospodarz – a po nim inni uczestnicy wigilijnej wieczerzy – bierze po kawałku każdego jadła i kładzie przed sobą... wszystko to przeznaczone jest dla zmarłych..." (K. Zawistowska).

Po wieczerzy wigilijnej zostawiano na stole łyżki, wierząc, że dusze „liżą łyżki". Na sądecczyźnie pozostawiano dla duchów przodków i krewnych część barszczu wigilijnego, który obnoszono w misce dookoła domu i wylewano po łyżce na każdy węgieł budynku. W chełmskim garnki z resztą jedzenia stawiano w wieczór wigilijny na stole, wierząc, że zmarli biorą udział w wieczerzy.

Według prastarych wierzeń dusze przychodzące z krainy śmierci przybierają postać ptaków, zwierząt, a także ludzi, dlatego też w tym dniu nie należało nikomu odmawiać gościny ani żebrakom jałmużny. Niegdyś gospodynie nie zamykały tej nocy spiżarni, aby duszom niczego nie brakowało; zostawiano też na stołach jadło i napoje na całą noc. Ze względu na szeroko rozpowszechnione wierzenia w ukazywanie się dusz pod postacią zwierząt i ptaków, częste było – jako pewna forma przywoływania zmarłych – zapraszanie zwierząt na ucztę wigilijną. Nim rozpoczęto kolację, gospodarz, trzymając w ręku opłatek, mówił: „Wilku, wilku chodź do grochu, jak nie przyjdziesz do grochu, abyś nie przyszedł do Nowego Roku", albo też: „Ptasięta, wróblęta, chodźcie ku nam obiadować, a jak teraz nie przyjdziecie, to nie przychodźcie przez cały rok".

Stąd też wzięło się obrzędowe karmienie ptaków i bydła w tę noc. „Z każdej potrawy odkładają po łyżce dla bydła. Po wieczerzy odwiedzają oborę, pasiekę... Bydłu niosą jadło z wieczerzy z opłatkiem kolorowym... Tyś gospodynią, Jaguś, to prawo twoje rozdzielić między wszystkie. Darzyć ci się będą lepiej i nie chorować; jeno jutro rano doić nie można, aż wieczorem, straciłyby mleko. Jagna połamała opłatek na pięć części i przychylając się nad każdą krową, czyniła krzyż święty między rogami, a wtykała po kawałku w gębule, na szerokie, ostre ozory..." – pisał Reymont w *Chłopach*.

Początkiem wieczerzy wigilijnej w tradycji chrześcijańskiej były w dawnych wiekach wielogodzinne widowiska kościelne, na które wierni przynosili jedzenie i napoje. Tradycja dzielenia się opłatkiem pochodzi od prastarego zwyczaju eulogiów, jaki zachował się z pierwszych wieków chrześcijaństwa. Eulogia – obdarowywanie się chlebem nieofiarnym – była powszechna w pierwszych wiekach naszej ery w południowej Europie i stamtąd zwyczaj ten przedostał się do Polski. Samą wieczerzę wigilijną słusznie można też nazwać przypomnieniem dawnej agape – uczty pierwszych chrześcijan na pamiątkę Wieczerzy Pańskiej. Widać więc wyraźnie, że przemieszanie obrzędów rzymskich, greckich, bliskowschodnich (kult Mitry) i prasłowiańskich z tymi, które wniosło chrześcijaństwo, jest bardzo duże. Oczywiście chodzi o formę. Dwa tysiące lat chrześcijaństwa ugruntowały ostatecznie chrześcijańską treść tego święta.

Od niepamiętnych czasów, od słowiańskich uczt zadusznych, kolacja wigilijna składała się z potraw postnych, co dało wyraz staropolskiej nazwie postnik lub pośnik. Na Litwie wieczerza wigilijna nosiła nazwy kutia, kucja – od potrawy, która stanowiła podstawę zaduszkowej uczty Słowian. Inne stare nazwy wigilijnej kolacji to kolenda czy Pańska Wieczerza. W miarę upływu czasu przyjmować się zaczęła nazwa wigilia. Pochodzi ona od łacińskiego słowa *vigilo* – czuwać, *vigilia* – czuwanie. Pierwotnie słowo to znaczyło straż nocną, nocne czuwanie. Noc dzieliła się na cztery straże, cztery zmiany warty, tj. vigilie. W kościele katolickim wigilią zwie się każdy dzień poprzedzający większe święto i jest to zawsze dzień postny. W tym znaczeniu słowo to używane jest, choć rzadko, w języku potocznym do dzisiaj (np. w wigilię imienin, urodzin).

Do tradycji wigilijnych należy dopilnowanie, aby do wieczerzy zasiadała parzysta liczba osób; nieparzysta wróżyć miała rychłą śmierć jednego z biesiadników. Najbardziej obawiano się liczby 13, uważanej za złowieszczą – do wieczerzy w Ogrójcu Chrystus siadł do stołu z dwunastoma apostołami. „Feralna trzynastka" pochodzi właśnie stąd. Jeżeli siadających razem domowników było nie do pary, to dawniej – starym a pięknym zwyczajem – do stołów szlacheckich zapraszano kogoś ze służby lub czeladzi, a chłopi i mieszczanie prosili na wigilię żebraków, także na pamiątkę tego, że Chrystus jadał społem z ubogimi. Przy stole siadano zwykle według wieku, aby jak mawiano „tymże umierać porządkiem".

Wieczerza wigilijna rozpoczynała się zawsze wspólną modlitwą i do końca miała charakter uroczysty i poważny. Nikomu oprócz gospodyni nie wolno było wstawać od stołu ani nawet rozmawiać; jedzono „poważnie, w milczeniu... między jednym kęsem a drugim łyżkę podnosili do góry, albo trzymali w ręce, nie kładąc na stole ani na chwilę...". Podczas jedzenia zachowywano „...pospolicie uroczysty spokój, tak że oprócz gospodarza nikt głośno nie mówi, lub że tylko starsze osoby rozmawiają, a inni migami się porozumiewają, co komu potrzeba. Czynią to dlatego, aby w roku nie było kłótni w domu, lub żeby w przyszłym roku nie byli gadułami... Strzegą się jeść łakomie. Uważają, żeby nikomu nie upadła łyżka, ten bowiem umiera w ciągu roku..." (E. Janota *Lud i jego zwyczaje*). „...A chociaż głodni byli, boć to dzień cały o suchym chlebie, a podjadali wolno i godnie... Jedli długo i mało kiedy jeśli tam które rzekło jakie słowo, więc ino skrzybot łyżek o wręby się rozlegał i mlaskanie..." (Wł. Reymont: *Chłopi*).

Jeszcze w XIX wieku na wsiach wieczerzę wigilijną spożywano z jednej, pięknie ozdobionej glinianej misy, którą stawiano na opłatku. Jeżeli opłatek przykleił się do miski, wróżyło to dobry urodzaj tego, z czego przyrządzona była potrawa.

Liczba osób przy stole powinna być parzysta, natomiast według dawnych zwyczajów liczba obrzędowych potraw wigilijnych powinna być nieparzysta – 5 lub 7 u chłopów, 9 – u szlachty, u arystokracji – 11, 13.

„...Ubodzy, aby dopełnić zwyczajem uświęconą ilość potraw, gotują niektórych tylko na skosztowanie, a co trzeba krajać nożem, to przyrządzają zwykle w przeddzień wigilii, ażeby o ile można najmniej używać ostrych narzędzi w dniu uroczystym..." (Z. Gloger *Z notatek...*).

Przeróżne były tłumaczenia tego zwyczajowego wymogu co do liczby potraw: 7 – dni tygodnia, 9 – na pamiątkę dziewięciu chórów anielskich. W zamożnych domach staropolskich istniał zwyczaj przyrządzania na kolację wigilijną – oprócz innych potraw – 12 dań rybnych (na pamiątkę 12 apostołów). Podawano więc smażone dzwonka ryb, karpie, szczupaki, karasie, i to w ten sposób, że ten sam gatunek ryb był podawany w rozmaitej formie. Był więc karp smażony i karp po polsku – w szarym sosie z rodzynkami i migdałami, karaś smażony i karaś w śmietanie, lin z grzybami i lin w czerwonej kapuście, szczupak po żydowsku i szczupak w sosie chrzanowym, sandacz z jajkami i sandacz w jarzynach itd. itd...

Nieparzysta liczba potraw miała – magicznie – zapewnić urodzaj w następnym roku. Wierzono także, że potrawy na wieczerzę wigilijną powinny składać się ze wszystkich płodów pola, sadu, ogrodu, lasu i wody. Gdyby coś opuszczono, nie obrodziłoby w nadchodzącym roku. Stary zwyczaj nakazywał też bodaj skosztowanie każdej potrawy, gdyż w przeciwnym wypadku tego, czego nie spróbowano, zabraknie w przyszłym roku.

Według starych zwyczajów bardzo ważne było przygotowanie izby jadalnej i nakrycie stołu.

61

Stary zwyczaj w tym mają chrześcijańskie domy
Na Boże Narodzenie po izbie stać słomę,
że w stajni Święta Panna leżała połogiem...

(W. Potocki *Boże Narodzenie*)

Na Górnym Śląsku, w pokoju, w którym miała się odbyć wieczerza wigilijna, roztrząsano na podłodze słomę, aby podczas kolacji pokój przypominał miejsce narodzin Chrystusa. W rogach izby ustawiano snopy z czterech zbóż, starając się już w czasie żniw przygotować je z ostatnich zebranych kłosów, wierząc, że w nich właśnie mieści się cały urodzaj.

Jak obrządek każe dzienny
snopy wnosi sam gumienny
i sam siankiem stół zaściela,
w pamięć żłobu Zbawiciela —
i po kątach snopy stawi
i coś z cicha błogosławi...

(W. Pol *Pieśń o domu naszym*)

Na stole pod obrusem rozścielano siano, co w czasach pogańskiego słowiaństwa było ofiarą dla bożka Ziemiennika, a w epoce chrześcijańskiej jest przypomnieniem miejsca narodzenia Chrystusa i siana w żłobku. „Niektórzy kiedy wilię jeść mają, na stole słomę rozpościerają, a na one słomę obrus kładą i potym one słomą drzewa sadowe wiążą. Drudzy to też w zwyczaju mają, że w wilię w donicach po kąciech mak to tam, to sam rzucają..." (ks. Gdacjusz). Stół nakrywano zawsze śnieżnobiałym obrusem i przystrajano gałązkami świerku.

Siano obrusem nakryte na stole —
Białe opłatki —
Ojca błogosławione ręce —
Serdeczne rozrzewnienie Matki —
O, niepowrotne wzruszenia dziecięce
w rodzinnym kole...

62

(W. Orkan *Na Gody*)

Do wieczerzy wigilijnej zasiadano, gdy na niebie ukazywała się pierwsza gwiazda. „We wiliję musiało być wszystko jedzenie na stole, tak aby podczas wieczerzy nikt nie potrzebował od stołu odchodzić przed ukończeniem tejże. Trzymano się tego, ponieważ mniemano, że kto we wiliję od stołu odejdzie przed zakończeniem wieczerzy, ten umrze i drugiej wieczerzy wigilijnej nie doczeka".

Nie tylko ten, ale wiele innych obrzędów i wierzeń wigilijnych związanych jest ze zdrowiem. I tak wierzono, że kto w Wigilię kichnie, ten zdrów będzie przez cały rok. Przed wigilijną wieczerzą myto się dokładnie, aby zabezpieczyć się od „bolaków" (wrzodów), a wodę po myciu wynoszono poza granice domu. Po porannej modlitwie pocierano sobie zęby czosnkiem, wierząc, że dzięki temu przez cały rok nie będą bolały. Wiele potraw gotowano z rzepy, sądząc, że uchroni to przed bólem zębów. Jabłka jedzone podczas wieczerzy wigilijnej miały zapobiegać bólowi gardła, a orzechy – bólowi zębów. Pod stół kładziono coś żelaznego – siekierę, sierp, a czasem nawet pług i opierano na tym nogi, ażeby „nogi twarde jak żelazo mieli i nie kaleczyli ich sobie na cierniach" (E. Janota *Lud i jego zwyczaje*).

Wierzono też, że nieposzanowanie tego świętego wieczoru sprowadzić może wszelkie nieszczęścia, stąd odnoszą się do Wigilii różnego rodzaju zakazy, ściśle niegdyś przestrzegane. I tak np. po zachodzie słońca nie należy niczego robić, gdyż na przykład motanie nici może sprowadzić do wsi wilki, trzęsienie czegoś spowoduje, że wszystko, co się w przyszłym roku urodzi, „tak trząść się będzie". Rąbanie z kolei spowoduje, że nowo narodzone cielę bądź prosię urodzi się „przecięte", a skręcanie np. bicza lub wełny sprawi, że urodzi się stworzenie „pokręcone". Nie wolno było w tym dniu młócić, gdyż w zimie każde stworzenie nosi w sobie potomka, który mógłby przez to przyjść na świat bez nogi, bez ogona lub bez ucha. Nie wolno było prząść ani prać, szczególnie kobietom w ciąży, gdyż spowodowałoby to wydanie na świat dziecka ułomnego.

Szczególnie dużo zakazów odnosiło się do przędzenia i robót związanych z lnem, aby błąkającym się po świecie w ten wieczór duchom „nie zaprószyły się oczy". Każda gospodyni chowała więc starannie kołowrotki i wrzeciona, aby ich podczas świąt widać nie było, bo je-

63

śli „nie daj Boże dojrzy je ktoś w wieczór wigilijny, to w lecie zamieni się we wjaracjanicę i w lesie straszyć będzie".

W wigilię Bożego Narodzenia przed zmrokiem należało przynieść węgla, wody i drzewa na całe święta, gdyż – jak wierzono – jeśli coś się wniesie po wieczerzy do domu, wszystko myszy zjedzą. Po wieczerzy wigilijnej nie należało już robić nic, nawet czyścić butów, dlatego też tego dnia wszyscy starali się wrócić do domu wcześniej, żeby całe gospodarstwo uprzątnąć, bydło nakarmić i nie spóźnić się na wieczerzę, a dzień cały spędzano w spokoju i wesoło, gdyż wróżyło to szczęście i pomyślność w przyszłym roku.

Każde zdarzenie w tym dniu stanowiło podstawę do wróżb i przepowiedni. W Wigilię bardzo niechętnie pożyczano, uważano bowiem, że kto tego dnia coś z domu swojego wydaje, ten niczego się nie dorobi. Z powodu czarodziejskiego wpływu Wigilii na cały rok nie cerowano i nie szyto, ażeby „nowe się nie darło". Żebracy nie chodzili po prośbie, bojąc się, że przez cały rok chodzić będą i niczego nie dostaną.

Rano przy obrządku należało uważać, aby pierwszy do domu wszedł mężczyzna, a nie kobieta; przyjście mężczyzny wróżyło na cały rok zdrowie, kobieta zaś przynosiła choroby. Rano myto się w zimnej wodzie, do której wkładano kilka srebrnych, a nawet złotych monet, „a gdzie nie ma ani jednych, ani drugich – to miedziaka". Myjąc się, dotykano ich, żeby być silnym jak kruszec, z którego zrobiono monety, i żeby się „pieniądze człowieka trzymały". Pamiętano także, aby przy wieczerzy mieć przy sobie pieniądze – wtedy będą przez cały rok. Oplatano stół łańcuchem, aby chleb się go zawsze trzymał, a żelazo pod stołem miało także chronić ziemię przed ryciem kretów. Wymiatając przed wieczerzą izbę, czyniono to zawsze w kierunku „od drzwi", aby nie odganiać kawalerów.

Wróżono też z pogody – dzień jasny obiecywał, że kury będą się dobrze niosły, pochmurny – gwarantował obfitość mleka. Obfitość miodu z kolei zapewniała jemioła. Po południu, przed wieczerzą, gospodarz zbijał obuchem (nie ostrzem) siekiery upatrzoną jemiołę i zrzucał ją w dół. Stojący pod drzewem łapał ją w powietrzu; jemioła nie powinna dotknąć ziemi. Taką jemiołę wraz z woskiem wkładano do uli, co miało wpływać na obfitość miodu.

Wiele wigilijnych wróżb dotyczyło zamążpójścia i ożenku. Pochmurne niebo wróżyło zamążpójście pannom starym i bogatym, jasne – młodym i biednym.

Pod koniec wieczerzy wigilijnej wróżono sobie ze źdźbeł siana spod obrusa: jeśli dziewczyna wyciągnęła zielone – „w zapusty przywdzieje ślubny wianek", gdy zwiędłe – „trzeba będzie na męża jeszcze poczekać", a jeśli żółte – to całkiem zła wróżba – „umrze jako stara panna". Wyciągano kłosy ze snopów i liczono ziarna: do pary – szybkie małżeństwo zapowiadały, nieparzysta liczba oznaczała dłuższą samotność. Młodzi ludzie nabierali też na łyżki trodzę kutii i rzucali ją do góry. Jeśli ziarna przylgnęły do sufitu – była to wróżba szybkiego małżeństwa. Po kolacji dziewczęta wychodziły przed dom i wołały głośno; z której strony echo odpowiedziało, z tej mąż przyjdzie. Wróżono też przy użyciu trzech talerzy, w których była woda, piasek i gałązka świerku, co symbolizowało chrzciny, śmierć, zamążpójście. Talerze stały w ciemnym miejscu i zależnie od tego, co się wybrało, to było pisane w przyszłym roku.

Po wieczerzy wigilijnej wkładano wszystkie resztki jedzenia do większej miski, gospodarz łamał opłatek i chleb na tyle kawałków, ile miał koni i bydła. Opłatek i chleb wkładano do miski, a potem gospodarz szedł do stajni i dawał jeść najpierw koniom – dziękując za ciężką pracę, potem cielętom – „żeby się dobrze darzyły", a potem krowom – aby mleko dawały. Na Podhalu „innej żywinie", a więc świniom, kurom itp. wigilijnego jadła nie daje się wcale. Nie daje się też psu, ponieważ „szczekał raz na Pana Jezusa". Natomiast na Górnym Śląsku w Wigilię dawano krowom masło, chleb, miód i struclę, aby miały dużo dobrego mleka. Gąsiorowi, kogutowi i psu dawano pieprz i czosnek z chlebem, aby każdy z nich był bardzo zły i aby dobrze gospodarstwa strzegł. Kurom dawano groch, aby dobrze jajka niosły, bydłu i koniom bób – „aby się chowało i pięknie wyglądało".

Inne obrzędy wigilijne, mające początki w prastarych zwyczajach pasterskich i rolniczych Słowian, związane są z kultem drzewa. Celem było zapewnienie każdemu domowi dobrodziejstw związanych z mocą żywego ducha drzewa. Według wierzeń ludowych świerk, jodła i sosna zawierają w sobie życiodajne moce i mają niezwykłe właściwości. Echem tego są nasze choinki. Ale szacunkiem otaczano wszystkie drzewa.

Po wieczerzy wigilijnej wychodzono gromadnie do sadu i potrząsano drzewami, budząc je na urodzaj. Gospodarze pukali w drzewa obuchem siekiery (nie ostrzem), grozili drzewom, pytając: „Będziesz rodziło, czy nie?", a domownicy w imieniu drzew przyrzekali bogaty urodzaj. Powrósłami skręconymi ze słomy rozesłanej pod wigilijnym stołem obwiązywano drzewka „na urodzaj". Gospodyni, piekąc chleb w dzień wigilijny, nie umywszy rąk z ciasta, wychodziła do sadu, podchodziła do drzew mało urodzajnych i obejmując je oblepionymi ciastem rękami, prosiła: „ródźcie". A po powrocie z Pasterki wszyscy domownicy szli do sadu i potrząsając drzewami, mówili: „obudźcie się, bo narodził się Jezus Chrystus".

Jak widać, w tradycji ludowej przemieszanie pradawnych zwyczajów z obrzędowością i wiarą chrześcijańską tworzy mozaikę zaiste bardzo skomplikowaną.

❖ WIGILIJNY OPŁATEK ❖

Najważniejszym momentem wigilijnej wieczerzy jest dzielenie się opłatkiem.

Patriarchalny zwyczaj, powstały w dawnych wiekach na południu Europy, który polegał na wzajemnym obdarowywaniu się przez wiernych i duchowieństwo eulogiami – chlebem nieofiarnym – w Polsce przekształcił się w zwyczaj odrębny i jedyny. Tak ściśle związany jest z Polską i tak głęboko zapadł w serce każdego Polaka, że ma znaczenie niemal mistyczne, nie dające się wytłumaczyć argumentami rozumowymi, obyczajowymi, ani nawet religijnymi. Polaka żadne przeszkody, nawet wojna, atak, strzelanina nie może powstrzymać w świętą noc wigilijną od przepięknej tradycji.

„...A w twierdzy, przy stołach okrytych sianem, oblężeni łamali się opłatkami... Życzyli sobie tedy wzajem pomyślności, długich lat lub niebieskiej korony i taka ulga spadła na wszystkie serca, jakby już bieda minęła.

66

A było przy przeorze jedno krzesło próżne, przed nim stał talerz,

na którym bielała paczka opłatków, niebieską wstążeczką obwiąza-
na" (H. Sienkiewicz: *Potop*).

Z dawnych czasów eulogii, kiedy kościoły na znak prawowierno-
ści i łączności posyłały sobie poświęcone chleby, wywodzi się też zapewne polski zwyczaj posyłania opłatka osobom bliskim, a nieobec-
nym przy stole wigilijnym. Znaczenie opłatka w polskiej tradycji
wigilijnej najlepiej chyba objaśnił dziewiętnastowieczny poeta Kajetan Kraszewski, pisząc:

> *Do siego roku zycząc panu bratu*
> *Kiedy w rozłące pędzim dni ostatek*
> *(Choć dziś ten zwyczaj obojętny światu)*
> *szlę Ci opłatek.*
> *Dla nas on zawsze świętość wyobraza:*
> *Pamiątkę łaski udzielonej z nieba*
> *A oprócz skarbu branego z ołtarza*
> *własny kęs chleba.*
> *Ojców to naszych obyczaj prastary*
> *Rodzinnej niwy maluje dostatek.*
> *Symbol braterstwa, miłości i wiary*
> *święty opłatek.*
>
> (K. Kraszewski *Z opłatkiem*)

Historia naszego narodu – w ostatnich dwustu latach na ogół tra-
giczna – sprawiła, że różne wyroki i „ukazy" wysyłały Polaków na
Sybir, do obozów koncentracyjnych, na emigrację, ale zawsze i wszędzie w noc wigilijną spotykali się, żeby okazać sobie bliskość i wzajemną miłość, żeby przełamać się opłatkiem:

> *Łamię się z Wami dziś opłatkiem białym,*
> *Wy wszyscy moi dalecy czy bliscy,*
> *Wy, co za błędnej gwiazdy ideałem,*
> *po świecie się rozprószyli całym,*
> *Wy, co pijecie z rzek lodowych zdroi*
> *ducha nie dając pod troski nawałem,*
> *Wy, wierni, mocni, wytrwali – wy wszyscy,*

67

których rząd jasny przed wzrokiem mi stoi,
związani ze mną węzłem wiecznie trwałym,
z Wami się łamię dziś opłatkiem białym...
Dla tego, co nam w nędz i trosk powodzi
zostaje jasnym, czystym i wspaniałym
Łamię się z Wami dziś opłatkiem białym....

(M. Unicka *Opłatek wigilijny*).

Zawsze i wszędzie Polacy przypominali sobie, że:

Pamiętaj, będą ludzie smutni, opuszczeni,
niepotrzebni nikomu —
i nikt z nimi słowa nie zamieni
nie zaprosi do swego domu.
Weź do ręki biały opłatek,
Choćbyś nawet nie miał go z kim dzielić
i życz szczęścia całemu światu:
niech się wszystkie serca rozweselą.....

(Z. Kunstman *W dzień Bożego Narodzenia*)

W innych krajach zwyczaj dzielenia się opłatkiem nie jest znany. I chociaż żelazorytnictwo opłatkowe (czyli wyrabianie ozdobnych form do pieczenia opłatków) jest pochodzenia obcego, to tylko w Polsce kowal i rzemieślnik podnieśli tę dziedzinę do godności sztuki i stworzyli nowy, przepiękny dział grafiki. Obce wzory zmieniono na nową i oryginalną formę, łącząc ją ściśle z polskim folklorem. Najstarsze z zachowanych opłatków pochodzą z XVII wieku i są bezcennym dokumentem obyczajowym dawnej architektury (tak, tak, architektury, bo na opłatkach przedstawiano kościoły, zamki, całe miasta), dawnego folkloru i obyczajów. Do tej pory zachował się zwyczaj ozdabiania paczek opłatków. Poszczególne porcje ujmowano w papierowe opaski przedstawiające sceny z szopki betlejemskiej czy pokłon Trzech Króli, spinane z wierzchu misternie wyciętą złotą lub srebrną gwiazdką. Opłatki wyrabiane były przy kościołach i klasztorach, a wypiekano je, lejąc bardzo rzadkie ciasto pszenne w żelazne foremki odznaczające się artyzmem i subtelnością rysun-

68

ku rżniętego w metalu na ich ściankach. W Warszawie najsłynniejsze były kolorowe opłatki z kościoła bernardynów. Takimi właśnie, jak wynika z listów Fryderyka Chopina, dzielono się w czasie Wigilii w mieszkaniu rodziców kompozytora na Krakowskim Przedmieściu.

Dzielenie się opłatkiem rozpoczynał zawsze pan domu lub w jego zastępstwie najstarszy syn, a potem każdy z obecnych musiał ułamać u drugiego kawałek opłatka i zarazem podać mu swój do ułamania. Gdy się wszyscy tak podzielili, składając sobie jednocześnie życzenia i żegnając się krzyżem, można było zasiadać do wigilijnej wieczerzy.

Po wieczerzy zawsze zostaje wiele opłatków. Niegdyś – jak pisze Gloger – przed choinką „był w Polsce zwyczaj wieszania u powały w wigilię gwiazdek zrobionych z różnokolorowych opłatków na pamiątkę Gwiazdy". Z resztek opłatków robiono tzw. „światy" lub „wilijki", które były główną ozdobą wigilijnych podłaźników. Przebogata polska fantazja i zręczność ludowych artystów wyczarowywała z tego delikatnego materiału rzeczy naprawdę niezwykłe. Zwyczaj robienia „światów" z opłatków znany był najpierw w szlacheckich dworach, a stamtąd przedostał się na wieś.

❖ STROJENIE CHOINKI ❖

Jedną z najmłodszych tradycji wigilijnych jest strojenie choinki. Gloger w swojej *Encyklopedii Staropolskiej* pisze: „Za tzw. czasów pruskich, tj. w latach 1795–1806, przyjęto w Warszawie od Niemców zwyczaj w Wigilię Bożego Narodzenia ubierania dla dzieci sosenki lub jodełki orzechami, cukierkami, jabłuszkami i mnóstwem świeczek woskowych...".

Kościół, początkowo niechętny, przyjął jednak choinkę i nadał jej chrześcijańską symbolikę „biblijnego drzewa wiadomości dobra i zła", miała też oznaczać wieczną zieleń, nadzieję nieba. Świece na drzewku mają przypominać przyjście na świat światłości świata – Jezusa Chrystusa, ale wywodzą się zapewne z pradawnego kultu ognia, który chrześcijaństwo wypełniło nową treścią. Inne ozdoby wigilijnego drzewa mają symbolizować dary i łaski Boże, jakie spływają na świat

69

z przyjściem Odkupiciela. Rozwieszone na choince łańcuchy to wąż-
-kusiciel, jabłuszka rajskie przypominały legendarne owoce grzechu
z rajskiego drzewa, a błyszcząca na czubku gwiazda – ewangeliczną
gwiazdę betlejemską. W czasach zaborów łańcuch na choince stał się
też symbolem narodowym. Był to tzw. łańcuch niewoli.

Rozpowszechnianie się obyczaju stawiania choinki odbywało się
w sposób do dziś nie w pełni wyjaśniony. W pewnych krajach, np.
we Francji, choinka pojawiała się, potem znikała, żeby za jakiś czas
znowu się pojawić. W Niemczech w XVIII wieku znana była jedynie
na dworach magnackich. Szerzej rozprzestrzeniła się w Europie
w okresie od wojen napoleońskich do wojny francusko-pruskiej
w 1870 roku. Był to między innymi efekt migracji spowodowanych
wojnami, a tym samym przenoszenia zwyczajów. W Polsce, na Mazurach na przykład, zwyczaj stawiania choinki przyjął się dopiero
około 1910 roku, na rzeszowszczyźnie – tuż przed I wojną świato-
wą, a w górskich wioskach pojawiła się dopiero w latach 20. i 30.
XX wieku. Jest to więc zwyczaj bardzo młody, ale czyż potrafimy
wyobrazić sobie dzisiaj święta Bożego Narodzenia bez choinki? Nie
jest jednak przypadkiem, że stawiamy świerk, jodłę lub sosnę, bo
według najstarszych wierzeń ludowych drzewa te zawierają w sobie
życiodajne moce i mają cudotwórcze właściwości.

Najważniejsze ozdoby choinkowe (nim pojawiły się bombki) również nie były przypadkowe. Główne z nich to orzechy i jabłka,
w czasach pogaństwa uznawane za pokarm dla zmarłych i stanowiące obrzędowe jadło na stypach. Jabłko miało zresztą według wierzeń
ludowych ogromne znaczenie – było nie tylko pokarmem dla zmarłych, ale zabezpieczało od chorób i pomagało w sprawach miłosnych.
Orzech był natomiast ściśle związany z życiem erotycznym. Wierzono, że kojarzy małżeństwa i sprowadza miłość. Z kolei dekorowanie
choinki zabawkami zrobionymi z wydmuszek symbolizować miało
potężną i niezbadaną siłę wciąż odradzającego się życia, płodności
i dobrobytu. Całe zielone drzewko, ze wszystkimi pełnymi znaczenia ozdobami, miało czarodziejską żywą moc, niszczącą zło i chro-
niącą przed złymi urokami.

70   Choinka wyparła wcześniejsze wigilijne przybrania w formie za-
wieszonego u pułapu wierzchołka sosny, zwanego na rzeszowszczyź-

nie jutką, na Warmii i Mazurach – jeglijką, w Małopolsce (w Krakowie) – sadem, w Jarosławskiem, Lubelskiem i Sandomierskiem – wie-
chą; najbardziej znana była nazwa podłaźniczka.

Zwyczaj wieszania u pułapu gałęzi i ubierania zielonego drzewka
znany był w całej niemal Polsce. O świcie w Wigilię chłopcy przynosili z lasu kilka małych choinek i przycinali im wierzchołki, zostawiając tylko boczne gałęzie. Jedną z „podłaźniczek" wieszano nad
drzwiami sieni z zewnątrz, drugą wewnątrz, inną u pułapu w oborze, wierzchołkiem w dół, i wreszcie ostatnią – ustrojoną „świata-
mi" zrobionymi z opłatków, jabłkami i orzechami – wieszano u pułapu w izbie, gdzie miano jeść kolację. Podłaźniczka, wiecha, sad,
jeglijka czy jutka – to wiecznie zielone drzewko żywota – miało
chronić dom i jego mieszkańców od złych mocy, obezwładniać rzucane uroki. Nie ma więc podstaw sądzić, że sam zwyczaj przybierania izby w Wigilię „drzewkiem" wzięliśmy od Niemców. Od nich
pochodzi tylko tradycja choinki stojącej zamiast naszej – o wiele
starszej – wiszącej, czyli podłaźniczki. Zresztą obecnie wchodzi
w modę – dla odmiany importowany z Ameryki – zwyczaj ozdabiania drzwi wieńcem z jodły (przeważnie przybranym kolorowo).
Czyż w tym „importowanym" zwyczaju nie brzmi wyraźne echo
naszej podłaźniczki?

❖ ŚWIĄTECZNE PREZENTY ❖

Choinka. A co pod choinką? Prezenty, prezenty... oczekiwane przez
wszystkie dzieci. Wigilijny zwyczaj obdarowywania się to jeszcze
jedno wspomnienie rzymskich Saturnaliów. W późniejszych czasach
zwyczaj ten nazwano „Gwiazdką", ponieważ według starej wigilijnej tradycji prezenty wręczano zawsze wtedy, gdy zapłonęła na niebie pierwsza gwiazdka. Z czasem zaczęto ją utożsamiać z gwiazdą,
która wskazywała drogę Trzem Królom śpieszącym złożyć hołd i podarki nowo narodzonemu.

Podarki gwiazdkowe były różne, choć dzieciom dawano na ogół
zabawki. W biedniejszych domach były to zazwyczaj tylko małe,
symboliczne podarunki, w domach zamożnych – oprócz różnych

71

cennych przedmiotów – młodym pannom i chłopcom kładziono także pięknie napisane karteczki z dowcipnymi wierszami zawierający-
mi przeważnie aluzję do małżeństwa.

Łukasz Gołębiowski tak przedstawia spis podarunków danych
dworzanom przez marszałka Kazanowskiego w 1637 roku:

„...Panu koniuszemu koń siwo-jabłkowity z rzędem srebrnym i ku-
taskami jedwabnymi; panu sekretarzowi Jasińskiemu – kiereja (suk-
nia wierzchnia turecka futrem podbita) altembasowa z rysiami
i klamrą srebrną; panu sekretarzowi Kulszyckiemu – kiereja z popie-
licami; panu inspektorowi pacholików – pas z zapinką i kanakiem
(naszyjnikiem); panu inspektorowi domu – żupan adamaszkowy
item (także) kołpak soboli, panu piwnicznemu – czapka z sobolami,
każdemu z pacholików nowy żupan według nowego kroju... Ksiądz
kapelan weźmie z moich antyków, co mu się upodoba, a kaznodzieja pierścień z wizerunkiem Pana Miłościwego; gwardian zaś bernar-
dyński, nasz spowiednik, asygnację na 20 wozów zboża. Szpitalowi
na Mostowej ulicy daję asygnację na tyleż wozów, szpitalowi św.
Ducha na wozów 10. Moi przyboczni wezmę po 20 złotych, a kto by
został pominion, niech śmiało przyjdzie do mnie, przypomni a będzie obdarzon...”.

Prezenty, prezenty, prezenty......

❖ BOŻONARODZENIOWE SZOPKI ❖

Sam pomysł urządzania wigilijnych przedstawień przypisywany jest
świętemu Franciszkowi z Asyżu, który wraz ze swoimi braćmi,
w czasie Pasterki odprawianej w lesie, przedstawił dramatycznie narodzenie Pana w prawdziwym żłobie, na sianie. Przedstawienie to,
odgrywane później w licznych kościołach i klasztorach franciszkań-
skich, szybko rozprzestrzeniło się po całej Europie i przez franciszka-
nów przyniesione zostało w XIII wieku do Polski.

W Polsce przedstawienia te miały swoisty, często narodowy charakter, i nazwano je jasełkami na pamiątkę tego, że Chrystus urodzony w stajni złożony był *in praesepio*, co po polsku znaczy w żłobie.
„Jasła” zaś są to zagrody pod żłobem „...gdzie słomę na podściel pod

konie służącą kładą". Słowem „jasła", „jasełka" określa się też karmniki dla bydła, „...kiedy w oborach, w których bydło stawa, nie masz żłobów, tylko w takie zagrody, z deszczek zrobione..", gdzie kładzie się słomę dla bydła i sypie sieczkę. „Ten, co pierwszy wymyślił jasełka... rozumiał, że jasła i żłób są imiona jedną rzecz znaczące, tę samą, co słowo łacińskie *praesepe*" – pisał Jędrzej Kitowicz w *Opisie obyczajów*.

Najdawniejsze drewniane figurki jasełkowe pochodzą w Polsce z początków XIV wieku, a darowane były najprawdopodobniej przez siostrę Kazimierza Wielkiego, Elżbietę, dla kościoła św. Andrzeja w Krakowie. „Pomienione jasełka były to ruchomości małe, ustawione w jakim kącie kościoła, a czasem zajmujące cały ołtarz... Była to w pośrodku szopka mała na czterech słupkach, daszek słomiany mająca, wielkości na szerz, dłuż i na wysz łokciowej; pod tą szopką zrobiony był żłobek, a czasem kolebka wielkości ćwierćłokciowej, w tej lub w tym osóbka Pana Jezusa z wosku albo z papieru klejonego, albo z irchy lub płótna konopiami wypchanego uformowana, w pieluszki z jakich płatków bławatnych i płóciennych zrobione uwiniona; przy żłóbku z jednej strony wół i osieł z takiejże materyi jak i osóbka Pana Jezusa ulane lub utworzone, klęczące i puchaniem swoim Dziecinę Jezusa ogrzewające, z drugiej strony Maryja i Józef stojący przy kolebce w postaci pochylonej, afekt natężonego kochania i podziwienia wyrażający.

W górze szopki pod dachem i nad dachem aniołkowie unoszący się na skrzydłach, jakoby śpiewający *Gloria in excelsis Deo*. Toż dopiero w niejakiej odległości jednego od drugiego pasterze padający na kolana przed narodzoną Dzieciną, ofiarujący Mu dary swoje, ten masła garnuszek, ów syrek, inny baranka, inny koźlę; dalej za szopką po obu stronach pastuszkowie i wieśniacy: jedni pasący trzody owiec i bydła, inni śpiący, inni do szopy śpieszący, dźwigający na ramionach barany, kozły; między którymi osóbki rozmaity stan ludzi i ich zabawy wyrażające: panów w karetach jadących, szlachtę i mieszczan pieszo idących, chłopów na targ wiozących drwa, zboże, siano, prowadzących woły, orzących pługami, przedających chleby, szynkarki rożne trunki szynkujące, niewiasty robiące masło, dojące krowy, Żydów rożne towary do sprzedania na ręku trzymających, i tym podobne akcyje ludzkie...".

73

Z jasełek, którymi w średniowieczu uświetniano uroczystość narodzenia Dzieciątka, powstały szopki.

W XVI wieku w Polsce szopkę najczęściej ustawiano na tle górzystego krajobrazu, w XVII wieku w szopkach poczęły się pojawiać figury diabła, czarownicy i śmierci. Od czasów króla Jana Sobieskiego do szopek włączono motywy narodowe. W momencie gdy do żłobka z Dzieciątkiem zbliżały się figurki Trzech Króli z darami, rozlegały się głośne surmy, a na scenie przed szopką ukazywał się husarz w pełnej zbroi i z polskim proporcem w ręce, a za nim król polski, który wzywał monarchów Wschodu do ustąpienia mu miejsca, ponieważ w obronie wiary to on już dwukrotnie, pod Chocimiem i Wiedniem, rozbił potęgę otomańską.

Szopki z elementami narodowymi pokazały się po raz pierwszy w Warszawie w 1683 roku i od tej chwili szybko rozprzestrzeniły się na Kraków, Lwów, Poznań i Wilno.

W XVII wieku szopka zaczęła wzbogacać się o postacie z różnych stanów społecznych, a bernardyni i franciszkanie, aby jeszcze bardziej ją uatrakcyjnić, zaczęli ustawiać szopki ruchome: „...między osóbki stojące mięszając chwilami ruszane, które przez szpary, w rusztowaniu na ten koniec zrobione, wytykając na widok braciszkowie zakonni lub inni posługacze klasztorni, rozmaite figle nimi wyrabiali. Tam Żyd wytrząsał futrem pokazując go z obu stron, jakoby do sprzedania, które nadchodzący znienacka żołnierz Żydowi porywał. Żyd futra z ręki wypuścić nie chciał. Żołnierz Żyda bił, Żyd porzuciwszy futro, uciekał. Żołnierz wydarte futro Żydowi przedawał nadchodzącemu mieszczaninowi, a potem Żyd skrzywdzony pokazał się niespodziewanie z żołnierzem i instygatorem, biorącym pod wartę żołnierza przedającego futro i mieszczanina kupującego. Gdy taka scena zniknęła, pokazała się druga, na przykład: chłopów pijanych bijących się pałkami, albo szynkarka tańcująca z gachem i potem do diabła razem oboje porwani, albo śmierć z diabłem najprzód tańcująca, a potem się bijące z sobą i w bitwie znikające..." (J. Kitowicz *Opis obyczajów za panowania Augusta III*). Szopki takie bardzo się dzieciom, młodzieży i ludowi podobały i dlatego w czasie tych przedstawień zapełnione były kościoły, a ludzie, chcąc lepiej wszystko zobaczyć, wspinali się na ławki, a nawet na ołtarze, wpadali pod rusztowania, na których ustawione były szopki, więc aby wszystkich uspokoić „...wypadał wtenczas... jaki sługa kościelny z batogiem i kropiąc nim żywo bliżej nawinionych, nową czynił reprezentacyją, dalszemu spektatorowi daleko śmieszniejszą od akcyj jasełkowych, kiedy uciekający w tył przed batogiem jedni przez drugich na kupy się wywracali, drudzy rześwo z ławek i ołtarzów zeskakując jedni na drugich padali, tłukąc sobie łby, boki, ręce i nogi, albo guzy i sińce boleśnie o twarde uderzenia odbierając" (J. Kitowicz). Takie przedstawienia jasełkowe niewiele miały wspólnego z powagą, jaka przystoi kościołowi, niewiele też miały wspólnego z pobożnością, były raczej rodzajem teatru dla ludu i dlatego, oburzony świeckością szopek i profanacją kościołów, poznański biskup Teodor Czartoryski zabronił ich wystawiania.

Tak więc od 1736 roku, gdy ukazał się zakaz urządzania szopek w kościołach, szybko postępować zaczęła ich laicyzacja. Początkowo szopkę przechwycili żacy, później chłopcy z przedmieść i obchodzili z nią domy. Takie obnośne szopki zwano „Betlejkami"; w Warszawie pojawiły się po raz pierwszy w 1701 roku. Miały kształt trójwymiarowego budynku z proscenium i kurtyną, a występowały w niej marionetki. Wielu z kolędników miało własną muzykę, a żacy komponowali widowiska z kolęd, dodając do tekstu treści niereligijne, wplatając nawet postacie z Olimpu, urządzając scenki rodzajowe, humorystyczne, nierzadko nawet rubaszne. Teksty do tych przedstawień pisali bardzo często sami kolędnicy, a scena z Narodzeniem Chrystusa w tym ludowym teatrze była tylko symbolem.

Szopki obnośne dały początek małym szopkom ustawianym w domach pod choinką.

W XIX wieku szopka znów wróciła do kościołów, rzadko ruchoma, już bez humorystycznych akcentów, za to coraz częściej z akcentami narodowymi. I chociaż dzisiejsze szopki i jasełka znacznie wyżej stoją pod względem artystycznym od tych dawnych, niewiele jednak mają wspólnego z niegdysiejszymi bogatymi przedstawieniami. Najpiękniejsze obecnie są niewątpliwie szopki krakowskie, które wielu ludzi przez cały rok pracowicie klei z kartonu, zapałek, deseczek, oklejając je kolorową cynfolią i bardzo dokładnie odtwarzając architekturę starego Krakowa.

75

❖ KOLĘDY, PASTORAŁKI ❖

Do najpiękniejszych zwyczajów bożonarodzeniowych należy śpiewanie kolęd. Na całym świecie jednym z dowodów narodowej jedności jest literatura. Przez wieki Polska była zróżnicowana pod względem oświaty i rozwoju intelektualnego, różne więc były także potrzeby w poszczególnych regionach i różna literatura. Ale jedno na pewno było wspólne dla wszystkich Polaków, bez względu na pochodzenie społeczne i wykształcenie – kolęda, pieśń pełna radości, wesela i szczęścia. Jej największym wdziękiem, jej istotą była poufałość, z jaką mówi o narodzeniu Pana i jego Matce, naiwność, z jaką nasz polski i wiejski świat przenosi się w odległe wieki i kraje:

> U nas w ostrołęckiem, na puszczy starostwie
> nie byłbyś się rodził w takowym ubóstwie,
> mamy tu izb wiele i ciepłe pościele
> byłbyś leżał wygodnie...
> Miałbyś buraczki i kapustę, Panie
> z tłustą wieprzowiną zawsze na śniadanie
> mleko z jagiełkami, chlebek z oładkami
> a i miodu flaszeczkę.
> A na obiad byśwa skrzeczków naskwarzyli
> i kaszy gryczanej tłusto nakrasili...

I tak ktoś, kto dzieje Nowego Testamentu znałby tylko z kolęd, mógłby pomyśleć, że Pan Jezus urodził się gdzieś w jakiejś polskiej wsi:

> Ot, trzeba iść do Mogiły, potem do Pińczowa,
> A z Pińczowa na Bielany, potem do Głogowa...
> Od Głogowa do Betlejem będzie juz pół drogi,
> weźmiem z sobą ze dwa sadła, by smarować nogi...

76   W każdej niemal polskiej kolędzie żyje cały tutejszy świat ze swoimi stosunkami, uczuciami i sposobem mówienia.

Polskie kolędy były nie tylko modlitwą czy pieśnią. Były opowiadaniami. W wielu na pierwszym planie zawsze są pasterze, parobcy i ich rozmowy, którym za tło służy narodzenie Chrystusa, ale jest to obraz polski – polska wieś, polski mróz grudniowy, kożuchy i czapki, okrywanie Dzieciątka przed zimnem, różne domowe sprzęty i różne domowe zapasy. Świecki pierwiastek w kolędzie sprawił, że przybrała ona narodowy charakter, wszyscy ją lubili, śpiewali i wykształcali coraz doskonalsze formy. Tak więc polska kolęda jest żywym pomnikiem dawnych wieków, spuścizną, która nas z nimi łączy. Dzięki swej naiwności i prostocie, swojemu charakterystycznemu humorowi, jest wyrazem uczuć szlachetnych, delikatnych, subtelnych i dobrych.

Oj Maluśki, Maluśki, Maluśki jako rękawicka;
albolitez jakoby, jakoby kawałecek smycka.

......

Czy nie lepiej Tobie by, Tobie by, siedzieć było w niebie;
wsak Twój Tatuś kochany, kochany, nie wyganiał Ciebie.

Od wieków średnich kolędy zawierały wiele charakterystycznych elementów duszy narodowej. Są w nich i dostojność, i skupienie duchowe, bujny temperament sarmacki, słowiańska zaduma i tęsknota, rzewność i czułość. Są humor i wesołość, zamaszystość kontuszowego szlachcica i krakowskiego chłopa. Kolędy stały się więc jak gdyby odbiciem duszy prostaka i mędrca, dziecka i dorosłego człowieka; przemawiały zatem od wszystkich i do wszystkich. Nigdzie chyba na świecie pieśń na Boże Narodzenie, pieśń kościelna i świecka zarazem, nie stała się tak ogólnie przyjętą, tak ukochaną pieśnią, jak w Polsce. Śpiewała i śpiewa kolędy cała Polska, od Polesia po Śląsk, od Kaszub po Podhale – i to wszędzie te same, w kościele i w domu, bez względu na stan ducha, bo do każdego nastroju można dobrać odpowiednią polską kolędę. Są w polskich kolędach te same elementy, poetyckie, opisowe, które znajdujemy u Szopena i Moniuszki, u Norwida, Kochanowskiego i Mickiewicza, u Słowackiego i Lenartowicza, u Grottgera, Matejki i Chełmońskiego. Wszyscy wielcy poeci podkreślają czar i potęgę polskiej kolędy. Tej kolędy, któ-

77

ra „w przyćmionej piekarni płakała w rytmy ubrana najlichsze" (Słowacki). U Mickiewicza kolęda staje się jednym z czynników zwycię-
stwa nad złem: towarzyszy walce o duszę Konrada w III części *Dziadów*, a w duszy innego Konrada ucisza szalejące burze, kładąc koniec
udręce (S. Wyspiański *Wyzwolenie*).

Jeśli już raz, w czasach dzieciństwa, kolęda zapadła w duszę Polaka, towarzyszy mu wszędzie i zawsze, odrywa go od nędzy i co-
dziennej szarości, przenosi w inne światy, na obczyźnie daje wraże-
nie ojczyzny. Przez wieki szła z Polakami na Sybir i do obozów
koncentracyjnych, była świadkiem walki i radości. Znana jest historia z czasów I wojny światowej, z frontu francusko-niemieckiego,
która niezwykle wymownie ilustruje intensywność oddziaływania
polskiej kolędy. Otóż w Wigilię 1915 roku, wieczorem, z okopów
francuskich odezwały się tony kolędy polskiej. Śpiewali ją polscy
ochotnicy służący w wojsku francuskim. Po pewnym czasie ta sama
kolęda rozległa się z okopów niemieckich, śpiewana przez polskich
żołnierzy zmuszonych służyć w armii niemieckiej. Tej nocy „wrogo-
wie" nie strzelali do siebie...

Od pierwszej polskiej kolędy, znanej z rękopiu z 1424 roku, zaczy-
nającej się od słów „Zdrow bądź, krolu anjelski", poprzez „Przybieżeli do Betlejem" z 1631 roku, do naszych czasów kolędy przeszły
ogromną ewolucję literacką. Według tradycji autorem pierwszej był
święty Franciszek z Asyżu, a ojczyzną kolęd były Włochy, skąd poprzez Zachód dotarły najprawdopodobniej w XIV wieku do Polski.
Pierwszymi polskimi kolędami były te ze śpiewników braci czeskich;
na początku XV wieku przełożono na język polski trzydzieści jeden
kolęd.

Złotym wiekiem polskiej kolędy okazał się wiek XVII i pierwsza
połowa XVIII wieku. W tym czasie polska twórczość kolędnicza
wzniosła się na najwyższe szczyty, i w tym też czasie polska kolęda,
mająca źródła w Czechach, uległa całkowitemu spolonizowaniu
przez wprowadzenie rodzimych melodii, scen pasterskich i lokalnego kolorytu. Jednocześnie zaczęła wywierać ogromny wpływ na kraje kościoła wschodniego, głównie na Ukrainie i Białorusi. Polskie kolędy dotarły tam wraz ze swoimi melodiami. Oto dwa przykłady –
„W żłobie leży" i „Przybieżeli do Betlejem":

W Jasłach leżyt chtóż pospieszył
spiwaty meleńkomu
Isu Chrystu,
Bohu istu
Nowonarozdennomu...

Pribihajut do wertepy pastyrii
i z soboju nesut dary w ofirii
stawa wo wisznich Bohu,
stawa wo wisznich Bohu
i mir wsim na zemli...

W tym czasie powstały najwspanialsze, o wielkiej wartości literackiej, kolędy pisane przez najwybitniejszych polskich pisarzy oraz mnóstwo naiwnych, ale jakże pięknych w swojej prostocie, przepojonych szczerością, tchnących duchem najczystszej polszczyzny kolęd ludowych. Autorem popularnej do dziś kolędy „W żłobie leży" był wielki kaznodzieja i wspaniały stylista Piotr Skarga (1536–1612), a napisana ona została do melodii poloneza koronacyjnego króla Władysława IV. Kolędy pisali też Grochowski, Sęp-Szarzyński, Morsztyn, Kochowski, Brand, ks. Hołubowicz, ks. Antoniewicz. Kolędy polskie upodobały sobie melodie popularnych tańców, i tak np. „Bóg się rodzi" ma melodię poloneza, „Hej bracia, czy wy śpicie" – krakowiaka, „Dzisiaj w Betlejem" – to niezwykle popularny niegdyś mazur. Wiele kolęd powstało do oberków, hajduków, gonionych, góralskich, zbójnickich, ale także menuetów i gawotów.

Trzeci okres powstawania kolęd polskich przypada na czasy saskie, stanisławowskie i porozbiorowe. Nie sprzyjały one kolędowej twórczości. Chlubnym wyjątkiem jest kolęda Franciszka Karpińskiego „Bóg się rodzi". W drugiej połowie XIX wieku komponowali kolędy Nowowiejski i Noskowski.

Na każdym niemalże etapie polskiej historii pisano do starych kolęd nowe słowa o treści patriotycznej, np. po powstaniu styczniowym śpiewano tak:

79

Bóg się rodzi, moc truchleje
Hymn żalu wznoszą narody
Piosnkę zemsty lud już pieje
Piosnkę zemsty i swobody,
Ach to Maria w bólach rodzi,
Bóg się rodzi, Bóg się rodzi...
We krwi ludu tyran brodzi
Opiekuńcze widzisz duchy?
Już piękniejsze słońce wschodzi
wnet opadną z nóg łańcuchy....
Ach to Maria w bólach rodzi,
Bóg się rodzi, Bóg się rodzi....

(G. Ehrenberg)

A Kajetan Sawczuk przerobił „Lulajże Jezuniu":

Lulajże Jezuniu, moja perełko,
Niechże Ci lud polski śpiewa pieśń wielką.
Lulajże Jezuniu, lulajże lulaj,
A naród nasz polski w nędzy otulaj.
Zawitaj nam Zbawco dziś narodzony
I popraw nam biednym, los utrudzony.
Lulajże Jezuniu, lulajże lulaj,
Od nędzy, ciemnoty lud nasz otulaj.
Zbudź ze snu lud polski, skarć naszych wrogów,
Daj byśmy się zbyli wszech złych nałogów,
Zapal w nas poczucie lepszej przyszłości,
Daj byśmy Cię mogli chwalić w szczerości.
Daj Panie poczucie celów jaśniejszych,
W oświacie bez granic, a w grzechach mniejszych
Użycz nam dni szczęścia, Ojczyźnie chwały,
Daj dzieciom, by lepszych chwil doczekały.
Niech, Panie, niesnaski wśród nas zaginą
A dobre w nas chęci niech się rozwiną...

Sama nazwa „kolęda" na określenie pieśni bożonarodzeniowych jest stosunkowo nowa i oznacza każdą pieśń o tej temaatyce, o charakterze kościelnym i świeckim, a więc zarówno poważne „Anioł pasterzom mówił", jak i wesołe o pasterzach, wykraczające nieraz przeciwko powadze świątyni (a także rubaszne pieśni kolędników). Ale jeszcze w 1838 roku ks. Mioduszewski w swoim *Wielkim śpiewniku kościelnym* osobno umieścił pieśni poważne do śpiewania w kościele, i te zatytułował „Pieśni na Boże Narodzenie", osobno zaś „Pastorałki i kolędy" zawierające pieśni kolędników i kolędy o charakterze świeckim, przeznacza do śpiewania w domu podczas świąt Bożego Narodzenia. Pieśni, w których na plan pierwszy wysuwają się pasterze, ks. Mioduszewski nazywa pastorałkami, kolędami zaś „powinszowania na Boże Narodzenie". W starych wydaniach kolęd spotkać można różne nazwy; są więc kantyczki, rotuły, symfonie. Więc ogólna, powszechna dziś nazwa „kolęda" na określenie każdej pieśni, której punktem wyjścia jest Betlejem, jest stosunkowo młoda. Sam wyraz pochodzi od starorzymskiej nazwy pierwszego dnia każdego miesiąca *calendae*. Ponieważ w wiekach średnich Nowy Rok rozpoczynał się 25 grudnia, tradycje klasycznego Rzymu wniosły do wielu języków europejskich ten przekształcony wyraz łaciński i związały go z obchodami świąt Bożego Narodzenia i nazwą noworocznych darów.

❖ WIECZERZA WIGILIJNA ❖

Wieczerzę wigilijną rozpoczynano, gdy pierwsza gwiazdka ukazywała się na niebie. Po przełamaniu się opłatkiem i złożeniu życzeń cała rodzina zasiadała do stołu. Dzisiejsza wieczerza wigilijna – jak już wspominałam – w pogańskich czasach była stypą zaduszną, a podobieństwa zachowały się w doborze ludowych potraw wigilijnych. Według prastarych wierzeń ludowych dusza ludzka musiała się co pewien czas pożywić i dlatego należało dla niej przygotować pewne ściśle określone tradycją potrawy. Do takich należały: bliny, fasola, groch, bób, kasza, jabłka, orzechy i miód – od bardzo dawnych czasów uważane za pokarm dla dusz zmarłych. Potrawy przy-

81

rządzone z tych składników wynoszone były na groby i pozostawiane na cmentarzach, a ponadto stanowiły obrzędowy jadłospis w czasie świąt zadusznych.

Jadłospis wigilijnych potraw był też tak przemyślany, żeby uwzględniał wszystkie płody rolne i leśne z całego roku. Z lasu pochodziły grzyby, orzechy i miód; z pola – kasze, rośliny oleiste, zboża, jarzyny, owoce; z rzek, jezior i stawów – ryby. W dawnych czasach nabiał nie był traktowany przez Kościół jako potrawy postne, nie mówiąc już o tłuszczach zwierzęcych. Wielowiekową słowiańską tradycję postnej wieczerzy wigilijnej, przyrządzanej ze wszystkich głównych płodów ziemi, podtrzymywał tylko lud. Szlachta, a tym bardziej arystokracja, nie przestrzegały jej tak dokładnie.

„Umiejętność kucharska przyswoiła do ryb i bobry, robiąc z nich i na post kiełbaski, potrawki, plusk czyli ogon jego nade wszystko ceniąc..." (Ł. Gołębiowski *Domy i dwory*). Tłumaczono sobie powszechnie, że ogon bobra, który cały czas jest w wodzie, niczym się od ryby nie różni. „Lud w prostocie swojej i ubóstwie dawne zachował obyczaje, czego używał przed tysiącem lat i dziś używa, nie dosięgnął go zbytek, wymysłów nie zna, potrzeby swoje zaspokaja snadnie...". Do tradycyjnych potraw wigilijnych należały: „...gryczanek – z mąki tatarczanej kluski, żur z mąki owsianej na noc zakwaszony rzadki, a kisiel taż sama potrawa, tylko do większej gęstości przywiedziona, czasem zaziębiona, tak, że się nożem kraje... pęcak z jęczmienia... tłuczonego z grochem... safamacha... ciastuchy... ciorba... gruca... knysze... pirogi to gotowane, to w piecu pieczone..." (Ł. Gołębiowski *Domy i dwory*).

Do najbardziej typowych i tradycyjnych zestawów ludowych potraw, podawanych podczas wieczerzy wigilijnej, należały: barszcz z buraków lub zupa grzybowa, siemieniatka, bigos postny, kasza jaglana ze śliwkami suszonymi, groch lub fasola, kluski pszenne z makiem, kisiel z owsa, kutia oraz piernik, a na koniec jabłka i orzechy.

Na Podlasiu wpierw podają smaczny „borszcz", potem rybę smażoną lub gotowaną, bardzo często „wjuny", kompot z suszonych gruszek-dziczek i czernic oraz kutię. Na wschodnich terenach Polski na kolację wigilijną podawano potrawy, do których jedyną okrasą był olej lniany. Pierwszą był kisiel przyrządzany z suszonego owsa, zapijany płynem powstałym z mielonych konopi zalanych gorącą wodą. „Dalej idzie barszcz z grzybami lub suszonymi wjunami, następnie ryby lub inne dania w zależności od zamożności gospodarza i sztuki kucharskiej gospodyni. Ostatnią a zarazem niezbędną potrawą jest kutja, czyli kasza z krup perłowych. Bierze ją gospodyni z garnka stojącego na pokuciu, gdzie stoi przez całe święta, by móc służyć duchom za pokarm..." (pokucie to miejsce na ławie pod obrazami świętymi).

W Poznańskiem wieczerza wigilijna składała się zwykle z sinobiałej zupy z konopi, grochówki lub polewki z maku z jagłami, zawiędki zakruszonej mąką, klusek z „kwaśnem" (z sokiem z kiszonej kapusty), klusek z makiem, klusek z faryną (ciemny cukier gorszego gatunku) lub miodem, grochu białego, suszonych grzybów smażonych w oleju, kapusty, kaszy i gruszek.

W Szamotulskiem wigilijnymi „zwykłemi potrawami są tylko kluski z makiem, kapusta, groch, kasza, grzybki i konieczna na każde święto gorzałka...".

Na Pomorzu „lud przy wieczerzy wigilijnej spożywa najczęściej kluski z makiem, zamożniejsi jadają rybę; gdzie bywa więcej dań, tam jest też zupa z piwa, bułeczki, kapusta z grzybami suszonymi, śledź, ryba, pierogi, czasem ser...".

Na Mazowszu najważniejszym zadaniem gospodyni było w dniu wigilijnym pieczenie placków pszennych i przygotowywanie – zależnie od zamożności domu – pięciu, siedmiu lub dziewięciu potraw. Najczęściej – oprócz opłatka i wódki – na stół podawano: kapustę z grzybami „betkamy", barszcz grzybowy (uważając, żeby nie wykipiał w czasie podgrzewania, bowiem deszcz padałby zawsze w czasie prania), tłuczone kartofle polane makiem, kluski z gruszkami lub „same gruski-polki, a jak chto ma to i scepowe". Także oładki pszenne na oleju, kaszę jaglaną z olejem, prażony groch, pasternak i kisiel owsiany lub żurawinowy oraz kutię, tj. „pęcak z makiem utartym na masę i rozprowadzony wodą osłodzoną cukrem lub miodem".

Na Pogórzu – w okolicach Rabki – jedzenie było postne bez nabiału i składało się przeważnie z barszczu śliwkowego z ziemniakami, wodzianki, zupy grzybowej, zupy grochowej z chlebem, karpieli go-

83

towanych, ziemniaków lub pierogów z kapustą. Kolację wigilijną kończył kompot śliwkowy z kluskami.

Na Podhalu wieczerza wigilijna składała się na ogół z klusek zrobionych z ziemniaków i polanych miodem, „kłóty", czyli kapusty z ziemniakami, bobu, grochu, kołaczy z razowej mąki z serem oraz suchego chleba z miodem i „kwaśnicy", czyli kapuśniaku z suszonymi śliwkami.

Na Śląsku jadano najczęściej w tym dniu siemieniotkę, suszone śliwki z fasolą, kartofle ze śledziem, suszone śliwki z kaszą, gotowaną suszoną rzepę, fasolę „maszczoną" olejem, zuwkę z serem, bombolki i kołacze z serem lub śliwkami.

Na Warmii i Mazurach, jak wynika z badań etnografów, do II wojny światowej nie przestrzegano postu, a potrawy wigilijne nie różniły się od potraw dnia świątecznego. Najczęściej na Wigilię podawano pieczoną gęś, gęsią kiełbasę, mięso oraz ciasto i słodycze.

Jeszcze jakieś pięćdziesiąt lat temu nie tylko każdy region, ale niemalże każda wieś miała swoje miejscowe, regionalne potrawy wigilijne.

„Najpierw był buraczany kwas, gotowany na grzybach z ziemniakami całymi, a potem przyszły śledzie w mące obtaczane i smażone na oleju konopnym, później zaś pszenne kluski z makiem, a potem szła kapusta z grzybami, olejem również omaszczona, a na ostatek podała Jagusia przysmak prawdziwy, bo racuszki z gryczanej mąki z miodem zatarte i w makowym oleju uprażone, a przegryzali to wszystko prostym chlebem, bo placka ni strucli, że z mlekiem i masłem były, nie godziło się jeść dnia tego..." (Wł. Reymont: *Chłopi*).

Ściśle post zachowywała prosta ludność; jeśli jedzono ryby – to tylko gotowane i przyprawiane nie masłem, a olejem z siemienia lnianego, konopnego, z orzechów, maku, rzepaku lub słoneczników. Natomiast uczty wigilijne w staropolskich dworach wyróżniały się niesłychaną różnorodnością i pomysłowością w przyrządzaniu potraw rybnych.

Z wielkiej kuchni gospodyni
śle delicję za delicją,
sutą ucztę pilnie czyni
uważając na tradycją.

Teraz wisi, ot, na włosku
Cnej jejmości słuszna sława
więc jest szczupak po zydowsku
prym jegomość temu dawał
Zasię potem lin w śmietanie
I karp tłusty w sosie szarym
Jedz — nie pytaj mości panie,
a zapijaj węgrem starym.

(Or-Ot *Wigilia*)

„Dnia tego jednakowy po całej może Polsce był obiad, trzy zupy: migdałowa z rodzynkami, barszcz z uszkami, grzybowa ze śledziem, kutia dla służących, krążki z chrzanem, karp w sosie, szczupak z szafranem, placuszki z makiem i miodem, okunie z posiekanymi jajami i oliwą..." (J.U. Niemcewicz *Wigilia Bożego Narodzenia*).

Zupa migdałowa, obca niegdyś polskiej tradycji, stała się ulubioną potrawą warstw zamożnych. Przyrządzana była z mielonych migdałów sparzonych wrzącym mlekiem z dodatkiem dużej ilości cukru, rodzynków i ryżu. Na Wigilię urządzaną w sposób wystawny podawano na ogół kilka zup do wyboru. Jedne musiały być jasne, inne ciemne: „...otworzyły się podwoje i poszli wszyscy do obiadu. Stały tam na stole na przemian zupa migdałowa i barszcz z uszkami. Nastąpiły po nich w zwykłym porządku szczupak z szafranem, ryż z podróbkami, kapusta z linem, ryby po lwowsku, placuszki z makiem, karp z miodownikiem, grzanki do oliwy i wina, ryby smażone i po nich zamiast kompotu jak zwykle, gruszki gotowane ze śliwkami i obwarzankami..." (E. Jaraczewska *Wigilia w polskim dworze*).

Ryby były podstawą wigilijnej wieczerzy w szlacheckich dworach:

A zasiadłszy do stołu godziną zmierzchową
Jadł polewkę migdałową,
na drugie zaś danie,
szedł szczupak w szafranie,
Dalej okoń, pączki tłusto,
Węgorz i liny z kapustą,
Karp sadzony z rodzenkami

85

Na koniec do chrzanu grzyby
i różne smazone ryby...

Tak wyglądała według Alojzego Żółkowskiego Wigilia szlachcica w 1820 roku.

W literaturze często spotyka się wzmianki o tłuczeńcach – tradycyjnych ciastkach wigilijnych jedzonych na zakończenie kolacji:

Jedz nie pytaj – a gdyć mało
Starodawną znaj wiliję
Masz tłuczeńców misę całą
I zamorskie bakalije...

(Or-Ot *Wigilia*)

Tłuczeńców nie piekło się, tylko masę zrobioną z czerstwego razowego pieczywa sparzonego wrzącym, zrumienionym miodem z dodatkiem przypraw korzennych i bakalii, ujmowało między wafle lub opłatki.

Bakalie i korzenie od dawna zyskały sobie w Polsce wielką popularność. Przywozili je z południa i wschodu Ormianie, Grecy i Żydzi, i gdy tylko zjawiły się w Polsce, „z wielkim do nich rzucono się upodobaniem". „Do przypraw od wieków w Polsce używanych – miodu, maku, makowego mleka, octów: piwnego, miodowego, winnego zaprawianego malinami, berberysem, porzeczkami – doszły rodzynki, gałka muszkatołowa, kwiat muszkatołowy, szafran, bobki, limonie, kapary, oliwa, oliwki włoskie i hiszpańskie... później różne rodzaje cukru, tj. kandysbrot, kanar, faryna, chomos i aromata, czyli korzenie: imbir, pieprz, angielskie ziele, amomek, kardamony, czyli gatunek amomku, kubeba, sok limoniowy, kwiat muszkatołowy, liść bobkowy, cynamon, goździki, kapary, wanilia, kasztany, sago..." (Ł. Gołębiowski *Domy i dwory*).

Wszystkie te nowości szybko zajęły należne im miejsce w staropolskiej kuchni, „gdzie pieprzno i szafranno", i niezwykle wzbogaciły sposób przyrządzania wielu potraw, w tym ogromnej liczby potraw wigilijnych. Wkrótce bez bakalii trudno było wyobrazić sobie święta: „po polskich domach, przy śpiewaniu kolęd w świąteczne wieczory Bożego Narodzenia, częstowano się zawsze bakaliami", ale z bardzo starą polską tradycją wigilijną niewiele miały wspólnego.

Bakalie, tłuczeńce, mak z bakaliami, owoce i kompot z suszonych owoców kończyły więc wigilijną wieczerzę. Wreszcie zapalano na choince świeczki i rozpoczynano śpiewanie kolęd, oglądanie podarunków, a później, aż do pasterki, grano w kości i karty na orzechy. Od wieków bowiem istniała tradycja, że gra w ten właśnie wieczór ma przynosić szczęście, lecz zwyczajowe prawo zabraniało gry na pieniądze.

❖ PASTERKA ❖

Noc wigilijna – wbrew temu, co mówi kolęda – nie była wcale ani cicha, ani spokojna. Istniało bowiem stare przekonanie, że po ugoszczeniu należy wypędzać z domu dusze i to w sposób obrzędowy, hałasując. Rozlegały się więc zewsząd wystrzały, wybuchy, strzelano z rusznic, petard, uderzano z wielkim hałasem w garnki, stoły. Im głośniej, tym lepiej. Potem udawano się na pasterkę, a po drodze młodzi ludzie wróżyli sobie szczęście w miłości z kołków w płocie. Zwyczaj nakazywał, by przynajmniej jedna osoba z rodziny wzięła udział w tej najuroczystszej pierwszej mszy Bożego Narodzenia. Długo też utrzymywał się zwyczaj rzucania grochem z chóru przed pasterką, mający zapewnić urodzaj i pomyślność na cały przyszły rok; no cóż, niewątpliwie kościelnemu zapewniał „groch na cały rok". Po pasterce, zgodnie ze zwyczajem, mężczyźni chodzili „po podłazach", czyli odwiedzali krewnych i sąsiadów, a szczególnie rodziców swojej przyszłej żony. Składano sobie specjalne życzenia szczęścia i wszelkiej pomyślności, obsypując gospodarzy zbożem. Życzenia te wypowiadane były na ogół w formie wierszowanej: „Na szczęście, na zdrowie, na to Boże Narodzenie... żeby się darzyło w komorze, oborze, wszędzie, daj Boże..." lub „Na szczęście, na zdrowie, na to Boże Narodzenie, coby się wom dorzyło, mnożyło syćko stworzenie, cobyście mieli telo koników, kielo w płocie kółicków, po sopach krowicek, kielo w lesie jedlicek... W każdym kątku po dziesiątku, a w kiesonce sto tysiącków, byście zdrowi weseli i byście się wse mieli jako w niebie Janieli. Jament".

Gospodarze przygotowywali dla podłaźników przekąskę i wódkę z miodem. Wesoło, głośno i niezbyt trzeźwo upływała więc najdłuższa, a zarazem najpiękniejsza noc w roku, która przez długie wieki kończyła rok stary, a później stała się nocą radości z powodu narodzenia Bożego Dzieciątka.

Niewiele dzisiaj zachowało się z prastarych, rolniczych głównie, obyczajów. Rzadko kto je teraz na Wigilię owsiany kisiel, brakuje na naszych stołach dwunastu rybnych dań, nie myjemy się w misce, dotykając złotych czy srebrnych monet, nie smarujemy zębów czosnkiem, nie opasujemy stołu łańcuchami, nie chowamy wrzecion... Ale zjedzmy chociaż trochę orzechów i schowajmy łuskę wigilijnego karpia do portmonetki – a nuż?!

❖ PROPOZYCJE KOLACJI WIGILIJNYCH ❖

Oto kilka propozycji kolacji wigilijnych. Mają one stanowić tylko model, gotowe zaś dzieło sztuki (wszak umiejętność dobrego gotowania nie bez powodu nazwano sztuką kulinarną), jakim będzie w każdym domu wieczerza wigilijna, zależy od każdej pani domu, bowiem *Spiritus ubi vult spirat, et vocem eius audis* – duch twórczy gdzie chce, tam wieje, i głosu jego słuchaj.

❖ I ❖

Barszcz czerwony z uszkami
Śledzie w śmietanie
Szczupak po żydowsku
Karp na szaro
Lin à la flaczki
Łazanki z kapustą
Kotlety z suszonych grzybów
Łamańce z makiem
Kompot z suszonych śliwek

❖ II ❖

Zupa migdałowa
Śledź po królewsku
Szczupak z chrzanem
Ryba w sosie winno-orzechowym
Kapusta z grzybami i krokietami
Łazanki z makiem
Wigilijne ciasteczka
Kutia
Kompot ze śliwek

❖ III ❖

Zupa rybna z pulpetami
Rolmopsy
Lin w czerwonej kapuście
Zrazy z leszcza po żydowsku
Karp w szarym sosie
Bliny ze śledziem
Kutia
Wigilijne ciasteczka
Kompot z suszonych owoców

❖ IV ❖

Zupa grzybowa z kluseczkami
Śledzie w sosie musztardowym
Szczupak po żydowsku
Karp po polsku
Knysze z kapustą
Budyń z ryby
Łamańce z makiem
Piernik
Kompot z suszonych owoców.

❖ V ❖

Zupa grzybowa z kładzionymi kluseczkami
Sałatka śledziowa
Karp zapiekany pod beszamelem
Lin po żydowsku
Budyń z ryby w sosie chrzanowym
Knysze z kapustą
Pierożki z suszonymi śliwkami
Łamańce z makiem
Kisiel ananasowy
Wigilijne ciasteczka
Kawa, herbata

❖ WIGILIJNE ŚLEDZIE MARYNOWANE ❖

Składniki:
(szwedzkie)
4 duże wymoczone śledzie, 3 łyżki przecieru pomidorowego,
po 2 łyżki przegotowanej wody, czerwonego octu winnego i cukru,
1 łyżka tartego chrzanu, 2–3 łyżki oleju

Dokładnie wymoczone śledzie osuszamy, usuwamy skórę i ości, kroimy na 4–5 cm
kawałki. Dokładnie ucieramy cukier z wodą, octem, przecierem pomidorowym
i startym chrzanem, cały czas stopniowo dodając olej. Śledzie układamy warstwami w szklanym słoju, każdą warstwę skrapiając przygotowanym sosem. Przykrywamy i wstawiamy na 12–24 godziny do lodówki, aby „dojrzały".

❖ WIGILIJNE ŚLEDZIE MARYNOWANE ❖

Składniki:
500 g filetów solonych śledzi, 250 g śliwek węgierek mrożonych,
50 g suszonych moreli, 50 g posiekanych migdałów, otarta skórka
i sok z cytryny, łyżka miodu, pół łyżeczki pieprzu, ćwierć szklanki białego
wytrawnego wina (lub wody), pół szklanki oliwy, 2 łyżki posiekanej
zielonej pietruszki, kilka gałązek koperku

90 Wymoczone filety śledziowe osuszamy, przekrawamy wzdłuż na pół. Każdą połówkę zwijamy w rulonik, układamy na głębokim półmisku. Morele zalewamy gorącą

wodą, zostawiamy do ostygnięcia, osączamy, kroimy w cieniutkie paski. Pozbawione pestek śliwki wrzucamy do rondla, skrapiamy wodą lub winem i dusimy pod przykryciem. Gdy się rozgotują, miksujemy, przecieramy przez sito, dokładnie ucieramy z miodem, sokiem i otartą skórką z cytryny i z oliwą. Mieszamy z morelami i migdałami, polewamy śledzie, przykrywamy folią i zostawiamy na 2–3 godziny. Przed podaniem dekorujemy gałązkami koperku i posypujemy posiekaną zieloną pietruszką.

✦ PIKANTNE ŚLEDZIE W ŚMIETANIE ✦

Składniki:

300 g filetów śledziowych, 2 szklanki mleka, 5–6 ząbków czosnku,
7–8 ziarenek pieprzu, łyżka ziarenek gorczycy; szklanka śmietanki kremówki,
2 cebule, 1 winne jabłko, 2 łyżki soku i ćwierć łyżeczki otartej skórki
z cytryny, płaska łyżeczka mielonego białego pieprzu, po pół łyżeczki cukru
pudru i soli, ćwierć łyżeczki kwiatu muszkatołowego lub startej gałki,
3–4 cienkie plasterki cytryny, kilka gałązek zielonej pietruszki lub koperku,
2–3 cienkie paski czerwonej papryki

Obrany czosnek kroimy. Zagotowujemy mleko z czosnkiem, gorczycą i ziarenkami pieprzu. Umyte i osuszone filety układamy w słoju, zalewamy przestudzonym mlekiem, przykrywamy folią, zostawiamy na noc. Następnego dnia wyjmujemy, osuszamy, kroimy na kawałki. Obraną cebulę drobno siekamy, skrapiamy sokiem z cytryny, lekko posypujemy pieprzem i solą, zostawiamy na godzinę. Obrane jabłko ścieramy na grubej jarzynowej tarce, skrapiamy sokiem i posypujemy otartą skórka z cytryny. Śmietankę ubijamy z cukrem, solą, pieprzem i gałką muszkatołową, dokładnie mieszamy z cebulą i jabłkiem. Pokrojone śledzie układamy na półmisku, przykrywamy przygotowanym sosem, dekorujemy plasterkami cytryny, paskami papryki i gałązkami koperku.

✦ IMBIROWE ŚLEDZIE W ORZECHACH ✦

Składniki:

500 g solonych śledzi, 3 szklanki mleka, szklanka oleju słonecznikowego,
łyżeczka posiekanego świeżego imbiru, niewielka laska cynamonu,
4–5 goździków, 6–8 ziarenek pieprzu, 1–2 ziarenka angielskiego ziela,
250 g ususzonego piernika, 250 g posiekanych orzechów włoskich, 2 łyżki
miodu gryczanego, 2 łyżki winnego octu ziołowego, ćwierć łyżeczki mielonego
imbiru, kilka gałązek zielonej pietruszki, kilka połówek orzechów włoskich

Umyte śledzie zalewamy mlekiem, zostawiamy na 24 godziny, po czym myjemy, usuwamy kręgosłup, ości i skórę, kroimy na spore kawałki. Zagotowujemy olej z dodatkiem imbiru, cynamonu, goździków, pieprzu i ziela. Kawałki śledzi układamy w słoiku, zalewamy przestudzonym olejem, przykrywamy, wstawiamy do lodówki na 2–3 dni.

Przygotowanie pasty: dokładnie mieszamy płynny miód z octem winnym, mielonym imbirem, startym na tarce piernikiem i posiekanymi orzechami. Wyjęte z zalewy śledzie układamy na półmisku, obkładamy przygotowaną pastą, przykrywamy folią, wstawiamy na 2–3 godziny do lodówki. Przed podaniem dekorujemy zieloną pietruszką i połówkami orzechów.

❖ ŚLEDZIE W MIODOWYM SOSIE ❖

Składniki:

500 g solonych śledzi, 3 szklanki mleka

sos:

duża cebula, pół szklanki oliwy, sok i otarta skórka z pół cytryny, 4 łyżki miodu,
po ćwierć łyżeczki mielonych: ziela angielskiego, cynamonu i goździków,
kardamonu i pieprzu, kawałek twardego (suchego) piernika, szczypta soli

Śledzie dokładnie myjemy, zalewamy mlekiem, moczymy 24 godziny. Na małym ogniu pod przykryciem zagotowujemy miód z korzeniami. Obraną cebulę wrzucamy na 1–2 minuty na wrzątek, odcedzamy, przelewamy zimną wodą, osączamy, kroimy w drobniutką kostkę, skrapiamy sokiem z cytryny, posypujemy otartą skórką i szczyptą soli. Ususzony kawałek piernika ścieramy na tarce, mieszamy z oliwą, cebulą i przestudzonym miodem. Wymoczone śledzie obieramy ze skóry, usuwamy kręgosłup i ości, myjemy, osuszamy, kroimy na mniejsze kawałki, układamy na półmisku, polewamy przygotowanym sosem. Półmisek przykrywamy folią i wstawiamy na noc do lodówki. Przed podaniem dekorujemy gałązkami zielonej pietruszki.

❖ CZERWONY BARSZCZ ❖

Składniki:

500 g buraków, włoszczyzna, 50 g grzybów suszonych, cebula,
2–3 ząbki czosnku, listek laurowy, po 4–6 ziarenek angielskiego ziela i pieprzu,
1–2 goździki, pół szklanki niesłodzonego soku z czerwonej porzeczki
lub wiśni, 2–3 łyżki koncentratu buraczanego, sól, pieprz

Umyte grzyby namaczamy na noc, następnego dnia gotujemy. Gotujemy wywar z włoszczyzny i korzeni, przecedzamy (włoszczyznę możemy wykorzystać do zrobienia sałatki). Obrane buraki ścieramy na grubej jarzynowej tarce, zalewamy przecedzonym wywarem z włoszczyzny, dodajemy wywar z grzybów i pokrojony czosnek, gotujemy ok. 30–35 minut, przecedzamy, doprawiamy do smaku solą i pieprzem, wlewamy sok z porzeczek i koncentrat, mieszamy, podgrzewamy. Podajemy z uszkami z grzybów, pasztecikami, diablotkami lub krokietami.

❖ USZKA DO BARSZCZU ❖

Składniki:

Szklanka mąki, łyżka oleju, sól, przegotowana woda, 30 g suszonych grzybów (ugotowanych), duża cebula, 1–2 łyżki posiekanych orzechów włoskich, 1 jajko, 1–1½ łyżki posiekanej zielonej pietruszki, sól, pieprz, łyżka oleju

Zagniatamy ciasto jak na pierogi, zostawiamy, aby odpoczęło. Posiekaną cebulę szklimy na oleju, łączymy z posiekanymi grzybami, zieloną pietruszką i orzechami, doprawiamy do smaku solą i pieprzem, wbijamy jajko, wyrabiamy masę. Na posypanej mąką stolnicy rozwałkowujemy ciasto, wycinamy niewielkie romby, nakładamy przygotowany farsz, sklejamy po przekątnej, a następnie dwa boki. Gotujemy w osolonym wrzątku.

❖ BARSZCZ ZE ŚLEDZIEM ❖

Składniki:

250 g buraków, 1 solony śledź, pół szklanki mleka, 50 g suszonych grzybów, spora cebula, 2 łyżki oleju, sól, pieprz, łyżka soku z cytryny, szklanka fasoli Jaś

Umyte grzyby zalewamy 5 szklankami przegotowanej wody, zostawiamy na noc. Umytą fasolę zalewamy wodą i także zostawiamy na noc. Śledzia namaczamy w zimnej wodzie, odfiletowujemy, usuwamy skórę i ości, zalewamy mlekiem, zostawiamy na godzinę. Umyte buraki upieczemy w piekarniku. Gotujemy grzyby, miękkie wyjmujemy, studzimy, kroimy w paseczki. Śledzia myjemy, osuszamy, kroimy w cienkie paski. Na patelni rozgrzewamy łyżkę oleju, szklimy na nim posiekaną cebulę. Buraki obieramy, ścieramy na grubej jarzynowej tarce. Wywar z grzybów zagotowujemy, dodajemy buraki i cebulę, gotujemy ok. 15 minut. Przecedzamy, dodajemy śledzia i pokrojone w paseczki grzyby, doprawiamy sokiem

93

z cytryny i pieprzem. Fasolę gotujemy, pod koniec gotowania solimy, odcedzamy, mieszamy z olejem. Barszcz podajemy z fasolą.

❖ STAROPOLSKI KREM Z SUSZONYMI BOROWIKAMI ❖

Składniki:

Duży seler, łyżeczka soku z cytryny, 5–6 suszonych borowików,
pół szklanki gęstej śmietany, surowe żółtko, pół łyżeczki suszonego
lubczyku, ćwierć łyżeczki gałki muszkatołowej, sól, pieprz,
2 łyżki drobniutko usiekanych listków selera

Umyte grzyby namaczamy w niewielkiej ilości przegotowanej letniej wody, zostawiamy na noc, następnego dnia gotujemy. Miękkie kroimy w paseczki. Seler myjemy, obieramy, kroimy w plastry, skrapiamy sokiem z cytryny, wkładamy do garnka, dodajemy lubczyk. Zalewamy gorącym bulionem i gotujemy na niewielkim ogniu ok. 30 minut. Miksujemy, przecieramy przez sito, łączymy z wywarem z grzybów. Zagotowujemy, doprawiamy do smaku solą, pieprzem, gałką muszkatołową, dodajemy pokrojone w paseczki grzyby. Przed podaniem zupę doprowadzamy do wrzenia. Śmietanę dokładnie rozkłócamy z surowym żółtkiem, powoli wlewamy do zupy, stale mieszając (nie gotujemy). Podajemy posypaną drobniutko posiekanymi listkami selera lub zielonej pietruszki. Można podawać także z grzankami z bułki lub z groszkiem ptysiowym.

❖ AROMATYCZNA ZUPA RYBNA ❖

Składniki:

2 głowy łososia, 1 filet z pstrąga (ok.150 g), 2 l wody, 1 listek laurowy, otarta
skórka i sok z 1 cytryny, po 2–3 ziarenka pieprzu i angielskiego ziela, 2 łodygi
selera naciowego, pół pęczka zielonej pietruszki, łyżeczka ususzonej mięty,
po pół łyżeczki ususzonego rozmarynu i melisy, duża cebula, 3 surowe
żółtka, sól, pieprz, po 2 łyżki posiekanej zielonej pietruszki i szczypiorku

Z głów usuwamy oczy, głowy myjemy, nacieramy solą, zostawiamy na kilka minut. Umyty i osuszony filet z pstrąga lekko skrapiamy sokiem z cytryny, nacieramy solą, zostawiamy na pół godziny.

Zagotowujemy wodę z cebulą, łodygami selera, listkami zielonej pietruszki z dodatkiem mięty, rozmarynu, melisy, otartej skórki z cytryny, listka laurowego, ziarenek pieprzu i ziela angielskiego. Gotujemy ok. 15 minut pod przykryciem, wkładamy głowy łososia, doprowadzamy do wrzenia, po czym gotujemy na małym ogniu ok. 20 minut. Miękkie głowy wyjmujemy, a do wywaru wkładamy filet z pstrąga i gotujemy na małym ogniu ok. 15 minut. Filet wyjmujemy, studzimy, usuwamy ości, a mięso kroimy w kostkę. Z głów wyjmujemy mięso, wywar przecedzamy, mięso z głów łososia miksujemy z wywarem, przecieramy przez sito, zagotowujemy z dodatkiem soku z cytryny, doprawiamy do smaku solą, ew. szczyptą cukru, zaciągamy wymieszanymi z łyżką przegotowanej wody żółtkami, wkładamy pokrojonego pstrąga, podgrzewamy, wsypujemy posiekaną zieleninę, mieszamy, zdejmujemy z ognia. Podajemy z grzankami z bułki, diablotkami lub krokietami jarzynowymi.

❖ ZUPA RYBNA KREM ❖

Składniki:

500 g filetów białej ryby morskiej (flądra, sola), łyżka zmielonego anyżu gwiaździstego (lub 4–5 łyżeczek nasion anyżku), 3 cebulki dymki (bez szczypiorku), 5 szklanek przegotowanej wody, otarta skórka i sok z pół cytryny, 100 g migdałów, sól, łyżeczka białego mielonego pieprzu, pół szklanki śmietanki, 1 surowe żółtko

Migdały sparzamy wrzątkiem, obieramy ze skórki, siekamu. Umyte i osuszone filety solimy, skrapiamy skokiem z cytryny, układamy w płaskim rondlu, dodajemy połowę mielonego anyżu gwiazdkowego, pokrojone w grube plastry cebulki dymki, otartą skórkę z cytryny. Zalewamy przegotowaną letnią wodą, doprowadzamy do wrzenia, a później gotujemy na małym ogniu pod przykryciem ok. 15–20 minut. Miksujemy, przecieramy przez sito, wlewamy do rondla, zagotowujemy. Śmietankę dokładnie rozkłócamy z żółtkiem. Do gorącej zupy wrzucamy posiekane migdały, pozostały zmielony anyż i podgrzewamy na maleńkim ogniu. Zaciągamy rozkłóconą z żółtkiem śmietanką, doprawiamy do smaku pieprzem i solą. Podajemy z diablotkami albo grzankami z razowego chleba.

❖ KARP MARYNOWANY ❖

Składniki:

Duży karp (ok. 2 kg), 2–3 łyżki mąki, sól, sok z pół cytryny, olej do smażenia, 2–3 łyżki posiekanej zielonej pietruszki, 2–3 łyżki oliwy z oliwek

Marynata:

szklanka czerwonego octu winnego, pół szklanki czerwonego wytrawnego wina, 1–2 ząbki czosnku, łyżeczka suszonej mięty i pieprzu

95

Sprawionego karpia odfiletowujemy (głowy, ogon, kręgosłup można wykorzystać do gotowania galarety lub zupy). Filety skrapiamy sokiem z cytryny, nacieramy solą, zostawiamy na 1–2 godziny. Filety osuszamy, kroimy na niewielkie kawałki, obtaczamy w mące, smażymy na złoty kolor z obu stron. Usmażone filety układamy w głębokiej salaterce. Zagotowujemy ocet z winem, miętą, pieprzem i czosnkiem (gotujemy pod przykryciem ok. 10 minut). Gorącym octem zalewamy karpia, przykrywamy folią, zostawiamy na 2–3 dni. Przed podaniem układamy na półmisku, leciutko skrapiamy oliwą, posypujemy posiekaną zieloną pietruszką.

❖ KARP NA NIEBIESKO W KAPAROWYM SOSIE ❖

Składniki:

Karp (ok.1,3 kg), 1–2 głowy karpia, 2 szklanki octu winnego, włoszczyzna,
2 cebule, po 5–6 ziarenek angielskiego ziela i pieprzu, listek laurowy,
3–4 goździki, kawałek świeżego imbiru (wielkości orzecha włoskiego),
pół szklanki białego wytrawnego wina, 2–3 łyżki kaparów,
2 łyżki zielonych wydrylowanych oliwek, skórka suchego chleba,
pół łyżeczki cukru, sól, pieprz, łyżka masła, cytryna

Rybę sprawiamy, odcinamy głowę, ogon, płetwy. Z głów, włoszczyzny, cebuli, korzeni gotujemy esencjonalny wywar, przecedzamy, odparowujemy tak, aby zostało 1½ szklanki. Sprawionego karpia układamy w płaskim rondlu, zalewamy gorącym octem i zostawiamy na kilka minut. Gdy lekko przestygnie, wyjmujemy z octu, kroimy na dzwonka, układamy w rondlu, zalewamy przecedzonym wywarem i winem, dodajemy skórkę suchego żytniego chleba i gotujemy na małym ogniu ok. 15 minut. Miękką rybę delikatnie wyjmujemy, sos doprawiamy solą, pieprzem, cukrem, mieszamy, przecieramy przez sito. Wlewamy do rondla, podgrzewamy, dodajemy kapary, drobno posiekany imbir, pokrojone w paseczki oliwki. Podgrzewamy na małym ogniu. Cytrynę obieramy ze skórki, kroimy w cienkie plasterki, usuwamy pestki. Plasterki cytryny i kawałki ryby wkładamy do rondla z sosem, podgrzewamy na maleńkim ogniu kilka minut (nie dopuszczamy do zagotowania). Podajemy z ziemniakami z wody lub z bułką.

❖ LIN W KAPUŚCIE ❖

Składniki:

96

Liny (ok. 2 kg), sól, pieprz, 2 łyżki mąki, 2 surowe jajka, szklanka tartej bułki, olej lub klarowane masło do smażenia, włoszczyzna, 2 spore cebule,

5–7 ziarenek angielskiego ziela, 1–2 listki laurowe, 3–4 goździki,
mały kawałek cynamonu, sok i otarta skórka z pół cytryny, łyżka miodu,
sól, pieprz, 50 g suszonych grzybów, niewielka główka białej kapusty
(ok. 1½ kg), szklanka śmietany

Umyte grzyby namaczamy w niewielkiej ilości wody. Przygotowujemy wywar
z włoszczyzny i cebuli z dodatkiem cynamonu, goździków, otartej skórki z cytryny, listków laurowych, ziela angielskiego. Gotujemy pod przykryciem ok. 40 minut, następnie odkrywamy i odparowujemy tak, aby zostały 2 szklanki wywaru.
Kapustę szatkujemy, lekko solimy, zostawiamy na kilka minut, lekko odciskamy,
wkładamy do rondla, zalewamy przecedzonym wywarem, dodajemy namoczone,
pokrojone w paski grzyby, doprowadzamy do wrzenia, a następnie gotujemy na
niewielkim ogniu ok. 10 minut. Doprawiamy do smaku solą, pieprzem, miodem
i sokiem z cytryny, dokładnie mieszamy i dusimy jeszcze kilka minut. Odparowujemy nadmiar soku, mieszamy z gęstą śmietaną.
Sprawione liny wkładamy do miski, zalewamy wrzątkiem, a gdy śluz (którego ryba wydziela bardzo dużo) zbieleje, wyjmujemy, oskrobujemy, kroimy na dzwonka, osuszamy, posypujemy solą i pieprzem, oprószujemy mąką, panierujemy w rozkłóconym jajku i tartej bułce, smażymy na złoty kolor na rozgrzanym tłuszczu.
Żaroodporny półmisek smarujemy tłuszczem, układamy wzdłuż pas kapusty, następnie dzwonka lina i pas kapusty, wstawiamy na kilka minut do nagrzanego piekarnika. Podajemy z ziemniakami z wody.

❖ ŁOSOŚ W CEBULOWYM SOSIE ❖

Składniki:

1 kg łososia (pokrojonego w dzwonka), 200 g cebuli, sól, pieprz, otarta
skórka i sok z połowy cytryny, 1½ szklanki białego wytrawnego wina,
4 łyżki masła, łyżeczka mąki ziemniaczanej, kilka gałązek koperku

Dzwonka łososia nacieramy solą, lekko skrapiamy sokiem z cytryny, zostawiamy
na 20–30 minut. Na patelni topimy dwie łyżki masła, szklimy na nim posiekaną
cebulę, dodajemy sól, pieprz, otartą skórkę i sok z cytryny. Mieszamy, wlewamy
szklankę wina i dusimy pod przykryciem ok. 15 minut.
Rybę układamy w żaroodpornym półmisku, polewamy stopionym masłem i winem, przykrywamy i dusimy ok. 15–20 minut. Uduszoną cebulę miksujemy, przecieramy przez sito, podgrzewamy, doprawiamy do smaku solą, pieprzem i sokiem

97

z cytryny, ew. szczyptą cukru. Mąkę ziemniaczaną rozrabiamy w łyżce zimnej przegotowanej wody, wlewamy do sosu i mieszając, podgrzewamy. Gęstym sosem polewamy rybę, wstawiamy na kilka minut do nagrzanego piekarnika. Przed podaniem dekorujemy gałązkami koperku. Podajemy z łazankami lub ziemniakami z wody.

❖ SZCZUPAK NADZIEWANY KASZĄ ❖

Składniki:

1 szczupak (ok. 1½ kg), 1½ szklanki ugotowanej na sypko kaszy gryczanej,
1–2 cebule, sól, pieprz, łyżeczka mielonego jałowca, olej, 1–2 łyżki białego
wytrawnego wina, 3–4 liście zielonej sałaty, 2–3 plasterki cytryny,
2 łyżki marynowanych grzybów, kilka gałązek zielonej pietruszki

Szczupaka skrobiemy, odcinamy głowę i przez powstały otwór usuwamy wnętrzności. Rybę myjemy, osuszamy, wewnątrz i na zewnątrz nacieramy jałowcem i solą, zostawiamy na pół godziny. Na patelni rozgrzewamy łyżkę oleju, zrumieniamy posiekaną cebulę, posypujemy solą, pieprzem, a po przestudzeniu mieszamy z kaszą. Doprawiamy do smaku, nadziewamy szczupaka, otwór spinamy wykałaczkami. W rynience do ryb rozgrzewamy olej, smażymy rybę w całości, skrapiamy winem i zostawiamy na małym ogniu na kilka minut. Wykładamy na ogrzany półmisek, dekorujemy zieloną sałatą, plasterkami cytryny, gałązkami zielonej pietruszki i marynowanymi grzybkami.

❖ SZCZUPAK PO POLSKU ❖

Składniki:

1 szczupak (ok. 1½ kg), 3 cebule, łyżka masła, 3 łyżki tartego chrzanu,
namoczona w mleku kajzerka, 50 g rodzynek, łyżka białego wytrawnego
wina, łyżka miodu, 2 jajka, sól, pieprz, 3 szklanki bulionu z ryby
albo wywaru z warzyw, po 4 ziarenka pieprzu i angielskiego ziela,
listek laurowy, 1–2 goździki, 2 łyżki soku i łyżeczka otartej skórki
z cytryny, 2 cebule, szczypta cukru, 2 łyżki żelatyny

Przygotowujemy bulion z cebulami (2 szt.), ziarenkami pieprzu i ziela, listkiem laurowym, goździkami i otartą skórką z cytryny. Gotujemy pod przykryciem na małym ogniu ok. 20 minut. Drobno pokrojoną cebulę (3 szt.) lekko szklimy na maśle. Umyte rodzynki zalewamy winem. Ze sprawionego i umytego szczupaka

ostrym nożem zdejmujemy skórę, usuwamy ości. Skórkę szczupaka wewnątrz
i z zewnątrz nacieramy solą. Połowę mięsa ze szczupaka, zeszkloną cebulkę i odciśniętą z mleka bułkę przepuszczamy przez maszynkę. Drugą połowę mięsa kroimy
w cienkie paski, lekko solimy, lekko skrapiamy sokiem z cytryny. Zmielone mięso
łączymy z tartym chrzanem, rodzynkami i pokrojonym w paseczki mięsem ze
szczupaka, dodajemy surowe żółtka, miód, sól i pieprz do smaku, dokładnie wyrabiamy masę. Tak przygotowanym farszem nadziewamy umytą i osuszoną skórę ze
szczupaka, owijamy w cienką lnianą ściereczkę lub gazę, tworząc równy wałek,
zawiązujemy końce, układamy w długim płaskim rondlu, zalewamy przecedzonym bulionem i gotujemy na niewielkim ogniu pod przykryciem ok. 1 godziny.
Zostawiamy w wywarze do lekkiego wystygnięcia, po czym wyjmujemy, układamy na deseczce, przykrywamy drugą, obciążamy, studzimy. Wywar lekko odparowujemy, doprawiamy do smaku solą, pieprzem, cukrem, sokiem z cytryny, mieszamy z żelatyną, klarujemy białkami, przecedzamy przez sito. Część wywaru
wylewamy na długi półmisek, zostawiamy do zastygnięcia. Wystudzoną rybę kroimy w ukośne plastry, układamy na półmisku, dekorujemy, zalewamy pozostałym
wywarem, zostawiamy do zastygnięcia. Podajemy skropione sokiem z cytryny,
z pikantnymi sosami lub chrzanem.

❖ ROLADA Z SANDACZA ❖

Składniki:

Filet (ok. 800 g) z dużego sandacza , 4–5 kromek okrojonej ze skórki bułki
pszennej, 4–5 łyżek śmietanki, 2 jajka, 3 łyżki gęstej śmietany, kieliszek
koniaku, 50 g rodzynek, 10–12 suszonych moreli, 2–3 łyżki białego
wytrawnego wina, 50 g orzeszków pistacjowych, 50 g płatków
migdałowych, sól, pieprz biały, ćwierć łyżeczki otartej skórki z cytryny,
2 szklanki rosołu z ryby

Filet myjemy, osuszamy, ostrym nożem odcinamy mięso od skóry, skórę lekko nacieramy solą, pieprzem i otartą skórką z cytryny, owijamy w folię, wkładamy do
lodówki. Bułkę zalewamy śmietanką. Umyte rodzynki i morele osuszamy, zalewamy winem, zostawiamy na kilkanaście minut. Pozbawione ości mięso i namoczoną bułkę przepuszczamy przez maszynkę (przez pasztetowe sitko), ucieramy ze
śmietaną, solą, pieprzem, koniakiem i surowymi żółtkami na gładką jednolitą masę. Ubijamy na sztywno pianę z białek. Rodzynki, orzechy pistacjowe i płatki migdałowe razem z pianą dodajemy do rybnej masy, dokładnie mieszamy. Skórę z san-

99

dacza układamy na wysmarowanej masłem folii (lub gazie), przykrywamy połową farszu, wzdłuż układamy rząd suszonych moreli, przykrywamy pozostałym farszem, dokładnie zwijamy, szczelnie owijamy folią lub gazą. Przygotowaną roladę kładziemy na podstawce, wstawiamy do wypełnionej gorącym rybnym bulionem rynienki do gotowania ryb i gotujemy na niewielkim ogniu ok. 30–40 minut. Zostawiamy do ostygnięcia. Po wystudzeniu odwijamy folię, rybę kroimy na plastry, podajemy z ostrym sosem chrzanowym.

❖ ZAPIEKANY DORSZ ❖

Składniki:

800 g filetów z dorsza, łyżka soku z cytryny, 2 marchewki, pół selera,
100 g masła, pół szklanki wytrawnego białego wina, łyżeczka miodu, sól,
pół szklanki śmietanki, 1 surowe żółtko, 2 łyżki tartego parmezanu,
2–3 łyżki posiekanej rzeżuchy

Filety skrapiamy sokiem z cytryny, lekko solimy, zostawiamy na pół godziny. Obrane i umyte marchewki i seler ścieramy na grubej jarzynowej tarce. W rondlu topimy masło, wrzucamy warzywa i chwilę smażymy, mieszając. Dodajemy sól, miód, wino, mieszamy i dusimy pod przykryciem na małym ogniu ok. 20 minut, zdejmujemy z ognia. Żaroodporny półmisek wysmarowany masłem wykładamy filetami. Dokładnie rozkłócamy śmietankę z żółtkiem, rzeżuchą i parmezanem, a następnie mieszamy z uduszonymi warzywami. Tak przygotowaną masę układamy na rybie, wstawiamy do nagrzanego piekarnika, zapiekamy ok. 30–35 minut.

❖ GRZYBY Z CHRZANEM ❖

Składniki:

100 g suszonych kapeluszy borowików, po 1 korzeniu marchewki
i pietruszki, 2 spore cebule, 2–3 listki laurowe, 3–4 ziarenka pieprzu,
sok i otarta skórka z połowy cytryny, sól, chrzan (najlepiej cały korzeń)

Umyte kapelusze zalewamy niewielką ilością przegotowanej wody, zostawiamy na noc. Zagotowujemy szklankę wody ze startymi na tarce obranymi marchewką i pietruszką, pokrojonymi cebulami, listkami laurowymi, ziarenkami pieprzu, sokiem i skórką z cytryny. Gotujemy pod przykryciem na niewielkim ogniu ok. 20–30 minut, przecedzamy, wlewamy do grzybów, gotujemy do miękkości, solimy, mocno odparowujemy wywar. Miękkie grzyby wkładamy do salaterki, lekko przestudzamy, obficie posypujemy startym chrzanem.

✦ PASZTET Z SUSZONYCH BOROWIKÓW ✦

Składniki:

150 g suszonych grzybów (podgrzybki, maślaki, prawdziwki), 2–3 cebule,
3 kajzerki, po 2 łyżki posiekanej zielonej pietruszki i koperku, 3 łyżki
posiekanych orzechów laskowych, 100 g masła, 5 jajek,
szklanka kwaśnej gęstej śmietany, sól, pieprz

Umyte grzyby zalewamy niewielką ilością przegotowanej wody, zostawiamy na noc, następnego dnia gotujemy. Miękkie grzyby wyjmujemy, a w grzybowym wywarze namaczamy czerstwe kajzerki bez skórki. W rondlu topimy masło, przesmażamy na nim drobniutko posiekane grzyby i cebule, dodajemy odciśnięte bułki i mieszając, chwilę smażymy. Przekładamy do dużej salaterki, dodajemy orzechy (2 łyżki), koperek, pietruszkę, sól, pieprz, surowe żółtka i śmietanę. Masę dokładnie wyrabiamy, dodajemy ubitą na sztywno pianę z białek, delikatnie, ale dokładnie mieszamy, przekładamy do wysmarowanej masłem i posypanej posiekanymi orzechami formy pasztetowej, szczelnie zamykamy lub przykrywamy folią aluminiową, ustawiamy na garnku z gorącą wodą. Pieczemy ok.1 godz. Podajemy na gorąco lub na zimno.

✦ KULEBIAK Z KAPUSTĄ Z GRZYBAMI ✦

Składniki:

Opakowanie ciasta francuskiego (ok. 300 g)

na farsz:

500 g kiszonej kapusty, 2 listki laurowe, 2 goździki, po 4–5 ziarenek pieprzu
i angielskiego ziela, otarta skórka z 1 cytryny, 50 g suszonych grzybów,
2 cebule, 2 ugotowane na twardo jajka, 2 łyżki posiekanych orzechów
włoskich, sól, pieprz, ćwierć łyżeczki mielonego jałowca, łyżka oleju, 1 jajko

Umyte grzyby zalewamy 2 szklankami przegotowanej wody, zostawiamy na noc, następnego dnia gotujemy. Poszatkowaną kapustę wkładamy do rondla, zalewamy przecedzonym wywarem z grzybów, dodajemy listki laurowe, pieprz, ziele, goździki i skórkę z cytryny, mieszamy, doprowadzamy do wrzenia, po czym gotujemy na niezbyt silnym ogniu ok. 30 minut. Posiekane cebule przesmażamy na rozgrzanym

101

oleju, dodajemy pokrojone w cienkie paski ugotowane grzyby, doprawiamy do smaku solą i pieprzem i chwilę smażymy, mieszając. Ugotowaną kapustę zestawiamy z ognia, usuwamy listki laurowe, ew. ziarenka angielskiego ziela i jałowca. Do kapusty dodajemy grzyby z cebulką, dokładnie mieszamy, dodajemy mielony jałowiec, pieprz i sól do smaku, gotujemy razem, aby wyparował nadmiar soku, studzimy. Mieszamy z posiekanymi orzechami i drobno pokrojonymi jajkami na twardo. Przygotowany farsz układamy na cieście. Brzegi ciasta mocno zlepiamy. Ciasto smarujemy rozkłóconym jajkiem. Z okrawków ciasta wycinamy dekoracyjne formy, naklejamy na ciasto. W cieście robimy niewielkie otworki, aby mógł wyparować nadmiar wody z farszu. Układamy na lekko posypanej mąką blasze, wstawiamy do nagrzanego (ok. 200°C) piekarnika i pieczemy ok. 30 minut. Podajemy na gorąco lub na zimno. Wcześniej upieczony kulebiak dobrze jest owinąć w pergamin i włożyć do lodówki, a tuż przed podaniem wstawić na 10–15 minut do piekarnika i podgrzać.

❖ KULEBIAK Z RYBĄ ❖

Składniki:

500 g pszennej mąki, 30 g drożdży, 100 g masła, 3 jajka, pół szklanki mleka, łyżeczka cukru, sól

Na farsz:

500 g filetów z sandacza lub szczupaka (albo 3–4 głowy łososia ugotowane w wywarze z jarzyn), 3 ugotowane na twardo jajka, 1½ szklanki ugotowanego na sypko ryżu, 2–3 łyżki usiekanej zielonej pietruszki, otarta skórka i sok z 1 cytryny, 1–2 cebule, 4 łyżki masła, łyżka mąki, sól, pieprz, pół szklanki białego wytrawnego wina, pół szklanki wody

Przygotowujemy ciasto: ucieramy drożdże z łyżką mąki, cukrem i połową letniego mleka, zostawiamy w ciepłym miejscu na kilkanaście minut. Do miski przesiewamy mąkę, wbijamy całe jajko i 2 żółtka, wlewamy stopione masło, mleko i dokładnie wszystko mieszamy. Dodajemy wyrośnięte drożdże i wyrabiamy gładkie, lśniące ciasto. Przykrywamy ściereczką, zostawiamy w ciepłym miejscu na 30–40 minut do wyrośnięcia. Filety ze szczupaka nacieramy solą, lekko skrapiamy sokiem z cytryny, zostawiamy na kilka minut. Na patelni topimy łyżkę masła, lekko rumienimy posiekaną cebulę. Ugotowany ryż skrapiamy sokiem z cytryny, dodajemy cebulę, posiekaną pietruszkę i otartą skórkę z cytryny, sól, pieprz, dokładnie mieszamy, przykrywamy, zostawiamy na 30–40 minut.

Na patelni topimy 1½ łyżki masła, wkładamy filety z ryby, skrapiamy winem i dusimy pod przykryciem ok. 20 minut. Miękką rybę wyjmujemy, studzimy, usuwamy skórę i ości i kroimy na kawałki (jeśli wykorzystujemy ugotowane głowy łososia, należy oddzielić mięso, usunąć ości, a mięso pokroić na kawałki). Z pozostałego masła i mąki robimy białą zasmażkę, rozprowadzamy przegotowaną wodą, łączymy z sosem, w którym dusiła się ryba (lub kilkoma łyżkami wywaru z głów łososia) i mieszając, podgrzewamy, aż sos zgęstnieje. Doprawiamy do smaku solą, pieprzem i sokiem z cytryny, wkładamy kawałki ryby, delikatnie mieszamy, studzimy. Na posypanej mąką stolnicy rozwałkowujemy ciasto (na grubość ok. 1 cm). Układamy je na posypanej mąką ściereczce. Na środku ciasta układamy rybę w gęstym sosie, posypujemy posiekanymi jajkami na twardo, przykrywamy warstwą ryżu. Podnosimy boki ciasta z obu stron, zakładamy jeden na drugi i mocno zlepiamy. Blachę smarujemy tłuszczem. Przygotowany kulebiak przenosimy ze ściereczką, układamy na blasze „szwem" do spodu i zostawiamy w ciepłym miejscu do wyrośnięcia. Ostrym nożem nacinamy wierzch ciasta w kilku miejscach (aby para z nadzienia mogła uchodzić), smarujemy rozkłóconym białkiem, wstawiamy do nagrzanego piekarnika (ok. 180°C) i pieczemy ok. 40–50 minut. Podajemy na gorąco lub na zimno.

✦ MAŁOPOLSKIE GOŁĄBKI ✦

Składniki:

Mała główka białej kapusty, 150 g pęczaku, 300 g łuskanego grochu,
2 łyżki oliwy, 2 duże cebule, sól, pieprz, łyżka majeranku, 1½ szklanki
wywaru z warzyw, łyżka masła, 2 łyżki koncentratu pomidorowego,
łyżeczka mąki, sól, pieprz, pół łyżeczki cukru

Umyty groch i kaszę gotujemy w osobnych garnkach. Drobniutko posiekane cebule rumienimy na rozgrzanym oleju. Kapustę po usunięciu głąba wrzucamy na wrzątek, mocno sparzamy, wyjmujemy, oddzielamy liście, rozgniatamy twarde nerwy. Łączymy ugotowany groch z kaszą, cebulą, majerankiem, solą i pieprzem, dokładnie mieszamy. Tak przygotowany farsz nakładamy na kapuściane liście, zwijamy gołąbki, układamy ciasno w rondlu. Zalewamy połową wywaru z warzyw, dusimy na niewielkim ogniu. W rondelku topimy masło, dodajemy mąkę, robimy białą zasmażkę, rozprowadzamy pozostałym wywarem, mieszamy, aż sos zgęstnieje. Dodajemy przecier pomidorowy, doprawiamy do smaku solą, pieprzem i cukrem, wlewamy do gołąbków pod koniec duszenia.

❖ WIGILIJNY KOMPOT ❖

Składniki:

300 g suszonych śliwek bez pestek, 300 g suszonych fig, 2 łyżki miodu gryczanego, otarta skórka i sok z 1 cytryny, kawałek kory cynamonu

Figi i śliwki myjemy, osuszamy, wkładamy do osobnych rondelków, zalewamy letnią przegotowaną wodą (po ok. 2 szklanki) tak, aby woda przykryła owoce. Zostawiamy na kilka godzin. Do śliwek dodajemy łyżkę miodu i cynamon, doprowadzamy do wrzenia, gotujemy na małym ogniu ok. 10 minut. Do fig wlewamy sok z cytryny, dodajemy otartą skórkę i miód, gotujemy na małym ogniu ok. 20–25 minut. Oba wywary łączymy, schładzamy.

❖ WIGILIJNA GALARETKA ANANASOWA ❖

Składniki:

Puszka ananasa w kawałkach, kilkanaście wiśni z konfitury, 2 szklanki wytrawnego białego wina, otarta skórka i sok z połowy cytryny, pół szklanki cukru, 3–4 łyżeczki żelatyny, pół szklanki przegotowanej wody

Żelatynę namaczamy w wodzie. Kawałki ananasa wyjmujemy z puszki, osączamy. Zagotowujemy wino z cukrem, otartą skórką, sokiem z cytryny i sokiem ananasowym, wlewamy rozpuszczoną żelatynę, dokładnie mieszamy. Małe salaterki wypełniamy do 1/3 wysokości przestudzoną galaretą, a gdy zakrzepnie, układamy kawałki ananasa, dekorujemy wisienkami z konfitury, zalewamy przestudzoną galaretką, schładzamy.

❖ KUTIA MAŁOPOLSKA ❖

Składniki:

Po szklance maku i ziaren pszenicy, po pół szklanki miodu, posiekanych orzechów laskowych i rodzynek, 2 łyżki płatków migdałowych

Umytą pszenicę namaczamy, zostawiamy na noc, następnego dnia gotujemy, odcedzamy, studzimy. Umyty mak zalewamy wrzątkiem, zostawiamy na 1–2 godziny, a gdy napęcznieje, odcedzamy i dwukrotnie przepuszczamy przez maszynkę. Rodzynki sparzamy wrzątkiem, osączamy. Miód rozgrzewamy, mieszamy dokładnie z makiem, dodajemy orzechy, rodzynki i pszenicę, dokładnie mieszamy, przekładamy do salaterki, dekorujemy płatkami migdałowymi.

❖ PIEROGI Z MAKIEM ❖

Składniki:

500 g pszennej mąki, 2 jajka, łyżka oliwy, sól, przegotowana woda

Farsz:

2 szklanki maku, 50 g rodzynek, 2 łyżki drobno pokrojonej
smażonej skórki cytrynowej, 100 g posiekanych orzechów włoskich,
3 łyżki miodu, łyżka koniaku

Umyty mak zalewamy wrzątkiem, gotujemy na maleńkim ogniu ok. 10 minut, odcedzamy, dwukrotnie przepuszczamy przez maszynkę (przez pasztetowe sitko).
Sparzone rodzynki zalewamy koniakiem, zostawiamy na kilka minut.
Zagniatamy ciasto: na stolnicę przesiewamy mąkę, robimy wgłębienie, wbijamy
jajka, dodajemy oliwę i cały czas zagniatając, stopniowo dodajemy letnią przegotowaną wodę, aż powstanie miękkie klejące ciasto. Lekko osypujemy mąką, owijamy ściereczką. Mak łączymy z rodzynkami, skórką pomarańczową i posiekanymi orzechami, wlewamy miód, bardzo dokładnie mieszamy. Na osypanej mąką
stolnicy rozwałkowujemy ciasto, wycinamy krążki, wypełniamy przygotowanym
farszem, dokładnie sklejamy, wrzucamy na lekko osolony wrzątek, gotujemy do
wypłynięcia. Podajemy polane stopionym masłem.

❖ KOŁDUNKI Z SUSZONYMI ŚLIWKAMI ❖

Składniki:

Ciasto: 1½ szklanki mąki, łyżka stopionego masła,
1 surowe jajko, szczypta soli, przegotowana woda,
śmietanka lub masło do polania

Farsz:

400 g suszonych śliwek bez pestek, pół szklanki białego wytrawnego wina,
2–3 łyżki posiekanych orzechów laskowych, po szczypcie cynamonu
i mielonych goździków, łyżka miodu

Umyte śliwki namaczamy w winie, zostawiamy na 3–4 godziny.
Na stolnicę przesiewamy mąkę, dodajemy sól, robimy dołek, wbijamy jajko, wlewamy stopione masło i dolewając stopniowo letniej wody, zagniatamy miękkie
ciasto. Przykrywamy, zostawiamy na chwilę, by odpoczęło.
Orzechy dokładnie ucieramy z miodem, cynamonem i goździkami. Śliwki osączamy, nadziewamy przygotowanym farszem orzechowym.

105

Na posypanej mąką stolnicy rozwałkowujemy ciasto, wycinamy niewielkie kółka, nadziewamy faszerowanymi śliwkami, dokładnie sklejamy, partiami wrzucamy na osolony wrzątek, gotujemy ok. 4–6 minut. Podajemy polane stopionym masłem lub śmietanką.

❖ BOŻE NARODZENIE ❖

Najstarsze świadectwo obchodzenia tego święta pochodzi z 354 roku, choć historyczny dzień narodzin Jezusa nie jest dokładnie określony; w II wieku w tym samym dniu obchodzono trzy dzisiejsze święta: Narodzenie, Chrzest Pański i Objawienie.

Od IV wieku, gdy zaczęto obchodzić Boże Narodzenie, najpierw przypadało ono na 2 lub 6 stycznia, później przenoszono je na 25 lub 28 marca, 18 lub 19 kwietnia, a nawet 20 maja. Po wielu długich dyskusjach na początku V wieku kościół Wschodu i Zachodu przyjął wreszcie wspólną datę i od tego czasu radość z Bożego Narodzenia przeżywają chrześcijanie nie tylko w naszym kraju, ale również w całej Europie, Afryce, Ameryce, Azji i Australii: „Wszyscy wielbią Boga, który przyszedł na ziemię, aby zbawić ludzi".

Wieczór wigilijny tak niezwykle uroczyście obchodzony jest tylko w Polsce, natomiast święto Bożego Narodzenia, zwane u nas pierwszym dniem świąt, jest czasem rodzinnych spotkań, i tak jak prawie wszystkie święta, poświęcone jest wróżbom matrymonialnym.

Koło Chełmna na przykład w dzień Bożego Narodzenia chłopcy urządzali wyścigi ku dzwonnicy – kto pierwszy zadzwonił, ten się „najpierwej ożeni". Między pierwszym dniem Bożego Narodzenia a Trzema Królami, wróżyły sobie dziewczęta. „Z lnianych pakuł robią dwie figurki – chłopca jedną i drugą dziewczyny; zapalają one razem, gdy płomienie idą ku sobie znak dobry, gdy nie chcą zejść się lub w przeciwną stronę powiewają znak zły. Topią wosk lub cynę, rzucają pierścionki w naczynie wodą napełnione; po każdej strofie prześpiewanej wyciągają jeden, a myśl tej strofy za odpowiedź służy".

106 Drugi dzień świąt to dzień świętego Szczepana. Jeszcze na początku XX wieku niezwykle żywy był w Polsce obyczaj przyjmowania

wtedy służby na następny rok. Transakcje te przeprowadzano zazwyczaj w karczmach, gdzie przy okazji odbywały się pijatyki i głośne zabawy. „Na święty Szczepan każdy sługa większy niż pan", „W dzień świętego Szczepana sługa na wsi zmienia pana", „Na święty Szczepan każdy sobie pan", „Kto zna chłopskie obchody, ten godzi sługi na gody" – te przysłowia wyrosły na tle tego dawnego polskiego obyczaju.

Na początku XX wieku jednym z symboli świąt Bożego Narodzenia stała się jemioła. W niektórych starożytnych kulturach uchodziła ona za roślinę świętą. Najwyżej cenione, zwłaszcza w starożytnym Rzymie i wśród Celtów, były jemioły rosnące na dębach.

Jemioła symbolizuje zgodę, skruchę, wybaczenie, pojednanie. W języku kwiatów znaczy „pokonam wszystkie trudności", nic więc dziwnego, że to pod nią właśnie w okresie świąt Bożego Narodzenia każdy może bezkarnie całować, zrywając przy każdym pocałunku jedną jagodę, aż do ich wyczerpania.

Tak powszechny obecnie zwyczaj zawieszania gałązek jemioły wywodzi się najprawdopodobniej z Anglii, a korzenie jego tkwią w szacunku, jakim jemioła cieszyła się u Celtów. Druidzi – celtyccy kapłani – uważali jemiołę za dar nieba i podczas uroczystości noworocznych ścinali ją złotymi sierpami, zbierali w białe płachty i składali na ołtarzu bogom.

W mitologii skandynawskiej jemioła jest symbolem niewinnego, ale wskutek wrogich czarów śmiercionośnego narzędzia. W folklorze wielu krajów zawiera żywą duszę, stąd uważana jest za symbol życia, odrodzenia i odnowienia życia rodzinnego, pogodzenia przeciwieństw.

Ta półpasożytnicza, czerpiąca z gałęzi drzew żywicieli wodę i składniki mineralne roślina uważana była za formę pośrednią między drzewem a krzewem; wierzono, że wyrasta na gałęziach drzew w miejscach uderzenia pioruna.

W chrześcijańskim święcie Bożego Narodzenia zachowało się wiele ze starego święta Yule, przypadającego na czas zimowego przesilenie, a będącego starożytnym rytuałem kultu Słońca. Ze świętami obchodzonymi w porze zimowej, przypadającymi na czas niedostatku pożywienia, od wieków kojarzono wiele płodów ziemi i potraw z nich przyrządzanych. I tak np.:

Jabłka to symbol miłości, zdrowia, pokoju, zgody, nieśmiertelności, wiecznej młodości, odkupienia. Od wieków uważane były za święty pokarm i łączone z wieloma dawnymi bóstwami. Wieszano je więc na drzewach, aby symbolizowały płodność Ziemi, a ich zapach odradzał siły fizyczne i pomagał zachować długowieczność. Dodatkowo jabłko zyskało błogosławieństwo Kościoła, stając się elementem obrzędów związanych z różnymi uroczystościami, np. Bożym Narodzeniem i dniem wszystkich świętych.

Wierzono, że śliwki odpędzają złe moce i są środkiem na długowieczność, stąd częste dodawanie ich do świątecznych potraw.

Gruszki uchodziły za magiczne lekarstwo na przedłużenie życia i szczęście, miały też przyciągnąć pieniądze.

Używane do świątecznych wypieków figi to symbol płodności i obfitości, oczyszczenia, długowieczności i nieśmiertelności, a daktyle to pokarm duchów i „święty napój" – symbolizujący płodności i dostatek.

Miód, ten najstarszy produkt, o którym kultury pierwotne tworzyły już legendy jako o boskim pokarmie, w prawie wszystkich kulturach świata ma moc magiczną. Darzony jest ogromnym szacunkiem, chroni bowiem od złego, jest symbolem wiecznej szczęśliwości, bogactwa, miłości i mądrości, zapewnia radość, szczęście, obfitość, bogactwo ducha, pomyślność i długie życie.

A jak miód, to i pierniczki – współczesna forma placków z miodem składanych przed wiekami w ofierze bogom w dniu przesilenia zimowego. Nawet kształt tych świątecznych ciasteczek miał znaczenie: okrągłe symbolizowały słońce i radość, gwiazdki chroniły przed złem, dzwonki odpędzały złe duchy, choinki symbolizowały nieprzerwany cykl płodności, a te w kształcie zwierzątek symbolizowały ofiary składane niegdyś bogom.

Ryby – już Egipcjanie, Sumerowie i Babilończycy uważali je za święte. Od wieków są symbolem wolności, harmonii i wyzwolenia. W naszej religii ryba to stary chrześcijański znak tajemnicy, a jej grecka nazwa oznacza skrót „Jezus Chrystus Syn Boga Zbawiciela" i jest symbolem początku, życia, nieśmiertelności, zmartwychwstania, obfitości, płodności, a jako ucieleśnienie Chrystusa jest też symbolem pożywienia duchowego. Potrawy z ryb do dziś uznawane są za źródło siły, zdrowia i dostatku; ryby duszone, smażone, gotowane i zupy z ryb stanowią ważną część diety podnoszącej nasze zdolności psychiczne.

Kapusta według starych wierzeń chroni od złego, a potrawy z niej są znakomitym środkiem przyciągającym dostatek.

W prawie wszystkich cywilizacjach świata gęsi uważane były za pośredniczki między niebem a ziemią. Do czasów pojawienia się w Europie indyka, gęś była głównym świątecznym pieczystym. Jako, że Boże Narodzenie to przejęte przez chrześcijaństwo święto zimowego przesilenia słonecznego, a gęś wiąże się z kultem słońca, zjadanie jej wtedy oznaczało „zawłaszczenie przedstawionego pod jej postacią słońca". Faszerowanie i obkładanie pieczonej gęsi owocami, obok zabiegów magicznych, ma tę jeszcze zaletę, że ułatwia trawienie tego dość tłustego mięsa. Podawanie pieczonej gęsi podczas świąt Bożego Narodzenia wywodzi się z obyczajów germańskich.

❖ TRADYCJE ŚWIĄT BOŻEGO NARODZENIA W INNYCH KRAJACH ❖

Głównym punktem bożonarodzeniowego stołu w Anglii była niegdyś głowa dzika przybrana w laurowy wieniec. Dziś na wigilijnym angielskim stole pojawia się, tak jak u nas, karp i śledzie, tradycyjny indyk, *mince pie* – drożdżowe ciasto z farszem z mięsa, suszonych owoców i korzeni, a ukoronowaniem tej świątecznej uczty jest tradycyjny śliwkowy pudding – *plum pudding* – ciężkie ciasto owocowe zwane *Christmas pudding*.

Tradycyjnie *Christmas pudding* po ugotowaniu dojrzewał zawinięty w płótno przez wiele miesięcy; dopiero w dniu Bożego Narodzenia ciasto rozwijano i wciskano w nie różne talizmany – np. pierścionek zwiastujący ożenek czy srebrną monetę wróżącą dostatek. Jak Anglia, to oczywiście królowa, a „królowa zasiada do Wigilii w Windsorze, stół dekoruje sama, a menu jest tradycyjne i od lat identyczne: sałatka z homarów, indyk z żurawinami, pieczone ziemniaki, angielskie parówki, sos chlebowy; z jarzyn – brukselka i marchewka, a na deser śliwkowy *Christmas pudding*".

❖ INDYK NADZIEWANY ❖

Składniki:

Indyk (ok. 5 kg), sok i otarta skórka z połowy cytryny, 1–2 ząbki czosnku,
2 łyżeczki soli, 2 szklanki wytrawnego szampana

Farsz:

1 kg winnych jabłek, szklanka rodzynek, kieliszek koniaku, 250 g masła,
po łyżeczce tymianku i mielonego cynamonu, 2 jajka, 2–3 szklanki tartej
bułki, łyżka soku z cytryny, łyżka miodu, szczypta soli

Sprawionego indyka myjemy i osuszamy. Roztarty z solą czosnek dokładnie mieszamy z sokiem i skórką z cytryny, nacieramy indyka, zostawiamy na 1–2 godziny w chłodnym miejscu.

Przygotowanie farszu: obrane i pozbawione gniazd nasiennych jabłka skrapiamy sokiem z cytryny. W rondlu topimy 2 łyżki masła, dodajemy jabłka i dusimy, od czasu do czasu mieszając. Gdy zmiękną, dodajemy cynamon, miód, tymianek. Dokładnie mieszamy i dusimy razem kilka minut na niewielkim ogniu. Studzimy. Umyte rodzynki zalewamy koniakiem, zostawiamy na kilka minut. Odkładamy 2 łyżki masła, pozostałe ucieramy na pianę z 2 żółtkami. Cały czas ucierając, dodajemy po łyżce tartej bułki i jabłek. Dobrze utartą masę mieszamy z rodzynkami. Nadziewamy indyka, układamy na wysmarowanej masłem blasze, polewamy stopionym masłem, wstawiamy do nagrzanego piekarnika i pieczemy ok. 3–4 godzin, polewając szampanem, a później wytworzonym sosem.

❖ CHRISTMAS PUDDING (angielski pudding wigilijny) ❖

Składniki:

150 g rodzynek zwykłych, 150 g rodzynek koryntek, 100 g migdałów,
100 g cukru (najlepiej brunatnego), 100 g kandyzowanych wiśni,
po 50 g smażonej w cukrze skórki pomarańczowej i cytrynowej,
sok i otarta skórka z 1 cytryny, sok z 1 pomarańczy, pół szklanki mleka,
3 łyżki koniaku, 3 jajka, po ćwierć łyżeczki mielonego cynamonu,
goździków i ziela angielskiego, pół łyżeczki soli, 100 g mąki,
100 g wołowego łoju, 150 g przesianej tartej bułki,
łyżka oleju do wysmarowania formy

110 Rodzynki i koryntki myjemy, przelewamy wrzątkiem, osuszamy. Migdały sparzamy wrzątkiem, obieramy ze skórki, drobno siekamy, kandyzowaną skórkę i wiśnie

kroimy. Łój wołowy drobniutko siekamy. Do miski wrzucamy migały, łój, wiśnie, posiekaną skórkę i rodzynki, mieszamy, dodajemy cukier, mąkę, tartą bułkę, sól, mielone korzenie i otartą skórkę z cytryny i ponownie dokładnie mieszamy. Wlewamy sok z cytryny, pomarańczy, mieszamy. Jajka dokładnie roztrzepane z koniakiem wlewamy do miski razem z mlekiem i ucieramy ciasto, aż wszystkie składniki się połączą. Jeśli ciasto zbyt gęste, można dolać mleka. Dużą formę budyniową smarujemy olejem, wypełniamy ciastem do ¾ wysokości. Formę zamykamy, wstawiamy do garnka z gotującą wodą (woda musi sięgać do ⅔ wysokości formy) i gotujemy 4 godziny. Studzimy. Pudding wyjmujemy z formy, zawijamy w mocno nasączoną rumem lnianą ściereczkę, pakujemy w folię aluminiową i zostawiamy w lodówce na co najmniej 4 tygodnie. Przed podaniem ponownie wkładamy do formy i przez 1–1,5 godziny podgrzewamy w gotującej się wodzie. Przed podaniem polewamy 2–3 łyżkami podgrzanego koniaku, zapalamy. Płonący stawiamy na stole.

Angielski pudding wigilijny musi być przyrządzany kilka tygodni wcześniej, aby smaki i aromaty licznych składników mogły się połączyć. W Anglii przygotowuje się go w okresie adwentowym... na Boże Narodzenie następnego roku.

✦ LAMB'S WOOL ✦

To napój tradycyjnie przygotowywany w Anglii na Boże Narodzenie, który kiedyś był rodzajem ofiary składanej dobremu duchowi domu. Zwyczajowo przygotowuje się go w glinianych naczyniach.

Składniki:
> pieczone jabłka i mocne piwo doprawione korzeniami: gałką muszkatołową,
> imbirem i cukrem, 2 jabłka, 2,5 szklanki piwa, 100 g brązowego cukru,
> łyżeczka mielonego imbiru, pół łyżeczki startej gałki muszkatołowej

Pokrojone na ćwiartki i pozbawione gniazd nasiennych jabłka należy najpierw upiec w piekarniku (ok. 30 min). Połączone z przyprawami i cukrem piwo stawiamy na niewielkim ogniu i mieszając, podgrzewamy, aż się cukier rozpuści (nie gotujemy). Na gorące piwo wrzucamy upieczone jabłka.

Boże Narodzenie to obok Nowego Roku najbardziej uroczyste */ / /* święto w Bułgarii. Nieodmiennie na stole króluje pieczona kura i *ba-*

nica – charakterystyczne ciasto, bez którego Bułgar nie wyobraża sobie świąt. Jest to strudel z nadzieniem z ryżu, drobno startego sera i jajek, albo z sera, mielonego mięsa, ryżu, szpinaku, dyni itp. Często też na stole pojawia się pieczone prosię.

W Holandii święta Bożego Narodzenia zaczynają się o północy 24 grudnia, ale nie obchodzi się Wigilii i nie zasiada do wigilijnej wieczerzy. Za to w nocy – starsi czekają aż do północy – je się specjalnie upieczony chleb, gorące ciastka z migdałami i pije gorące kakao lub herbatę. Na bożonarodzeniowy obiad podaje się indyka, kaczkę albo sarnę. Wielkim powodzeniem cieszą się piernik *ontbijtkoek* i korzenne ciasteczka migdałowe *janhagel*.

Gdy nadchodzą święta Bożego Narodzenia, półki we francuskich sklepach zapełniają się konserwami z gęsich i kaczych wątróbek, które są synonimem świątecznego luksusu. Francuzi dopiero po pasterce mają swoja wieczerzę wigilijną zwaną *reveillon*, w czasie której jada się ostrygi, gęsie wątróbki, *boudin blanc* (coś w rodzaju naszej kaszanki). Po przekąskach na stół wjeżdża indyk nadziewany farszem z mięsa cielęcego i wieprzowego, z wątróbki i serca indyka, cebuli, zielonej pietruszki i tymianku, bułki namoczonej w mleku, a doprawionym solą, pieprzem i szklanką armaniaku. Tradycyjnym deserem są trufle czekoladowe lub „Polano Bożego Narodzenia” – rodzaj grubej rolady posmarowanej i polanej czekoladą. Spływająca czekoladowa masa powinna tworzyć „sęki”, często posypywane zielonym cukrem pudrem, mającym imitować mech.

W Belgii dość skromną kolację wigilijną zjada się tuż przed pasterką. A na świątecznym stole, częściej noworocznym (kiedy to świąteczny obiad jest najbardziej uroczysty) niż bożonarodzeniowym, króluje indyk, którego często po usunięciu kości faszeruje się ozorkami i kasztanami, a pod skórkę zamiast słoninki wsuwa się trufle. Deserem jest „polano” – ciasto nie pieczone tylko przygotowane z kruszonych biszkoptów i masy kawowej, oblewane kawowym lukrem i aromatyzowane rumem.

We Włoszech menu zależy od prowincji. Najpopularniejszym świątecznym daniem jest jednak indyk i korzenne suche ciasto drożdżowe *panettone*, zawsze pieczone w cylindrycznej formie.

W czasie portugalskiego Bożego Narodzenia dzieli się na stole *bolo do rei* – ciasto królewskie. Ten, kto otrzyma kawałek, w którym oprócz rodzynek i orzechów będzie znajdować się ziarenko bobu, jakaś mała zabawka lub ozdoba, może się poczuć wybrańcem losu – musi jednak w następne święta podarować takie ciasto wszystkim współbiesiadnikom.

Hiszpańskie świąteczne smakołyki to różnego rodzaju słodkie wyroby. Tradycji z czasów Maurów przypisuje się *yemas* – słodkie kuliste pralinki sporządzone z żółtek i cukru. Obok nich niezwykle popularne na Boże Narodzenie są *tocino de cielo* – praliny niebiańskie – w postaci małych kulek, i *turrones* przygotowywane z prażonych migdałów, miodu i cukru.

Szwedzi zasiadają do wigilijnego stołu dokładnie o piętnastej (jak głosi złośliwa plotka, ten zwyczaj narzuciła telewizja). Na bogato zastawionym stole obok ryb pojawiają się szynki zapieczone w musztardowym sosie, pasztety, galareta z nóżek, żeberka na zimno, dziczyzna (łoś lub ren), faszerowana kaczka, a wszystko podane z ziemniakami, gotowanym jarmużem i buraczkami na zimno. Wśród ryb króluje śledź w słodko-ostrej zalewie z koperkiem i cebulką, łosoś we wszystkich postaciach – marynowany, wędzony, w galarecie, smażony, pieczony – na gorąco i na zimno, owoce morza, ikra z sielawy. Nie może też zabraknąć szwedzkiej potrawy narodowej – małych kulistych kotlecików mielonych, cieniutkich parówek zwanych książęcymi, białej kiełbasy i słynnej ziemniaczanej zapiekanki zwanej „pokusą Janssona" lub Karlssona.

Wigilia w Danii rozpoczyna się popołudniowym nabożeństwem i zaraz po nim, około osiemnastej, jada się świąteczny obiad. Według starej tradycji pierwszym wigilijnym daniem jest ryż z cukrem i cynamonem, okraszony masłem i zalany ciemnym, bezalkoholowym piwem. Jako drugie danie na ogół podaje się ozdobioną duńską flagą gęś nadziewaną jabłkami i śliwkami albo ziemniakami z pieprzem, do tego ziemniaki, gotowaną w czerwonym winie czerwoną kapustę i piekielnie ostry sos. Deser to najczęściej szarlotka lub placek z kruszonką albo galaretką z czerwonych porzeczek. Niezwykłą popularnością w czasie świąt Bożego Narodzenia cieszy się w Skandynawii mocne („wzmocnione") korzenne wino. W Szwecji nazywa się Glogg, w Norwegii Skrub – i jest podawane na gorąco podczas uroczystych obiadów i przyjęć.

❖ WIGILIJNE ŚLEDZIE MARYNOWANE ❖

Składniki: (szwedzkie)

4 duże wymoczone śledzie, 3 łyżki przecieru pomidorowego,
po 2 łyżki przegotowanej wody, czerwonego octu winnego i cukru,
1 łyżka tartego chrzanu, 2–3 łyżki oleju

Dokładnie wymoczone śledzie osuszamy, usuwamy skórę i ości, kroimy na 4–5 cm kawałki. Dokładnie ucieramy cukier z wodą, octem, przecierem pomidorowym i startym chrzanem, stopniowo dodajemy olej. W szklanym słoju warstwami układamy śledzie, każdą warstwę skrapiając przygotowanym sosem. Przykrywamy, wstawiamy na 12–24 godziny do lodówki, aby „dojrzały".

❖ ŚWIĄTECZNA FASZEROWANA KACZKA ❖

Składniki:

Kaczka (ok. 2 kg), łyżeczka soli, pół łyżeczki pieprzu, łyżka soku z cytryny,
kieliszek białego wytrawnego wina, 2 łyżki masła

Farsz:

3 duże winne jabłka, 100 g suszonych fig, łyżeczka przyprawy curry, 2 łyżki
masła, łyżka soku i ćwierć łyżeczki otartej skórki z cytryny

Umytą i osuszoną kaczkę nacieramy wewnątrz i zewnątrz solą, pieprzem i sokiem z cytryny, zostawiamy na godzinę w chłodnym miejscu. Obrane jabłka kroimy na grube plasterki, figi w kostkę, masło ucieramy z curry, sokiem i otartą skórka z cytryny, mieszamy z figami i jabłkami. Nadziewamy kaczkę, dokładnie zaszywamy, udka i skrzydełka przywiązujemy do tułowia. Układamy na wysmarowanej masłem blasze, polewamy stopionym masłem, wstawiamy do silnie nagrzanego

(220°C) piekarnika i pieczemy ok. 40 minut, skrapiając wodą i winem, po czym przewracamy kaczkę na drugą stronę, skrapiamy gorącą wodą i pieczemy jeszcze 40–45 minut, skrapiając winem, wodą i polewając wytworzonym sosem. Podajemy z czerwoną kapustą.

❖ CZERWONA KAPUSTA ❖

Składniki:

Główka czerwonej kapusty (ok. 1 kg), szklanka czerwonego wytrawnego
wina, pół szklanki wody, łyżka miodu, łyżka soku z cytryny,
3–4 goździki, niewielka cebula, 2 łyżki rodzynek, 1 winne jabłko,
5–6 suszonych śliwek, sól, 2 łyżki masła, 2 łyżki posiekanych orzechów
włoskich (ew. łyżka mąki)

Umytą kapustę drobno szatkujemy. Umyte rodzynki i śliwki zalewamy 2–3 łyżkami wina, zostawiamy na kilka minut. W rondlu topimy masło, wrzucamy kapustę i chwilę smażymy, mieszając. Dodajemy sól, miód, skrapiamy sokiem z cytryny i wodą, dodajemy cebulę z wbitymi goździkami i chwilę dusimy. Wlewamy wino, mieszamy i gotujemy pod przykryciem na małym ogniu ok. 15 minut. Obrane jabłka kroimy w słupki, śliwki w paski i razem z rodzynkami dodajemy do kapusty, mieszamy, dusimy na małym ogniu dalsze 15–20 minut. Usuwamy cebulę z goździkami, lekko odparowujemy (ew. zagęszczamy rozrobioną w 2 łyżkach wody mąką). Przed podaniem posypujemy posiekanymi orzechami.

❖ SKANDYNAWSKA SZYNKA na Boże Narodzenie ❖

Składniki:

1 szynka zapeklowana i uwędzona, na każdy 1 l wody – 2 łyżki soli,
po pół pietruszki i marchewki, 1–2 listki laurowe, kilka ziarenek
angielskiego ziela, 2 jajka, 3–4 łyżki ostrej musztardy, 15–20 goździków,
tarta bułka

Szynkę wkładamy do dużego rondla, zalewamy wodą tak, aby lekko ją przykrywała. Zlewamy wodę, mierzymy jej objętość i na każdy litr dajemy 2 łyżki soli, marchewkę, pietruszkę, listki i ziele. Wodę z przyprawami zagotowujemy, do wrzątku wkładamy szynkę i gotujemy na bardzo małym ogniu, licząc 50 minut na każdy kilogram szynki, po czym zostawiamy w wywarze do ostygnięcia. Po wyjęciu osuszamy.

Jajka ubijamy z musztardą i bardzo dokładnie smarujemy tym szynkę, potem nabijamy ją goździkami, posypujemy tartą bułką, układamy na ruszcie, wstawiamy do mocno nagrzanego piekarnika (200°C), pieczemy ok. 15 minut, aż powierzchnia szynki mocno się zrumieni. Podajemy na zimno.

❖ PIECZEŃ Z RENIFERA (W Polsce może być z jelenia) ❖

Składniki:

> 1 comber z renifera (ok.1½ kg), 2 łyżeczki soli, pół łyżeczki białego pieprzu, łyżeczka suszonego tymianku, 2 łyżki drobniutko posiekanej zielonej pietruszki, 150 g słoniny, 50 g masła, 4 łyżki oleju, łyżka mąki, 2 szklanki mocnego bulionu, szklanka śmietanki kremówki, łyżeczka sosu sojowego, łyżka galaretki z czerwonych porzeczek, 50 g koziego sera

Słoninę wkładamy na 1–2 godziny do zamrażalnika, po wyjęciu kroimy ostrym nożem na cieniutkie plasterki. Skruszałe mięso myjemy, osuszamy, nacieramy solą, pieprzem, tymiankiem i posiekaną zieloną pietruszką, owijamy plasterkami słoniny, szczelnie zawijamy w folię aluminiową, układamy na blasze, wstawiamy do nagrzanego piekarnika (150–170°C), pieczemy ok. 60 minut, po czym zwiększamy temperaturę do 200° C. Odwijamy folię i pieczemy jeszcze ok. 45 minut. W rondelku rozgrzewamy olej, dodajemy masło i mąkę, dokładnie mieszamy, po czym powoli wlewamy bulion i stale mieszając, gotujemy na niewielkim ogniu, aż sos zgęstnieje. Dodajemy sos sojowy, galaretkę porzeczkową, sos spod pieczenia, pokrojony w kostkę ser i śmietankę, podgrzewamy, mieszając, aż ser się rozpuści (nie gotujemy). Miękkie mięso kroimy w plastry, układamy w żaroodpornym półmisku, polewamy sosem, na chwilę wstawiamy do nagrzanego piekarnika.

❖ GLOGG/SKRUB ❖

Napoje są podobne. To mieszanina ugotowanej z korzeniami i cukrem wody z koniakiem (brandy) lub wódką i czerwonym winem.

Składniki:

> Butelka czerwonego wina, 1 l wódki, 5–7 strąków kardamonu, 5–7 goździków, 225 g cukru w kostkach, kawałek kory cynamonu, kilka pasków skórki pomarańczowej

Wino łączymy z wódką, korzeniami, podgrzewamy na niewielkim ogniu, po czym przykrywamy i trzymamy na małym ogniu około 1 godziny. Potem umieszczamy na garnku sitko wypełnione kostkami cukru, polewamy łyżką ugotowanego alkoholu, zapalamy, czynność powtarzamy, aż cukier całkowicie się rozpuści i spłynie do rondla. Podajemy na gorąco.

W północnych Niemczech specjalnością na Boże Narodzenie czy sylwestra jest karp przyrządzany na wiele sposobów; w południowych gęś, kaczka lub dziczyzna. Głównym świątecznym posiłkiem jest podawane 25 grudnia śniadanie, na które serwowane są najczęściej wędliny wieprzowe w dużym wyborze, pieczona gęś faszerowana kasztanami lub owocami albo królik z domowymi kluseczkami.

Wielkim powodzeniem w całych Niemczech cieszą się w tym czasie, tak jak i na Wielkanoc, wyroby z marcepanu.

Na Boże Narodzenie piecze się pierniki, najsłynniejsze chyba norymberskie, a wśród nich słynny opłatkowy „Piernik Elizy", w którym masę korzenno-orzechową lub migdałową rozsmarowuje się na cienkim opłatku, a po upieczeniu całość polewa się lukrem lub polewą czekoladową.

W Alzacji piecze się dużo kruchego i półkruchego ciasta z suszonymi owocami i podaje je tuż przed pasterką z podgrzanym winem doprawionym wanilią.

Ponadto w specjalnych formach, przypominających dziecko zawinięte w pieluszki czy w kształcie gwiazdy, piecze się ciasta drożdżowe.

❖ ALZACKIE CIASTO na Boże Narodzenie ❖

Składniki:

500 g mąki, 70 g cukru, 250 g masła, ¾ szklanki ciepłego mleka,
25 g drożdży, torebka cukru waniliowego, po 60 g smażonej skórki
pomarańczowej i cytrynowej, otarta skórka z 1 cytryny, 200 g posiekanych
orzechów włoskich, 200 g rodzynek, 530 g wódki owocowej lub rumu, sól,
100 g stopionego masła, cukier puder

Umyte rodzynki zalewamy wódką, zostawiamy na kilkanaście minut. Pokruszone drożdże mieszamy z ciepłym mlekiem i łyżką mąki, zostawiamy w ciepłym miejscu. Mąkę przesiewamy na stolnicę, dodajemy masło, siekamy, dodajemy cukier, jajka, cukier waniliowy, otartą skórkę z cytryny i szczyptę soli, dokładnie miesza-my, wlewamy wyrośnięte drożdże i wyrabiamy ciasto. Przykrywamy i zostawia-my do wyrośnięcia. Dodajemy rodzynki, posiekane orzechy, smażoną skórkę z cy-tryny i pomarańczy, dokładnie wyrabiamy, przykrywamy ściereczką i zostawiamy na godzinę w ciepłym miejscu. Wyrośnięte ciasto układamy na posypanej mąką stolnicy, rozwałkowujemy na gruby placek i składamy na pół. Układamy na bla-sze, zostawiamy do wyrośnięcia, po czym polewamy połową stopionego masła. Wstawiamy do nagrzanego piekarnika i pieczemy około 40–45 minut (w piekarni-ku nagrzanym do temperatury 170°C). Po wyjęciu z pieca polewamy pozostałym stopionym masłem i posypujemy cukrem pudrem.

❖ GĘŚ Z OWOCAMI ❖

Składniki:

Gęś (ok. 4 kg), 500 g winnych jabłek, 1 duża pomarańcza, 150 g suszonych
śliwek bez pestek, kieliszek białego wytrawnego wina, łyżeczka suszonej
szałwii, sól, pieprz, łyżka masła, łyżeczka soku z cytryny, łyżka miodu,
4 duże jabłka, 2 łyżki rodzynek, 2–3 łyżki posiekanych orzechów włoskich,
łyżka rumu, łyżka miodu

Sprawioną gęś moczymy przez 2–3 godziny w zimnej wodzie, po czym osuszamy i nacieramy solą i pieprzem. Umyte śliwki zalewamy 2 łyżkami wina, zostawiamy na 2 godziny. Obrane i pozbawione gniazd nasiennych jabłka kroimy w grube pla-stry, skrapiamy sokiem z cytryny, posypujemy szałwią, mieszamy z miodem. Ob-raną pomarańczę dzielimy na cząstki, usuwamy pestki. Łączymy pomarańczę, śliwki i jabłka, nadziewamy gęś, zszywamy, smarujemy masłem, układamy w głę-bokiej brytfannie, polewamy 2–3 łyżkami wrzątku, wstawiamy do nagrzanego piekarnika i pieczemy, skrapiając winem i polewając wytworzonym sosem.
Rodzynki sparzamy wrzątkiem, osączamy na sicie, zalewamy rumem i miodem, dokładnie mieszamy z orzechami. Jabłka myjemy, osuszamy, delikatnie specjalną łyżeczką wydrążamy gniazda nasienne i w ich miejsce wkładamy przygotowane rodzynki. 20–25 minut przed końcem pieczenia układamy jabłka wokół gęsi, pie-czemy. Miękką gęś dzielimy na porcje, układamy na żaroodpornym półmisku, ob-kładamy faszerowanymi jabłkami, podgrzewamy w nagrzanym piekarniku.

118 I jeszcze kilka informacji o obchodzeniu świąt Bożego Narodzenia w egzotycznych dla nas krajach.

W Kolumbii Święta Bożego Narodzenia obchodzone są niezwykle uroczyście, a przygotowania do nich zaczynają się bardzo wcześnie. Początkiem obchodów jest 8 grudnia – Święto Niepokalanego Poczęcia Najświętszej Maryi Panny. To właśnie tego dnia odbywa się uroczysta msza święta, a wieczorem przed domami zapala się świece, ludzie wychodzą na ulice, wspólnie śpiewają i tańczą; wszystkich ogarnia radosny nastrój. Tego też dnia rozpoczyna się przystrajanie ulic kolorowymi lampkami, które świecą się przez całą dobę. Udekorowane tak są nie tylko kościoły, ale i wszystkie domy. Ze sznurów lampek upina się dzwonki, gwiazdy i anioły. Niektóre z tych figur są ogromne, dochodzą do trzydziestów metrów wysokości. Wielu ludzi ozdabia krzewy rosnące przed domami; nieznana jest tam jednak tradycja choinki. Dziewięć dni przed Bożym Narodzeniem rozpoczyna się uroczysta nowenna do Dzieciątka Jezus, która gromadzi tłumy. Dorośli i dzieci zbierają się w kościołach, modlą się i śpiewają kolędy. Po każdym takim spotkaniu wszystkie dzieci otrzymują w prezencie specjalną świąteczną potrawę – rodzaj budyniu z bakaliami – podawaną z małymi, niesłodkimi pączkami. W Kolumbii nie ma wieczerzy wigilijnej ani dzielenia się opłatkiem, nie ma też zwyczaju gwiazdkowych upominków. Po uroczystej wieczornej mszy świętej 24 grudnia, wierni wspólnie świętują aż do rana i być może dlatego w sam dzień Bożego Narodzenia kościoły są prawie puste.

Także w Meksyku uroczystości zaczynają się wcześniej, bo dziewięć dni przed świętami Bożego Narodzenia. Każdej nocy odbywa się procesja, mająca przypominać poszukiwanie przez Maryję i Józefa betlejemskiej gospody. Pochód otwierają dwie postacie, wyobrażające Maryję i Józefa, a wierni, chodząc od domu do domu, śpiewają radosne pieśni. Ostatniego dnia w jednym z domów otwierają się drzwi i gościnni gospodarze zapraszają pielgrzymów do środka. Jest to okres składania wizyt rodzinie i znajomym i obdarowywania się prezentami. Specjalne niespodzianki czekają dzieci. To dla nich wiesza się pod sufitem kolorowe kubeczki napełnione piaskiem lub mąką, a wśród nich jeden z niespodzianką. Zabawa polega na odgadnięciu, w którym kubeczku ukryty jest prezent.

Boliwijscy Indianie nazywają Boże Narodzenie „Świętem Dzieciątka Zbawiciela". W Boliwii buduje się szopki, podobne do polskich, w których umieszczane są postacie ludzi i zwierząt, a 24 grudnia całe rodziny, niosąc wyrzeźbione przez siebie „swoje Dzieciątko", wyruszają do kościoła na mszę, w czasie której ksiądz święci przyniesione figurki i szopki. Dla Indian nie ma święta bez rytmicznych tańców, będących formą swoistej modlitwy, po poświęceniu więc szopek całe rodziny wracają do domów przy dźwiękach muzyki, śpiewając kolędę: „Ta noc jest najpiękniejsza".

SYLWESTER I NOWY ROK

Nowy Rok to święto obchodzone we wszystkich kulturach, choć nie zawsze tego samego dnia, np. w Chinach i Japonii za każdym razem przypada na inny dzień. W Wietnamie też nie jest świętem stałym, zawsze obchodzony jest w ostatniej dekadzie stycznia lub pierwszej lutego; Nowy Rok jest tam świętem wiosny. Żydzi świętowali Nowy Rok w różnych miesiącach, obecnie robią to we wrześniu lub październiku, a rachubę lat prowadzą od stworzenia świata, a było to według ich wyliczeń w roku 3761 p.n.e. Wyznawcy Mahometa lata liczą od ucieczki Mahometa z Mekki do Medyny w roku 622 naszej ery. Do dzisiaj używają kalendarza księżycowego i mają rok krótszy o 11 dni, a święto Nowego Roku wypada u nich bardzo różnie.

Starożytni Egipcjanie za początek roku uważali datę wylewu Nilu, mniej więcej w połowie lipca; starożytni Rzymianie początkowo rozpoczynali rok w marcu (miesiącu Marsa, boga wojny), a po zreformowaniu kalendarza przenieśli święto Nowego Roku na styczeń, miesiąc poświęcony Janusowi, bóstwu o dwóch twarzach symbolizujących początek i koniec.

Pierwsi chrześcijanie świętowali Nowy Rok 6 stycznia, później

121

przełożyli to święto na dzień przesilenia zimowego, przypadającego według juliańskiego kalendarza na 25 grudnia. Znacznie później, gdy Kościół okrzepł, ustalono, że Nowy Rok obchodzony będzie w oktawę urodzin Chrystusa, w dniu nadania mu imienia Jezus – czyli 1 stycznia.

Jednak data ta przyjmowała się bardzo powoli i w wielu krajach Europy nastąpiło to zdumiewająco późno. W Hiszpanii jeszcze w 1250 roku obchodzono Nowy Rok 25 grudnia; we Francji trwało to aż do 1564 roku (patrz prima aprilis), a w Rosji dopiero w 1700 roku zdecydowano się obchodzić Nowy Rok 1 stycznia. Ale nie data obchodzenia święta jest tu ważna, lecz niezwykle podobne obrzędy w różnych częściach świata.

Noworoczne święto było niegdyś świętem magii. Wiele zwyczajów z nim związanych dotyczyło jedzenia i dostatku. Odżegnywano się w tym dniu od wszelkich trosk i kłopotów i zapraszano do domu dobre duchy. Wierzono, że co się przydarzy w tym dniu, będzie wróżbą na cały nadchodzący rok.

Słowianie zaczynali rok wiosną, gdy w promieniach słońca boga Swaroga i jego syna Dadźboga rozpoczynało się nowe życie. Nasze zwyczaje noworoczne wywodzą się więc bądź ze słowiańskich kultów agrarnych, bądź też ze zwyczajów rzymskich połączonych z gusłami uprawianymi niegdyś wszędzie dla zapewnienia sobie szczęścia i bogactwa.

Z dawnych praktyk pogańskich pozostało, stosowane jeszcze do niedawna, noworoczne obsypywanie się owsem. „Rolnicy obsypywali się owsem na znak pożądanej obfitości zboża, a ci, którzy obchodzili domy innych z powinszowaniem, nosili owies w rękawicy i na wszystkie rogi stołu sypali po szczypcie", życząc: „na szczęście, na zdrowie, na ten Nowy Rok, aby was nie bolała głowa ani bok, aby wam się rodziła i kopiła pszenica i jarzyca, żytko i wszystko".

„Dzień ten powinien zawsze zastać bochen chleba na stole domowym... jako znak obfitości daru bożego, który przez cały rok nie powinien schodzić z jego stołu, ale zawsze przesłonięty obrusem służyć na powitanie gościa i ubogiego" – pisał Gloger.

Wieczór ten nazywano szczodrym, a składanie życzeń po do-

mach, chodzeniem za „nowem latkiem", po szczodrakach albo
szczodrówkach. Nowy Rok witano głośno – w huku strzałów
i strzelaniu z bicza przepędzał on stary; głośno dawali znać o sobie kolędnicy, którzy „poprzebierani cudacznie za Cyganki, w skóry zwierząt, w kożuchy odwrócone wełną do góry" chodzili od domu do domu, grając i śpiewając. Zbliżała się pora życzeń
i podarków, ale o „fortunę" należało też zatroszczyć się samemu.
Stąd pewnie zwyczaj wykradania sobie w tym dniu drobnych rzeczy i wykupywania ich nazajutrz. „Za wykupne młodzież urzą-
dzała biesiadę w dniu noworocznym. Mówią, że aby Rok Nowy
był pomyślny, trzeba nazdobywać cudzych rzeczy, zakańczając
rok stary" – Z. Gloger.

„Im bliżej północy, tym większy narastał przed domem hałas. Zaczynały się popisy męskiej młodzieży. Chłopcy trzaskali z batów, by
„wypękać" stary rok, głośno walono w blachy, dzwoniono blaszany-
mi puszkami – a wszystko, aby wypędzić stary rok. O samej północy strzelano, z czego się dało... a potem zaczynała się pora sylwestro-
wych psot – bardzo podobnych do żartów wigilijnych – z obór
wyprowadzano bydło do sąsiednich zagród, na dach domu wciągano
wóz, wynoszono bramy poza wieś.

❖ SYLWESTROWE KOKTAJLE ❖

Czym można spełnić noworoczny toast? Oczywiście szampanem.
Ale nasi pradziadowie wznosili go na ogół węgrzynem, czyli toka-
jem. A kiedy już wzniesiemy noworoczny toast, możemy raczyć się
„za zdrowie nasze i całego świata" orzeźwiającymi, kolorowymi
drinkami.

❖ CUBA LIBRA (Wolna Kuba) ❖

Mieszamy w pojemniku z kilkoma kostkami lodu ¾ szklanki białego rumu, 3 łyżki soku z limonki lub cytryny i 3 szklanki zimnej coca-coli.

❖ SAN FRANCISCO ❖

Składniki:

Po 40 ml soku z pomarańczy, grejpfruta, ananasowego i cytrynowego,
2 łyżki syropu z malin, szklanka zmrożonej wody sodowej, nabite na
szpadki owoce: 2 wisienki koktajlowe, plasterek ananasa i pomarańczy

Miksujemy wszystkie składniki, przelewamy do szklanki, ozdabiamy nabitymi na
szpadki owocami.

❖ BŁEKITNA LAGUNA ❖

Dokładnie mieszamy pół szklanki Curaçao Blue, pół szklanki tequili i 1½ szklanki zmrożonej wody mineralnej. Gotowy koktajl rozlewamy do szklanek z kostkami lodu, każdą szklankę dekorujemy czeresienką koktajlową i plasterkiem cytryny.

❖ ALABAMA ❖

Składniki:

100 ml brandy, 2 łyżki soku z cytryny, 4 łyżki likieru Curaçao Orange,
2 łyżki syropu cukrowego

Wszystkie składniki wrzucamy do shakera z 6–8 kostkami lodu. Po dokładnym wy-
mieszaniu rozlewamy do oziębionych kielichów koktajlowych, dekorujemy pomarańczową skórką.

❖ BACARDI COCTAIL ❖

Składniki:

80 ml białego rumu Bacardi, 4 łyżki soku z limonki,
2 łyżki syropu grenadine

Wszystkie składniki mieszamy w shakerze z 5–8 kostkami lodu. Po rozlaniu do
koktajlowych szklanek dekorujemy czeresienką (maraską).

❖ MARGARITA ❖

Składniki:

40 ml tequili, 1 łyżka Curaçao triple sec, 1 łyżka soku z limonki

Dokładnie mieszamy z 3–4 kostkami lodu, przelewamy do kieliszka „okoronowanego" wcześniej obwódką soli.

❖ SYLWESTROWE WRÓŻBY ❖

Dzień 1 stycznia w tradycyjnym kalendarzu wydaje się świętem mało urozmaiconym, jakby obcym, które trzeba było wypełnić treścią.

„Wiejskie tradycje Nowego Roku były jeszcze uboższe, nie obchodzono też jego wigilii (Sylwestra)... a mimo to także przed tym świętem praktykowano wróżenie" – pisał Łukasz Gołębiowski. Był to dzień – teraz raczej jest to wigilia – kiedy należało zakończyć wszystkie kłótnie, pogodzić się ze wszystkimi: „Nowy Rok nie patrz w bok, tylko prosto w oczy nasze, pogodzim się wzajem wasze".

Starzy Polacy po wyjściu z kościoła śpieszyli do domu, bo kto rychlej stanie na progu, ten w dom „bogactwo przywiedzie". Później wróżbę tę przeniesiono na Wielkanocne wyścigi gospodarzy.

Dawniej witano Nowy Rok nie na balach, a raczej w domu; goście byli mile widziani, ale bez przesady (okres balów, maskarad i rautów rozpoczynał się po Trzech Królach). Gromadzono się więc w salonie lub największej izbie, by ten magiczny wieczór spędzić na wróżbach. „Najwięcej atoli różnych zwyczajów i wesołości łączy się w Polsce z obchodem wilii Nowego Roku, w ostatni wieczór roku starego. Nikt nie spędza tej chwili samotnie. Zbierają się w ten wieczór rodziny, sąsiedzi, przyjaciele, aby wesoło „wśród zabaw rozmaitych, przy jasnym ogniu zakończyć rok stary. Dziewczęta czynią tak jak w wilie św. Andrzeja wróżby, jest między nimi bowiem ten związek, że św. Andrzej zakańcza rok kościelny. Było mniemanie, że dziewica, która doczeka północy, wpatrując się przy świetle dwóch świec w zwierciadło, ujrzy poza sobą postać przyszłego małżonka" (Z. Gloger *Encyklopedia Staropolska Ilustrowana*).

Wróżenie rozpoczynało się od noszenia polan drzewa na opał; jeśli dziewczyna przyniosła parzystą ilość, to w nowym roku powinna wyjść za mąż. W tym dniu wróżono również z lanego na wodę wosku lub ołowiu, a z ukształtowanych figur przepowiadano przyszłość. Ożenku dotyczyły również wróżby z dwóch pływających skorupek orzecha z zapalonymi świeczkami – jeśli zbliżyły się do siebie, panna mogła w nowym roku liczyć na zamążpójście. Znany był też zwyczaj wróżenia z rzucanego buta. Stojąc lub siedząc tyłem do drzwi, dziewczęta rzucały przez ramię but. Jeśli spadł noskiem do drzwi, panna w najbliższym roku wychodziła za mąż. Wszystkie te wróżby przeniesiono później na katarzynki i andrzejki.

Wielkie znaczenie przywiązywano do pierwszego dnia nowego roku, bo „Nowy Rok jaki, cały rok taki". Pogoda, własne samopoczucie, zachowanie bliskich – wszystko zapowiadało cały rok – starano się więc zachować 1 stycznia umiar i pogodę ducha. Dzień Nowego Roku według przepowiedni powinien być jednak ponury, pochmurny i szary, bo taka pogoda wróżyła urodzaj.

W wielu noworocznych zwyczajach krzyżują się wigilijne i wielkanocne obrzędy ludowe:

Szlachta witała nowy rok, strzelając z rusznic – wiwaty miały znaczenie magiczne – odstraszały pioruny od domu, a ludzi chroniły od „zastrzału" (choroby).

Nocą ze starego na nowy rok gospodarze okręcali słomą drzewa w sadzie, a potem jeden drugiego niósł do domu na plecach niczym ciężki wór; taki, jaki ma być na jesieni po zebraniu plonów.

W domu gospodynie rozrzucały po kątach główki czosnku i żelazne przedmioty, żelazo dawało bowiem moc przetrzymania wszystkich nieszczęść, a czosnek chronił od uroków i zabezpieczał przed chorobami.

W pierwszym dniu roku szczególną uwagę zwracano na pogodę:

„Na święty Sylwester mroźno, zapowiedź na zimę groźną", „Gdy na Nowy Rok pluta, ze żniwami będzie pokuta", „Na Nowy Rok jeśli jasno i w gumnach będzie ciasno", „Gdy Nowy Rok mglisty, zboża jeść będą glisty".

126 Wiatr w tym dniu zapowiadał obfitość owoców; dobre zbiory wróżył też szron pokrywający owocowe drzewa w sadzie, a śnieg

dobre rojenie się pszczół. Dużo gwiazd na niebie wróżyło obfitość jajek – kury się będą niosły, że hej....

Ponieważ wierzono, że na przełomie roku duchy wychodzą z grobów i odwiedzają swoje domy, stawiano im stołek na środku izby, żeby odpoczęły, a stołek powinien być wysłany czymś miękkim, żeby im było wygodniej. Rozpalano też ogień w piecu i między godziną 11 a 12 w nocy stawiano przy nim ławkę posypaną popiołem. Jeśli rano na popiele znaleziono ślady, uważano, że duch się wygrzał przy piecu.

❖ SYLWESTROWE ŻYCZENIA I PODARUNKI NOWOROCZNE ❖

Nasi przodkowie przywiązywali wielką wagę do noworocznych życzeń. Panowało powszechne przekonanie, że jeśli płyną one ze szczerego serca, na pewno się spełnią. Życzono więc sobie „Do siego roku", polecano się boskiej opiece, mówiąc: „Bóg cię stykaj", czyli niech Bóg kieruje wszystkimi twoimi poczynaniami.

Ksiądz z ambony składał życzenia wszystkim wiernym, a sąsiedzi i przyjaciele zjeżdżający się do siebie na noworoczne obiady prześcigali się w układaniu rymowanych, dowcipnych życzeń. Najpowszechniejsze były życzenia zdrowia i długich lat życia. Ignacy Krasicki, dopasowując się do powszechnych zwyczajów, mówił:

> *Żyj lata Matuzalowe*
> *Albo przynajmniej połowę*
> *A choćby ćwierć dla igraszki*
> *Dwieście lat i to nie fraszki.*

Według staropolskiego zwyczaju do dobrego tonu należało składać życzenia noworoczne osobiście, a odbiorca, odwzajemniając je, powinien zaprosić na noworoczny obiad. Istniała specjalna hierarchia składania życzeń: dzieci składały powinszowania rodzicom, kawalerowie pannom, panowie sługom, bogaci ubogim. „Wiedziano w ogóle czego komu życzyć, więc umysł i grzeczność, cześć lub wdzięczność, serce i afekt sąsiedzki siliły się na dowcip... Dzieci i żaczkowie szkolni prawili rodzicom i nauczycielom powinszowania prozą lub rymem, po polsku lub po łacinie".

W miastach, jeśli nie udało się osobiście przekazać życzeń, pisano liściki i przesyłano je przez specjalnych posłańców. Wizytowe bileciki rozpowszechniły się bardzo w czasach króla Stanisława Augusta. Rozsyłano je do zaprzyjaźnionych domów przez umyślnego, ale „ludzie starej daty uważali je wszakże za jaskrawy przejaw upadku obyczajów" bo – jak pisał Łukasz Gołębiowski, dziewiętnastowieczny kronikarz obyczajów – „grzeczność i uprzejmość starożytna niknie, dopełnienie jej lokajom i próżnej karecie przekazane, pan się tym nie męczy ani pani". A lokaje rozwozili po zaprzyjaźnionych domach wizytówki, na których oprócz imienia i nazwiska wysyłającego oraz jego urzędu widniały bardzo często same skróty – „z p.n.r". – „z powinszowaniem nowego roku", a jeszcze częściej „p.f.n.a – po francusku" *pour féliciter la nouvelle annee.*

Zwyczajem niewątpliwie rzymskiego pochodzenia było dawanie kolędy, czyli podarunku noworocznego. Tak więc składano życzenia, no i przede wszystkim „nadzielano kolędy". Hierarchia życzeń sprawiała, że król przyjmował życzenia od swoich poddanych i obdarzał ich kolędą. Podarunki dawał szlachcic – służbie; rodzice – dzieciom.

O obdarowywaniu noworocznymi podarunkami służby przez dziedziców pisał Franciszek Zabłocki:

> *Mamy tyle czeladzi, każdy chce kolędy,*
> *Trzeba wszystkim coś wetknąć taki zwyczaj wszędy...*

„Podarunki były różne: od króla można było dostać wioskę, karabelę wysadzaną szlachetnymi kamieniami, konia z rzędem (...). Kolędą mogły być zarówno spodnie czy lniana koszula, juchtowe buty, butelka wódki... szczodrość w tym dniu była nieodzowna, kwitła przez wieki".

Tak więc dni między Nowym Rokiem a Trzema Królami nazywano „szczodrymi" (albo wieczór poprzedzający Trzech Króli zwano szczodrym i dopiero wówczas rozdawano upominki). Najhojniejszy był jednak Nowy Rok.

CIEKAWOSTKA!!!

Był zwyczaj, że panowie aptekarze przesyłali właścicielom mająt-ków paczuszki z czekoladą, wodą kolońską i pachnącymi trociczka-mi. Najdłużej dawano „kolędy" listonoszom i kominiarzom. Obecnie rzadko kto komu daje „kolędę", a zwyczaj obdarowywania przeniósł się na dzień świętego Mikołaja i Wigilię.

„Dziś – zapisał Gołębiowski, a była to pierwsza połowa XIX wie-ku – to wszystko wyszło z mody".

TRZECH KRÓLI – OBJAWIENIE PAŃSKIE

Nazwę Trzech Króli zaakceptowała tradycja ludowa wielu narodów. Oznacza ona dzień objawienia się Jezusa Chrystusa światu i w liturgii jest określany jako epifania (greckie *epifaneia* znaczy ukazanie się, objawienie). Na Wschodzie Objawienie Pana świętuje się od III wieku, na Zachodzie od IV wieku.

Święto kończyło, trwające niegdyś od Wigilii Bożego Narodzenia, gody, okres „świętych wieczorów", a rozpoczynało zapusty – karnawałowe zabawy. Można już było „uwalniać z domu wszystkich, którzy zjechali na opłatek". W czasie „świętych wieczorów" „surowo przestrzegano, aby po zachodzie słońca nikt nie prządł, nie motał przędziwa, nie szył i w ogóle nie pracował ostrymi narzędziami. Mówiono, że kto w te wieczory przędzie i mota, będą mu się wilki motały do obory. Czas w te wieczory przepędzano przy ognisku domowym na śpiewaniu kolęd lub innych pieśni nabożnych i światowych, opowiadaniu starych baśni, wzajemnych odwiedzinach i rozrywkach domowych" – pisał Gloger.

Jeszcze na początku XX wieku uroczyste obchodzenie świąt Bożego Narodzenia nie tylko w obrzędach kościelnych, ale i w życiu domowym, trwało do Trzech Króli. Gody nosiły też nazwę „dwunastu pustych dni" i były niezwykle ważne w ludowym kalendarzu; pogoda panująca każdego dnia wróżyła warunki atmosferyczne na najbliższe dwanaście miesięcy. Wróżba przetrwała do dziś.

„Gdy Trzy Króle pogodą obdarzą; nie zasypiaj ranków gospodarzu".

Ze Wschodu na Zachód
Trzej Królowie-magowie
Wiedli swe karawany przez irańskie ogrody
I doliny różane,
Przez syryjskie pustynie
Po kamieniach i piachu
dążyli
ku nieznanej im Jerozolimie.
Biegli astrologowie ze swych wież kwadratowych
Śledzili długie lata
Niebios gwiezdne tablice —
Badali szyfr świetlisty;
Którym głębia wszechświata
osłania swe tajemnice.
Wreszcie gwiazdę ujrzeli nieznaną
Z ciągnącym się za nią ogonem
Wędrowała co noc po niebie
Ze wschodu na zachodnią stronę —
Wśród sióstr swych gwiazd najpiękniejsza
Inna niż one
Wówczas poznali, że dożyli
Tej łaską znaczonej chwili
O której z dawna mówili
Pieśniarze Izraela,
Że Bóg się nad ziemią pochyli
I ześle jej Zbawiciela,
Który ją w pokoju zachowa
Ożywi ją i pocieszy... (...)

(M. Morsti-Górska *Ballada o Trzech Królach*) 131

Opowieść świętego Mateusza o Mędrcach, którzy przybyli ze Wschodu, aby odnaleźć nowo narodzonego króla żydowskiego i złożyć mu hołd, od dawna jest przedmiotem dociekań biblistów i teologów. Jednak w drugim rozdziale Ewangelii wg św. Mateusza nie jest wymieniona liczba Mędrców, zresztą nigdzie w Nowym Testamencie nie ma ani słowa o królach, a już w żadnym razie nie mówi się, że było ich trzech. Liczbę ukształtowała późniejsza tradycja, oparta na liczbie darów wspomnianych przez świętego Mateusza.

Mędrców przyprowadziła do Betlejem gwiazda. Na przestrzeni wieków wielu uczonych próbowało ją zidentyfikować. Niektórzy uważali, że była to kometa Halleya, a według Jana Keplera, sławnego matematyka i astronoma, gwiazda betlejemska była koniunkcją Jowisza i Saturna.

Często używany wyraz mag, będący synonimem mędrca, zdaje się wskazywać na perskie pochodzenie trzech cudzoziemców idących za gwiazdą.

> (...) *Lecz o Melchiorze, Kacprze, Baltazarze!*
> *Tajnej mądrości słynęliście cnotą*
> *I z swych uczonych ksiąg doszliście oto,*
> *Że się w Betlejem cud boski ukaże* (...)
>
> (L. Staff ***)

Bo według legend byli to: Kacper z Arabii; Melchior (początkowo Melkon) z Persji i Baltazar z Indii – te imiona znane są od VI wieku. Jedno jest pewne – starożytni Persowie spodziewali się nadejścia „pomocnika-zbawcy" i wiedzieli, że tego samego oczekuje lud zamieszkujący Palestynę.

> *A cóż to przywieźli mędrcy ze Wschodu,*
> *Królowie, panowie wielkiego rodu?*
> *„Z dobrawoli, szczerym sercem, szczerą ochotą*
> *– dla Jezusa wonną mirrę, kadzidło, złoto".*
>
> (K. Iłłakowiczówna *A cóż to przywieźli...*)

132

To wschodnia etykieta dworska nakazywała składanie podarunków podczas „wizyty oficjalnej". Zgodnie więc z ówczesnym obyczajem mędrcy ofiarowali nowo narodzonemu podarunki będące wyrazem hołdu – złoto, kadzidło i mirrę.

Od XV wieku w dniu Trzech Króli święci się więc w kościele złoto i kadzidło, jako symbol darów, które Mędrcy złożyli Dzieciątku w stajence; poświęcone nabierały mocy magicznej. Poświęconym kadzidłem (składającym się z żywicy i czasami okruchów bursztynu), okadzano domy, aby uchronić je od nieszczęść i uroków. Od XVIII wieku święci się także kredę: „Trzej Królowie wichry ciszą i krzyżyki na drzwiach piszą". Do tradycyjnych zwyczajów należy pisanie na drzwiach święconą w tym dniu kredą inicjałów – K+M+B i cyfry oznaczające rok. Ale ten skrót trzech imion znaczy również „Niech Chrystus błogosławi ten dom" – *Christus mansionem benedicat*.

Kredą znaczono też zabudowania gospodarcze, a na ich narożach stawiano krzyżyki dla ochrony przed złymi mocami. Domostw z wypisanymi kredą święconą inicjałami Trzech Króli, unikały „złe duchy".

W tym dniu święcono także pierścionki, medaliki, pieniądze oraz wodę, która, jak wierzono, posiadała później moc szczególną – przechowywana do wiosny służyła jako obrona przed nieszczęściami. Naczynie z „wodą trzech królów" stawiano w polu między wschodzącym zbożem lub zawieszano na owocowych drzewach, „by ostatek mrozu nie zniszczył kwiecia".

Ostatnim ze „świętych wieczorów" był wieczór szczodry – wigilia Trzech Króli. Szczodry to tyle co hojny, nazwany tak na pamiątkę hojności Trzech Mędrców, którzy osobiście złożyli Dzieciątku swoje dary.

Z dniem Trzech Króli w Polsce wiąże się wiele obyczajów. Tego dnia do szopek urządzonych wcześniej w kościołach wstawiano figury trzech egzotycznych Mędrców, którym niejednokrotnie towarzyszyły orszaki sług i wielbłądów. We dworach rozdawano służbie i czeladzi upominki, obdarowywano też dzieci, sąsiadów i plebana. Między Nowym Rokiem a Trzema Królami wiejskie i miejskie domy obchodzili też kolędnicy, szopkarze, przebierańcy – Herody. W zespołach kolędników, podobnych do tych, które chodziły po kolędzie między Wigilią a Nowym Rokiem, pojawiał się groźny król Herod ze

135

Śmiercią, Aniołem i Diabłem albo Królowie z Gwiazdą. Szczególnie często Herody chodziły w przeddzień święta Trzech Króli.

Wieczór ten obowiązkowo należało spędzić na śpiewaniu kolęd i na towarzyskiej zabawie. Wszyscy członkowie rodziny zbierali się przy stole na tradycyjne gorące pierogi z sera albo tak zwane sójki pieczone w piecu chlebowym. Były to bułki – pierogi z drożdżowego ciasta z nadzieniem z marchwi, kapusty lub buraków i kaszy jaglanej. Na Mazowszu na przykład używano do tego „specyjału" buraków cukrowych.

❖ ŚLĄSKIE SÓJKI ❖

Składniki:

500 g mąki pszennej, 2 jajka, 2 łyżki masła, 40 g drożdży,
pól szklanki mleka, pól szklanki wody, 800 g marchewki,
łyżka soku z cytryny, sól, cukier

Przegotowaną letnią wodę łączymy z mlekiem i 2 łyżkami mąki, dokładnie mieszamy z utartymi z płaską łyżeczką cukru drożdżami. Zaczyn zostawiamy w ciepłym miejscu do wyrośnięcia. Mąkę ogrzewamy, przesiewamy do miski, wbijamy jajka, wlewamy zaczyn, dodajemy szczyptę soli, ciasto dokładnie wyrabiamy. Pod koniec wlewamy stopione masło. Lśniące i gładkie ciasto przykrywamy ściereczką i zostawiamy w ciepłym miejscu do wyrośnięcia.

Obraną, umytą i osuszoną marchew ścieramy na jarzynowej tarce, lekko solimy, skrapiamy sokiem z cytryny, mieszamy. Z wyrośniętego ciasta formujemy podłużne bułki, nadziewamy marchewką, dokładnie sklejamy. Układamy na wysmarowanej masłem blasze, pieczemy w nagrzanym piekarniku, jak wszystkie drożdżowe ciasta.

W szczodry wieczór księża rozpoczynali chodzenie „po kolędzie", przepytując dzieci z katechizmu i zbierając dary. Dzieci otrzymywały drobne upominki oraz orzechy, żeby „były jędrne i zdrowe", jabłka, „żeby nie cierpiały na ból gardła", a także specjalne placuszki, pieczone najczęściej w kształcie zwierząt lub lalek.

Na Pomorzu, gdzie pieczono rogale-szczodraki, kolędowanie nazywano „chodzeniem po rogalach", a kolędników szczodrakami. Szczodraki popularne były zresztą w całej Polsce, a pieczono je z najlepszej mąki, często nadziewano kapustą, serem lub grzybami, nadzieniem cebulowym, a nawet mięsnym. Owe małe chlebki w kształcie podkowy zwano też niekiedy kołaczykami.

Szczodraki miały swoją wymowę symboliczną; pieczono je takie, jaki był miniony rok. Gdy był urodzajny, lepiono duże rogale z białej mąki, nadziewane serem, farszem mięsnym lub kapustą z grzybami. Jeżeli zaś rok był biedny, szczodraki były malutkie, z mieszanej mąki, często z dodatkiem otrąb i bez nadzienia. Ale choćby rok, który upłynął, był najgorszy, to w przeddzień Trzech Króli szczodraki musiały być upieczone.

❖ SZCZODRAKI Z GRZYBAMI ❖ ·

Ciasto:

500 g mąki pszennej, 2 jajka, 50 g masła, szklanka mleka,
pół łyżeczki cukru, łyżeczka soli, 30 g drożdży, 1 surowe jajko

Farsz:

100 g suszonych grzybów, szklanka posiekanych orzechów laskowych,
2–3 łyżki posiekanej zielonej pietruszki, 1 niewielka cebula,
łyżka masła, 1 surowe jajko, sól, pół łyżeczki pieprzu, ćwierć łyżeczki
suszonego tymianku

Umyte grzyby moczymy przez noc w niewielkiej ilości wody, następnego dnia gotujemy, odcedzamy, drobno siekamy. Posiekaną cebulę szklimy na maśle, dodajemy grzyby, sól i pieprz i chwilę dusimy razem. Przestudzone grzyby łączymy z uprużonymi na patelni posiekanymi orzechami i posiekaną pietruszką, dodajemy tymianek, wbijamy jajko, wyrabiamy farsz, doprawiamy do smaku solą i pieprzem.

Ciasto:

Drożdże ucieramy z łyżką letniego mleka, cukrem i łyżeczką mąki. Zostawiamy w ciepłym miejscu. Do miski przesiewamy mąkę, dodajemy jajka i mleko, wyrabiamy ciasto, dodajemy zaczyn drożdżowy. Wyrabiamy ciasto (ok. 15 minut), aż zaczną pojawiać się pęcherzyki. Można to zrobić mikserem. Gdy ciasto jest lśniące i gładkie, wlewamy stopione masło i wyrabiamy ciasto jeszcze kilka minut. Przykrywamy ściereczką i zostawiamy w ciepłym miejscu do wyrośnięcia.

Z wyrośniętego ciasta odkrawamy kawałki ciasta, rozpłaszczamy na dłoni, nadziewamy farszem i dokładnie sklejamy. Układamy na posmarowanej masłem blasze,

135

a gdy podrosną, smarujemy rozkłóconym jajkiem i pieczemy w nagrzanym piekarniku na złoty kolor.

❖ KNYSZE Z KAPUSTĄ ❖

Ciasto:

> 500 g mąki pszennej, 2 jajka, łyżka masła, szklanka mleka, pół łyżeczki
> cukru, łyżeczka soli, 20 g drożdży, 1 surowe jajko, 2 łyżki masła

Farsz:

> 500 g kiszonej kapusty, 2 cebule, 2 łyżki oleju, 3 ugotowane na twardo
> jajka, łyżeczka pieprzu, sól

Drożdże ucieramy z łyżką letniego mleka, cukrem i łyżeczką mąki, zostawiamy w ciepłym miejscu. Do miski przesiewamy mąkę, dodajemy jajka i mleko, wyrabiamy ciasto, dodajemy zaczyn drożdżowy. Wyrabiamy ciasto (ok. 15 minut), aż zaczną pojawiać się pęcherzyki. Można to zrobić mikserem. Gdy ciasto jest lśniące i gładkie, wlewamy stopione masło i wyrabiamy jeszcze kilka minut. Przykrywamy ściereczką i zostawiamy w ciepłym miejscu do wyrośnięcia. Kapustę gotujemy w niewielkiej ilości wody. Gdy jest już miękka, odparowujemy, osączamy na sicie, przestudzamy, drobno kroimy. Posiekaną cebulę rumienimy na rozgrzanym oleju, dodajemy kapustę i chwilę smażymy. Dodajemy pieprz, mieszamy i chwilę dusimy. Zestawiamy z ognia, po przestudzeniu łączymy z posiekanymi jajkami, doprawiamy solą i pieprzem. Z wyrośniętego ciasta formujemy wałek, odcinamy plastry, rozpłaszczamy na dłoni, nadziewamy przygotowanym farszem, dokładnie sklejamy. Układamy na wysmarowanej masłem blasze, zostawiamy do wyrośnięcia, po czym smarujemy rozkłóconym jajkiem i pieczemy w nagrzanym piekarniku około pół godziny. Gdy się zrumienią, smarujemy roztopionym masłem i jeszcze chwilę pieczemy.

❖ SZCZODRAKI Z KAPUSTĄ ❖

Ciasto:

> 3 szklanki mąki, po 100 g masła i smalcu, 3–4 łyżki kwaśnej śmietany,
> łyżeczka cukru pudru, 1 surowe żółtko, 1 jajko, sól

Farsz:

> niewielka główka białej kapusty (ok. 1 kg), 3 winne jabłka, łyżka soku
> z cytryny, 3 jajka na twardo, sól, pieprz, 2 łyżki masła

Kapustę drobno szatkujemy, posypujemy solą, zostawiamy na kilka minut, wyciskamy, po czym układamy na sicie i przelewamy wrzątkiem. Osączamy. Do rondla, na stopione masło wrzucamy kapustę, przykrywamy i dusimy do miękkości. Obrane jabłka ścieramy na sicie, skrapiamy sokiem z cytryny, dodajemy do kapusty. Mieszamy, zdejmujemy z ognia, doprawiamy do smaku solą i pieprzem. Po przestudzeniu łączymy z posiekanymi jajkami.

Ciasto:

Na stolnicę przesiewamy mąkę, dodajemy masło i smalec, siekamy nożem, dodajemy śmietanę i żółtko, cukier, sól, wbijamy jajko. Dokładnie, ale szybko zagniatamy ciasto (zbyt długie wyrabianie powoduje utratę kruchości).

Owijamy w folię lub ściereczkę i wkładamy na 2–3 godziny do lodówki.

Schłodzone ciasto rozwałkowywujemy na posypanej mąką stolnicy, wycinamy kółka lub kwadraty, nadziewamy farszem i pieczemy w gorącym piekarniku (200–220°C) ok. 30 minut.

❖ SZCZODRAKI Z MIĘSEM ❖

Ciasto:

> 3 szklanki mąki, 150 g masła, 4 jajka, szklanka mleka, pół szklanki cukru,
> pół łyżeczki soli, 50 g drożdży

Farsz:

> 500 g mielonej cielęciny, 3 filety z solonego śledzia, ćwierć szklanki mleka,
> duża cebula, łyżka masła, łyżeczka mielonego pieprzu, ew. sól

Filety śledziowe zalewamy mlekiem, zostawiamy na pół godziny, po czym wyjmujemy, osuszamy, kroimy w drobną kostkę. Posiekaną cebulę zeszkloną na maśle łączymy z cielęciną i śledziem, dodajemy pieprz i ew. sól, dokładnie całość mieszamy.

Ciasto:

Drożdże ucieramy z łyżeczką cukru, mieszamy z 2–3 łyżkami mąki i letnim mlekiem, zostawiamy w ciepłym miejscu, aż zaczyn „ruszy". Do miski przesiewamy ogrzaną mąkę, dodajemy cukier i rozczyn, wyrabiamy ciasto, wbijamy jajka i bardzo dokładnie ciasto mieszamy. Wlewamy roztopione masło, dodajemy sól i wyrabiamy kilkanaście minut, aż stanie się lśniące i gładkie. Przykrywamy ściereczką i zostawiamy w ciepłym miejscy do wyrośnięcia.

Z wyrośniętego ciasta formujemy wałek, odcinamy plastry, rozpłaszczamy na dłoni, nadziewamy przygotowanym farszem, dokładnie sklejamy. Układamy na wysmarowanej masłem blasze, zostawiamy do wyrośnięcia, po czym smarujemy rozkłóconym jajkiem i pieczemy w nagrzanym piekarniku ok. 30 min. Gdy się zrumienią, smarujemy roztopionym masłem i jeszcze chwilę pieczemy.

Także dzień Trzech Króli nazywano szczodrym. Po obiedzie bawiono się zazwyczaj w migdałowego króla. Ten stary francuski i angielski zwyczaj stał się w osiemnastowiecznej Polsce niezwykle popularny: „Na zakończenie wystawnej kolacji w tym dniu podawano placek lub tort migdałowy. Wieczorem przy zabawie roznoszono go z kawą, a komu dostał się migdał, ten musiał w zapusty tańcującą zabawę wyprawić".

Zebrane osoby częstowano „ciastem rogatym", czyli rogalami, a w jednym z nich znajdował się migdał. Czasami umieszczano migdał w kilku rogalach i żeby pomóc ślepemu losowi, pani domu zręcznie podsuwała odpowiedni wybranej osobie. Ten, kto znalazł w swoim rogalu migdał, zostawał królem migdałowym panującym przez jeden dzień.

W Warszawie nie pieczono rogali tylko migdałowe placki i podawano jedną paterę dla panów, drugą dla pań – na każdej tylko jeden kawałek ciasta ukrywał migdał. Los kojarzył więc parę królewską, która szczęśliwie królowała aż do następnego szczodrego wieczoru.

Dzień sprzyjał też panieńskim wróżbom. Młode dziewczęta, spragnione małżeństwa, nawet migdał w placku wykorzystywały do wróżb, stąd przysłowie: „Która dostała migdała, dostanie i Michała". Była to więc przepowiednia, że szybko stanie na ślubnym kobiercu.

Placek na Trzech Króli z migdałem w środku początkowo nazywał się gorenflot, a wymyślił go podobno w XVI wieku mnich o tym nazwisku. Gorenfloty wypiekano w ośmiokątnej formie, jeden dla siedmiu gości, ósmą część zostawiano „dla Boga".

❖ PLACEK TRZECH KRÓLI ❖

Składniki:

500 g mąki, 20 g drożdży, 3 łyżki cukru, szklanka mleka, 100 g masła,
3 jajka, otarta skórka z połowy cytryny, 70 g rodzynek, kieliszek koniaku,
szczypta soli, 1 obrany ze skórki migdał

Drożdże mieszamy z cukrem, letnim mlekiem i niewielką ilością mąki. Zaczyn powinien mieć konsystencję gęstej śmietany. Zostawiamy w ciepłym miejscu do wyrośnięcia.

Rodzynki myjemy, wkładamy do miseczki i zalewamy koniakiem.

Ogrzaną mąkę przesiewamy do miski, wbijamy 2 całe jajka i 1 białko (żółtko zostawiamy), wlewamy zaczyn, dodajemy szczyptę soli i otartą skórkę z cytryny, wyrabiamy ciasto. Pod koniec wyrabiania wlewamy stopione masło, wsypujemy rodzynki, wkładamy migdał. Lśniące i gładkie ciasto przykrywamy ściereczką i zostawiamy w ciepłym miejscu do wyrośnięcia. Wyrośnięte ciasto przekładamy na blachę, smarujemy rozkłóconym żółtkiem, wstawiamy do nagrzanego piekarnika (200°C) i pieczemy ok. 45–50 minut.

KARNAWAŁ, czyli STAROPOLSKIE ZAPUSTY

Wieczór Trzech Króli kończył „święte wieczory", a rozpoczynał staropolskie zapusty.

> Mięsopusty, zapusty,
> Nie chcą pany kapusty,
> jeno sarny, jelenie
> i żubrowe pieczenie,
> Mięsopusty, zapusty,
> Nie chcą panie kapusty,
> Pięknie za stołem siędą,
> Kuropatwy jeść będą (...)
> Miesopusty, zapusty,
> Nie chcą panny kapusty,
> Wolałyby zwierzynę,
> Niżli prostą jarzynę (...)

Zapusty to staropolska nazwa karnawału trwającego od Trzech Króli do Wielkiego Postu. Myślę, że warto tu przytoczyć fragment z *Mitologii słowiańskiej* wyjaśniający staropolską nazwę karnawału:

„Słowianie jako naród rolniczy spoczywali wraz z nią [naturą]. W krótkie zimowe dni upędzali się po kniejach za zwierzem, wieczorem, mieszkańcy nabrzeżni wiązali sieci, dalsi pletli koszyki, opałki, to znów przy dzbanach piwa i miodu opowiadali młodszym dzieje i wydarzenia dawno minionych czasów, ale zawsze pozostawało im jeszcze dużo nie zajętego „pustego" czasu; wymyślili więc bożka pustoty i uciechy pijackiej na wzór (...) Dionizosa Bachusa, aby im czas uprzyjemniał. Ubierali pociesznie pierwszego lepszego parobczaka, sadzali go na saniach ozdobionych gałęziami drzew iglastych i rumianymi gronami kaliny, i ten naprędce zaimprowizowany PUST pędził co koń wyskoczy od jednej Słobody do drugiej, a za nim dziesiątki sani, napełnionych podochoconą młodzieżą. – Pust, Pust, za Pustem = hej-że, ha za Pustem! Wśród śmiechów i nawoływań orszak dążących za Pustem ciągle się zwiększał i zatrzymywał pod dachem najzamożniejszego właściciela Słobody, gdzie w obszernej świetlicy przy dźwiękach cymbałów i bębenka bawiono się ochoczo do rana(...) Stąd też biorą się wyrazy Mięsopust, Zapusty, rozpusta".

Był słowiański bożek Pust, czy go nie było – opisana w *Mitologii* zabawa bardzo dokładnie przypomina staropolskie kuligi.

❖ KULIGI ❖

Kulig to zabawa jeszcze od Popiela
ma cel, by każdemu zalała gardziela.

Nie wiadomo, kiedy kuligi weszły w zwyczaj, ale wiadomo, że były największą wiejską rozrywką karnawałową. Gloger podaje, że „była to zabawa zapewne tak dawna, jak dawno zasiały się gęściej dwory i dworki szlacheckie na równinach Wielko i Małopolski".

Kulig był niegdyś zabawą wyłącznie stanu wyższego – szlachty i magnatów. Polegał na odwiedzaniu się sąsiadów w całej okolicy. Musiał być wcześniej bardzo starannie obmyślony, trzeba było ustalić kolejność odwiedzin, przygotować domy na przyjęcie z noclegami coraz większej liczby gości, zaopatrzyć spiżarnię i piwniczkę. „Nietrudny był wybór domów, do których zjechać miano – podaje

141

Oskar Kolberg – bo cały powiat, całe nieraz województwo, żyło z sobą jako jedna rodzina szlachecka (...) Otwartością i miłością są- siedzką stało dawne nasze życie, uprzejmością i gościnnością wszel- ka zabawa".

A gdy nadszedł czas kuligu: „Młodzież w kształtnych zaprzęgach zjeżdżała się do swego przywódcy, tam zwoływano muzykę i gdy już wszystko było gotowe, obesłano po domach laskę z kulą u wierzchu, która zwoływała kulig, i wyprawiano arlekina, a ten z trzepaczką w ręku wpadał do domu, gdzie się najprzód zjechać miano i śpiewał, skacząc: Ej, kulig, kulig, kulig! Po czem znikał" (O. Kolberg). „Przyjeżdżano ze zmrokiem w towarzystwie hucznej muzyki (...) w świetle kagańców i pochodni (...)Wjeżdżano galopem na podwórze, podwoiło się trzaskanie (z biczów) głośniej zahuczała muzyka, wybuchały naraz śmiechy i wiwaty, a z jaśniejącego rzęsi- ście dworu wychodził gospodarz i gospodyni, witając uprzejmie ku- ligowe towarzystwo(...) Kilkugodzinna na mrozie przejażdżka obok tańca i wesołości zaostrzyły apetyt, znikały ze stołu z szybkością niepodobną do wiary ogromne misy zwierzyny, kiełbas, zrazów, szynek, kapusty i delikatniejszych potraw, ciast i konfetów (...)" (Z. Gloger).

A jak kulig, to koniecznie bigos:

❖ BIGOS DOMOWY ❖

Składniki:

1½ kg kiszonej kapusty, mała główka świeżej kapusty (ok. 1 kg),
350 g żeberek wieprzowych, 200 g wędzonego boczku, 350 g okrawków
z wędlin (szynka, baleron, polędwica), po 350 g pieczonego schabu,
pieczonego drobiu, pieczeni wołowej, 300 g kiełbasy, 200 g wydrylowanych
suszonych śliwek, 2 łyżki miodu, 150 g rodzynek, 2 szklanki mocnego
rosołu, listek laurowy, 10 ziarenek pieprzu, po 4–5 ziarenek jałowca
i angielskiego ziela, duża cebula, 1–2 goździki, pół łyżeczki suszonego
tymianku, 100 g smalcu, 1 szklanka wody, szklanka madery, sól, pieprz,
mielona papryka

142 Umyte śliwki zalewamy niewielką ilością przegotowanej wody, zostawiamy na 1–2 godziny, obgotowujemy, po czym kroimy w paski. Umytą świeżą kapustę

drobno szatkujemy, układamy na sicie, przelewamy wrzątkiem, osączamy, przekładamy do rondla, dodajemy żeberka, listek laurowy, jałowiec, cebulę z wbitymi w nią goździkami, tymianek i odrobinę soli. Zalewamy wrzątkiem i gotujemy na niewielkim ogniu. W drugim rondlu topimy smalec, wkładamy
przesiekaną kiszoną kapustę, dodajemy ziarenka pieprzu i angielskiego ziela, zalewamy gorącym rosołem i gotujemy na niewielkim ogniu. Obgotowane kapusty
łączymy, cebulę z goździkami i miękkie żeberka wyjmujemy, mięso oddzielamy
od kości, kroimy w kostkę, dodajemy do kapusty. Wędliny, boczek, pieczony
schab, wołowinę i drób kroimy i razem ze śliwkami wkładamy do kapusty, wlewamy wywar ze śliwek, dokładnie mieszamy i dusimy 2–3 godziny na niewielkim ogniu, często mieszając. Dodajemy sparzone wrzątkiem rodzynki, miód, pokrojoną w cienkie plasterki kiełbasę, wlewamy wino, mieszamy, doprawiamy do
smaku solą, pieprzem i mieloną papryką, dusimy jeszcze kilkanaście minut.
Najlepszy jest po kilku dniach, po 2–3 krotnym zamrożeniu i ponownym odgrzaniu.

❖ BIGOS LITEWSKI ❖

Składniki:

Główka białej kapusty (ok. 1½ kg), 500 g winnych jabłek, łyżka soku
z cytryny, 100 g cebuli, 250 g wołowej pieczeni, 250 g tłustej wieprzowiny,
2 przodki z zająca, 60 g smalcu, 120 g kiełbasy, pęczek włoszczyzny,
2 listki laurowe, po 2–3 ziarenka angielskiego ziela i jałowca,
8–10 ziarenek pieprzu, sól, pieprz mielony

Obraną i umytą włoszczyznę, wieprzowinę i przodki zająca wkładamy do garnka,
dodajemy ziele, listek, jałowiec, pieprz i sól, zalewamy wrzątkiem, doprowadzamy
do wrzenia, po czym gotujemy około 1 godziny na niezbyt silnym ogniu. Miękkie
mięso wyjmujemy, a bulion przecedzamy. Drobno poszatkowaną kapustę sparzamy wrzątkiem, wkładamy do rondla, zalewamy wywarem, doprowadzamy do
wrzenia, po czym gotujemyć 30–40 minut na niewielkim ogniu. Obrane jabłka
kroimy w słupki, skrapiamy sokiem z cytryny, dodajemy do kapusty, mieszamy
i dusimy razem ok. 20 minut. Obrane mięso z zająca, ugotowaną wieprzowinę
i pieczeń wołową kroimy w kostkę. Na patelni topimy smalec, przesmażamy drobno pokrojoną cebulę, dodajemy pokrojone w kostkę mięso i chwilę smażymy na
silnym ogniu, mieszając, po czym łączymy z kapustą, mieszamy i dusimy razem
około 1 godziny. Pod koniec dodajemy pokrojoną w cienkie plasterki kiełbasę, doprawiamy do smaku solą i pieprzem.

143

❖ BIGOS STAROPOLSKI ❖

Składniki:

1½ kg kiszonej kapusty, 250 g tłustej wieprzowiny, 250 g chudej wołowiny,
200 g świeżego boczku, 100 g wędzonego boczku, 300 g kiełbasy,
50 g szynki, 50 g suszonych grzybów, 100 g smalcu, 2 cebule, 2 szklanki
bulionu, szklanka czerwonego wytrawnego wina, sól, pieprz, łyżeczka
kminku lub majeranku

Przygotowanie: jak wyżej

❖ BIGOS MYŚLIWSKI ❖

Składniki:

1½ kg kiszonej kapusty, 50 g wydrylowanych suszonych śliwek,
20 g suszonych grzybów, 700 g pieczonych mięs (resztki pieczonej
dziczyzny, ptactwa lub wieprzowiny, wołowiny, kaczki), 300 g różnych
wędlin (szynka, baleron, bekon, kiełbasa myśliwska), 2 cebule,
2 szklanki bulionu, sól, pieprz, listek laurowy, 10–12 ziarenek jałowca,
szklanka czerwonego wytrawnego wina

Przygotowanie: jak wyżej

Krążyły kielichy, coraz to nowe proponowano zdrowia, a toasty były niegdyś polską specjalnością. Zwykle w połowie zabawy – bo na początku, do „gęstych potraw podawano tylko piwo – a więc po mięsiwach", kiedy pojawiało się na stole wino, gospodarz rozpoczynał wznoszenie toastów. Jak zwyczaj nakazywał, wznoszone być mogły tylko winem, zazwyczaj małmazją lub węgrzynem. A ponieważ każde zdrowie spełniało się z innego kielicha, stąd mnogość pucharów, kubków, roztruchanów, szklanic.

„Bawiono się do białego rana, rozchodzono się na krótki odpoczynek, zjadano śniadanie z obiadem za jednym przysiadem", dziękowano za przyjęcie, pito strzemiennego i wraz z gospodarzami ruszano dalej, do następnego dworu.

„Kochajmy się" – tak brzmiał przez wieki ostatni przed strzemiennym, wychylanym już na progu, ganku lub przy wrotach, toast wznoszony w czasie wszelkich staropolskich uczt i kuligów. Wznoszono więc toast „Kochajmy się!"... i wsiadano na konie, wychylając strzemiennego.

W czasie tych zimowych zabaw pito tokaj, miód lub rozgrzewano się staropolskim specjałem – krupnikami:

❖ KRUPNIK BABCI JADZI ❖

Składniki:

Szklanka cukru, laska wanilii, kawałek kory cynamonu, 10 goździków, 2 listki laurowe, 5 ziarenek angielskiego ziela, łyżka otartej skórki pomarańczy, 500 g miodu, 2 szklanki 40% wódki, 2 szklanki spirytusu

W płaskim dużym rondlu upalamy cukier na karmel, dodajemy 2–3 łyżki przegotowanej wody, potem korzenie, zioła i stopiony miód i podgrzewamy, mieszając. Gdy masa porządnie się zrumieni, ostrożnie wlewamy wódkę, stale mieszając, zagotowujemy, zdejmujemy z ognia i nadal mieszając, stopniowo wlewamy spirytus. Szczelnie przykrywamy, zostawiamy do ostygnięcia, po czym przecedzamy przez gazę lub lnianą ściereczkę i podajemy na gorąco lub rozlewamy do butelek. Szczelnie korkujemy i zostawiamy na kilka miesięcy.

❖ KRUPNIK KURPIOWSKI ❖

Składniki:

2 szklanki spirytusu, szklanka miodu, szklanka wody, pół szklanki cukru, pół laski wanilii, pół gałki muszkatołowej, 3–4 goździki, kawałek kory cynamonu, po łyżeczce otartej skórki z pomarańczy i cytryny

W rondelku zagotowujemy wodę z przyprawami, szczelnie przykrywamy i gotujemy około 10–15 minut. Do dużego rondla wsypujemy cukier, robimy karmel, dodajemy miód i dokładnie mieszamy. Wlewamy wywar z korzeni, mieszamy i zagotowujemy. Zdejmujemy z ognia. Do gorącego wywaru stopniowo, stale mieszając, wlewamy spirytus. Przykrywamy szczelnie, zostawiamy na noc do ostygnięcia. Następnego dnia filtrujemy, wlewamy do gąsiorka i zostawiamy na 10 dni. Gdy się ustoi, delikatnie przelewamy do butelek, korkujemy je i zostawiamy na 2–3 miesiące.

❖ KRUPNIK LITEWSKI ❖

Składniki:

200 g miodu, 100 g cukru, łyżka suszonego kwiatu róży, kawałek cynamonu, kawałek świeżego imbiru, mała gałka muszkatołowa,

8 jagód jałowca, 6 goździków, 2 szklanki spirytusu,
szklanka źródlanej wody

Miód, cukier i przyprawy wrzucamy do rondla, zalewamy wodą i gotujemy pod szczelnym przykryciem około 10 minut, po czym zdejmujemy z ognia, łyżką cedzakową usuwamy szumowiny. Do gorącego wywaru wlewamy spirytus, dokładnie mieszamy. Płyn przelewamy do gąsiorka, szczelnie korkujemy, zostawiamy na 24 godziny, po czym przelewamy przez gazę, ponownie wlewamy do gąsiorka, zamykamy, zostawiamy w ciemnym, chłodnym miejscu co najmniej na 10 dni. Delikatnie zlewamy i rozlewamy do butelek. Szczelnie zamykamy. Im dłużej stoi, tym jest lepszy. Podajemy na zimno lub na gorąco.

❖ KRUPNIK MIODOWY ❖

Składniki:

500 g miodu, najlepiej wrzosowego lub gryczanego, 2 szklanki spirytusu,
100 g koniaku, szklanka przegotowanej wody,
łyżeczka kwasku cytrynowego

Zagotowujemy wodę z miodem, odszumowujemy, zestawiamy z ognia, dodajemy kwasek cytrynowy i koniak i stale mieszając, stopniowo wlewamy spirytus. Szczelnie przykrywamy, lekko podgrzewamy, po czym zostawiamy pod przykryciem do ostygnięcia. Przelewamy do gąsiorka, szczelnie korkujemy i zostawiamy w ciemnym miejscu na 6 miesięcy. Potem delikatnie zlewamy klarowny płyn, rozlewamy do butelek, szczelnie korkujemy i zostawiamy w spokoju, najlepiej na dwa lata. Im dłużej leżakuje, tym jest lepszy.

Szlagierem kuligowym w XIX wieku był mazur (ostatnia pieśń z kuligu) ze słowami Wincentego Pola:

Wpadliśmy tu z hukiem, krzykiem,
z weseliskiem i kuligiem
Lecz na radość smutek godzi
Wstępna środa już nadchodzi.
Powiedzieć tam wstępnej środzie
Niech zaczeka przy zagrodzie
W okna bije dzionek biały,

Oczki pannom pomalały,
Zaczeliśwa w Czwartek Tłusty,
Bo też krótkie te zapusty!
Ej panienki zapust szkoda!
Wszakże to już wstępna środa!
Która za mąż się wydała,
Na ostatki już nie skacze,
Która pannom pozostała,
Po popielcu na post płacze.
Ej panienki – krew nie woda!
Wstępna środa – zapust szkoda! (...)
Oj gosposiu nasza droga!
Ksiądz nas straszy gniewem Boga –
Daj nam barszczyk na śniadanie,
Pannom kącik na przespanie:
Bo pojedziem już do Sielec
Z żalem serca na popielec.

Kuligi, nie tak huczne jak te szlacheckie, były też bardzo modne w okresie międzywojennym, później organizowano je głównie dla dzieci. Dziś tę staropolską tradycję zaczynają przypominać... gospodarstwa agroturystyczne. Coraz więcej prywatnych pensjonatów w karnawale przyciąga wczasowiczów tą staropolską zabawą. A więc:

Już cug siwków zaprzęgnięty,
Kopną drogą pędzą sanie,
A śnieg płonie jak diamenty,
Jak ócz cudnych migotanie.

(Or-Ot)

W Polsce nie tylko szlachta szalała podczas karnawału. W miastach bawiono się nawet pod gołym niebem, urządzano barwne pochody maskaradowe, wieś z kolei weseliła się w karczmach. Ponownie zaczęły chodzić turonie, niedźwiedzie i wilki, drogami włóczyły się tabuny wesołych przebierańców, odwiedzających domy i zbiera-

147

jących dary. Specjalnie na mięsopust przygotowywano wesołe piosenki.

Mikołaj Rej w *Postylli Pańskiej* krytykował: „W niedzielę mięsopustną kto zasię nie oszaleje na urząd jako ma być, twarzy nie odmieni, maszkar, ubiorów ku dyabłu podobnych sobie nie wymyśli, już jakoby nie uczynił krześcijańskiej powinności dosyć".

Ale Wacław Potocki w *Ogrodzie fraszek* w pełni już ten zwyczaj akceptował:

> ...od pogan*ów* zaczęty, dziś trwa zwyczaj stary,
> *Na święta bachusowe ubierać maszkary (...)*

Maskarady, maszkary, czyli zabawy z „zakładaniem masek" niezwykle polubili mieszczanie i szlachta.

Włoski zwyczaj urządzania maskarad i publicznych balów maskowych, czyli redut, zrodził się w Polsce najprawdopodobniej w 1518–1519 roku, dzięki królowej Bonie. „Wybierano zwykle jakiś przedmiot mitologiczny i stosownie do tego przebrawszy się, urządzano pochód publiczny wśród zachwyconego (...) ludu, licznych dworzan i gości".

Reduty odbywały przez cały karnawał po trzy, cztery i pięć razy w tygodniu. Początkowo „samym tylko panom znajome" – jak pisał Kitowicz – „poczęły zwabiać do siebie i pospólstwo".

Pierwszym organizatorem redut publicznych, które odbywały się w Warszawie na Nowym Mieście, był Włoch Salvador. Niebawem zaczęły powstawać mniejsze i większe salony redutowe; w wielkich bawiło się i po tysiąc osób, tańcząc, grając w karty, płatając sobie figle. Nieocenioną przysługę oddawały maski. I to nie tylko osobom niższego stanu, pragnącym bawić się z panami, ale też żonom, chcącym uniknąć zazdrosnego męża, i mężom, chcącym uciec od towarzystwa żony. Już na początku XVI wieku znane były wyroby krakowskich rzemieślników – trzy rodzaje zapustnych masek dla dam, później „maski były rozmaite, panieńskie, białogłowskie, babskie, murzyńskie".

148 „Na redutach po zapłaconym bilecie te (...) dwie rzeczy służyły

wszystkim w powszechności darmo: światło i kapela. Resztę trzeba było sowicie opłacić. (...) Szklanki wody czystej nie dano tam za darmo... Piwo krajowe na redutach nie było w modzie; oznaczało wieśniaka, kto go żądał... Pieczeń cielęca w ćwiartce całkowitej... Wołowych pieczeni i innych potraw grubych nie dawano... kto zaś chciał tylko posiłku z samych zimnych rzeczy, dostał wszystkiego, czego chciał, szynków, ozorów, salcesonów itp., zapłaciwszy każdą rzecz".

Głośno też było o balach karnawałowych w Gdańsku. Najsławniejsze urządzano w Dworze Artura i w domach cechowych, gdzie miały bardzo urozmaicony przebieg: „Na jednej ulicy kuśnierze, poprzebierani za Murzynów, ustrojeni w korony ze światełkami na głowach i obręczami w rękach produkowali słynny zespołowy taniec – moreskę. Na drugiej występowali, skacząc i pląsając, rzeźnicy potrząsający groźnie swymi toporami. Gdzie indziej jeszcze szyprowie prezentowali tradycyjny taniec marynarski z obnażonymi mieczami" (M. Bogucka *Życie codzienne w Gdańsku w XVI–XVII w.*).

Najsłynniejsze jednak były bale warszawskie.

W latach międzywojennych zwyczajem stały się bale na cele dobroczynne; dziś również takie są organizowane. Tak więc przedwojenna kpina poety Jana Lemańskiego stała się znowu aktualna:

> Par tanecznych cudny szereg:
> Polka, mazur, walc, oberek.
> Kręci się w czarownym kole –
> Ta na ludu głód niedolę.
> Perfum zaduch, dech kobiecy,
> Na rzecz więzień i fortecy,
> Na tych biednych duszą całą
> Dobroczynne tańczy ciało.
> Oczy – gwiazdy, lica – róże,
> W polkach – ogień, szał – w mazurze.
> Stop! Kolacya. Szereg wódek
> Pijesz na ten biedny ludek.
> Łzy nad społeczeństwem chorem
> Lejąc, bułkę jesz z kawiorem.
> Zupa. Polski barszcz podali,

Jesz go: jesz na rzecz szpitali.
Pasztet jesz na rzecz podrzutków,
Mózg – dla szkół, drób – dla ogródków,
I kapustę jesz brukselkę
Na niedole nasze wszelkie.
Na przytułki i na złóbki
Ze Strassburga jesz wątróbki,
Dobrze czyniąc biednej dziatwie,
Pierś ogryzasz kuropatwie.
Z kremu wjeżdża legumina:
Niech korzysta biedna gmina.
Potem lody; jesz te lody
By uśmierzyć biednych głody.
Serów bukiet jesz na finisz,
Ćwiczysz smak i dobrze czynisz.
Smakowite pić likwory
Dobrze jest na ludek chory.

(J. Leśmian *Dobry uczynek*)

❖ BARSZCZ KRÓLEWSKI ❖

Składniki:

500 g dziczyzny (przodki zająca, kawałki sarny, jelenia lub dzika etc.),
500 g buraków, włoszczyzna bez kapusty, cebula, kawałeczek cynamonu,
1–2 goździki, po2–3 ziarenka angielskiego ziela, jałowca i pieprzu, kawałek
skórki z cytryny, ząbek czosnku, 2–3 suszone grzyby,
4 szklanek przegotowanej wody, 3 szklanki kwasu buraczanego,
pół szklanki gęstej śmietany, 1 surowe żółtko, pół szklanki przetartych
przez sito kwaśnych wiśni, sól, pieprz, cukier do smaku

Dokładnie wyszorowane buraki pieczemy w piekarniku. Umyte grzyby namacza-my w niewielkiej ilości wody. Umytą dziczyznę wkładamy do rondla, dodajemy korzenie, zioła, skórkę z cytryny, cebulę, grzyby. Zalewamy wodą, doprowadzamy do wrzenia, odszumowujemy, a następnie gotujemy na niewielkim ogniu pod przykryciem około 1,5 godziny. Przecedzamy. Obrane buraczki ścieramy na jarzy-nowej tarce, łączymy z rosołem z dziczyzny, dodajemy roztarty z solą czosnek, za-gotowujemy, wlewamy kwas buraczany, doprawiamy do smaku solą, pieprzem, cukrem. Zagotowujemy, dodajemy przetarte przez sito wiśnie, pokrojone w cienkie paseczki grzyby i pokrojone w kostkę (obrane z kości) mięso. Zaciągamy śmietaną dokładnie rozkłóconą z żółtkiem.

❖ CIETRZEW W SOSIE MORELOWYM ❖

Składniki:

Cietrzew, 150 g słoniny, 2 cebule, 100 g łuskanych orzechów włoskich,
150 g suszonych moreli, sól, szczypta cukru, 2 łyżki masła

Marynata:

1 szklanka białego wytrawnego wina, otarta skórka i sok z cytryny,
2 goździki, po 2–3 ziarenka pieprzu i angielskiego ziela,
5–7 ziarenek jałowca, po szczypcie cukru i imbiru

Zagotowujemy marynatę. Sprawionego i umytego cietrzewia myjemy, układamy w kamiennym garnku, zalewamy przestudzoną marynatą, marynujemy 4–5 dni, od czasu do czasu przekręcając ptaka, aby się równo zamarynował. Po wyjęciu z marynaty osuszamy, nacieramy solą, szpikujemy paskami słoniny. Umyte morele namaczamy w niewielkiej ilości wody, zagotowujemy, orzechy drobno siekamy. Cietrzewia układamy w posmarowanej masłem brytfannie, polewamy stopionym masłem i pieczemy, skrapiając przecedzoną marynatą. W połowie pieczenia dodajemy pokrojoną drobno cebulę, morele i orzechy. Upieczonego ptaka wyjmujemy, dzielimy na porcje układamy na ogrzanym półmisku, trzymamy w cieple. Sos przecieramy przez sito, doprawiamy do smaku solą, cukrem imbirem, podgrzewamy. Podajemy w sosjerce.

❖ PRZEPIÓRKI NADZIEWANE FIGAMI ❖

Składniki:

8 przepiórek, 8 suszonych fig, szklanka wytrawnego białego wina,
1–2 ząbki czosnku, łyżeczka suszonego tymianku, drobno pokruszony listek
laurowy, sól, pieprz, łyżka soku z cytryny, pół szklanki bulionu,
łyżka tartej bułki, 2 łyżki masła

Suszone figi zalewamy winem, zostawiamy na 1–2 godziny. Sprawione, umyte i osuszone przepiórki nacieramy solą, pieprzem i sokiem z cytryny. Figi wyjmujemy z wina, nadziewamy ptaki, obwiązujemy nitką, obsmażamy ze wszystkich stron na stopionym maśle. Przekładamy do rondla, zalewamy winem, posypujemy tymiankiem, drobniutko posiekanym czosnkiem i pokruszonym listkiem laurowym i dusimy pod przykryciem na małym ogniu około 10 minut, po czym posypujemy tartą bułką, wlewamy bulion i dusimy następne 10 minut. Z miękkich przepiórek usuwamy nitki, ptaki układamy na silnie ogrzanym półmisku, przetarty przez sito sos podgrzewamy, podajemy w sosjerce.

<h2 style="text-align:center">❖ BAŻANT FASZEROWANY ❖</h2>

Składniki:

1 dobrze skruszały bażant, 100 g chudej szynki, 50 g bekonu,
1½ łyżki drobno posiekanej zielonej szałwii, sól, pieprz, łyżka soku
z cytryny, 2–3 łyżki oliwy, pół szklanki białego wytrawnego wina

Sprawionego, umytego i osuszonego bażanta nacieramy solą, pieprzem, sokiem z cytryny, zostawiamy na 3–4 godziny w lodówce. Drobno posiekaną szynkę mieszamy z szałwią, nadziewamy bażanta, spinamy wykałaczkami, owijamy cieniuteńkimi plasterkami bekonu, układamy na posmarowanej oliwą blasze, wstawiamy do nagrzanego piekarnika i pieczemy ok. 40 minut, skrapiając lekko winem, po czym zdejmujemy bekon, zrumieniamy ptaka. Zlewamy sos spod pieczenia, miksujemy z bekonem i pozostałym winem. Sos podajemy w sosjerce.

<h2 style="text-align:center">❖ BLANC-MANGER CZEKOLADOWY ❖</h2>

Składniki:

2 szklanki śmietanki, szklanka mleka, 100 g twardej gorzkiej czekolady,
100 g cukru, 2 surowe żółtka, torebka cukru waniliowego, 3 łyżki żelatyny

Mleko zagotowujemy z cukrem waniliowym, rozpuszczamy w nim żelatynę. Żółtka ucieramy z cukrem na pianę. Zagotowujemy śmietankę, zdejmujemy z ognia, wrzucamy startą czekoladę, dokładnie mieszamy, aż się czekolada rozpuści. Łączymy z mlekiem i utartymi żółtkami, podgrzewamy na małym ogniu, stale mieszając, a gdy krem zacznie gęstnieć, rozlewamy do pucharków, studzimy, wstawiamy do lodówki na 1–2 godziny.

<h2 style="text-align:center">❖ FLAMMERI ❖</h2>

Składniki:

1⅛ l mleka, szklanka cukru, 120 g mąki ziemniaczanej (lub ryżowej),
kieliszek maraskino, 6 surowych białek

Sos:

> 2 szklanki słodkiej śmietanki, 150 g cukru, 8 gorzkich migdałów,
> 6 surowych żółtek, łyżeczka mąki ziemniaczanej, kieliszek maraskino.

Przygotowujemy sos: zagotowujemy słodką śmietankę z roztartymi na proszek obranymi ze skórki gorzkimi migdałami, wlewamy żółtka utarte z cukrem i rozrobioną w 2 łyżkach zimnego mleka mąką ziemniaczaną. Podgrzewamy, ubijając trzepaczką, studzimy, dokładnie mieszamy z likierem, schładzamy.

Zagotowujemy 1 l mleka z cukrem, pozostałe zimne mleko bardzo dokładnie mieszamy z mąką ziemniaczaną. Wlewamy do mleka i stale mieszając, podgrzewamy, aż krem zgęstnieje. Zdejmujemy z ognia, lekko studzimy. Ubijamy na sztywno pianę z białek. Do mlecznego kremu dodajemy likier i ubitą pianę, delikatnie, ale dokładnie mieszamy. Wypłukaną w bardzo zimnej wodzie formę wypełniamy przygotowaną masą, zostawiamy w chłodnym miejscu do stężenia. Schłodzony, stężały deser wykładamy na półmisek, polewamy sosem.

❖ KAWOWA FANTAZJA ❖

Składniki:

> Łyżka drobno zmielonej kawy, szklanka wrzątku, łyżka startej gorzkiej
> czekolady, szczypta mielonego cynamonu, 2 łyżki świeżej bitej śmietany

Do ogrzanej szklanki wsypujemy kawę, do drugiej czekoladę i cynamon. Do każdej wlewamy po pół szklanki wrzątku, dokładnie mieszamy, po czym wszystko łączymy. Dekorujemy bitą śmietaną.

❖ KAWA Z MIODEM I IMBIREM ❖

Składniki:

> 6 łyżek drobno zmielonej kawy, pół łyżeczki mielonego imbiru,
> 8 łyżek miodu, 2 szklanki przegotowanej wody, szklanka bitej śmietanki

Do rondelka wsypujemy imbir, zalewamy wodą, doprowadzamy do wrzenia, a później gotujemy na niewielkim ogniu około 3 minut. Do dzbanka wlewamy rozpuszczony miód, wsypujemy kawę, zalewamy imbirowym wrzątkiem. Dokładnie mieszamy i studzimy. Podajemy z bitą śmietaną.

❖ SKĄD SIĘ WZIĄŁ KARNAWAŁ? ❖

W starożytnej Grecji wczesną wiosną obchodzono Antesterie – trzydniowe święto budzącej się do życia przyrody, ale i umarłych. Pierwszy dzień, zwany „Otwarcie beczki", to otwarcie się świata podziemnego. W tym dniu witano dusze zmarłych i jednocześnie zabezpieczano się przed nimi. Znacznie później naprawdę otwierano w tym dniu beczki z ubiegłorocznym winem, mającym symbolizować łączność żywych ze zmarłymi.

Drugiego dnia po złożeniu zmarłym ofiary z wina odbywały się procesje ustrojonych w wianki osób, prześcigających się w piciu wina. Procesjom towarzyszyły swawolne tańce i śpiewy.

Trzeci dzień to „Garnki". W tym dniu Hadesowi – bogowi podziemi i świata zmarłych – składano w ofierze gotowane ziarna zbóż i wino w dzbanach.

Na koniec wypędzano biedne duchy okrzykami: „Precz, precz, precz!".

W starożytnym Rzymie w tym samym miesiącu (lutym) obchodzono wiosenne zaduszki – Feralia. I tu, jak w Grecji, składano duchom ofiary z soli, owoców, mąki, urządzano wesołe pochody i pijackie zawody. Wierzono, że w tych dniach duchy przodków są wśród żywych, dlatego zabezpieczano się przed ich złą mocą na różne sposoby. W efekcie powstały liczne zakazy i gusła.

Ten sam czas i niezwykłe podobieństwo obchodzenia Antesterii i Feraliów sprawiły, że „okręt boga Dionizosa w Rzymie zwanego Bachusem przybił do Rzymu jako *carrus navalis*, a stąd poszedł na całą Europę". W Hiszpanii, Portugalii i Francji nazwano go carnaval, u nas karnawał lub zapusty; od wieków jest w Polsce „uprzywilejowaną porą wszelkiego rodzaju zabaw, widowisk, maszkar, uczt, wesołości i pustoty", porą wesel i porą słynnych kuligów.

Wiele było tłumaczeń pochodzenia słowa karnawał. Uważano, że pochodzi od *carne avaler* – połykać mięso albo od *carne levamen* – z mięsa się oczyszczać, albo od *carne vale* – mięso żegnaj. Znajdowano też polskie pochodzenie słowa – od „nawału kar", które przyniesie post (konieczność odpokutowania grzechów).

A że niezwykle wesoło obchodzono w Polsce ten czas, zdaje się świadczyć opinia, jaką w XVI wieku przedstawił sułtanowi Sulejmanowi II Wspaniałemu, po zimowym pobycie w Polsce, jego poseł: „w pewnej porze roku chrześcijanie dostają wariacji i dopiero jakiś proch sypany im w kościele na głowy leczy takową".

MATKI BOSKIEJ GROMNICZNEJ

Święto Ofiarowania Pańskiego, przypadające na 2 lutego, kończy zwyczajowo pojmowany okres Bożego Narodzenia. Do czasu soborowej reformy liturgicznej uroczystość ta była uznawana przez Kościół za jeden z trzech najważniejszych punktów świątecznego cyklu zimowego, do którego należą: Boże Narodzenie, Trzech Króli i Ofiarowanie Pańskie, w liturgii greckiej noszące nazwę *Hypapante* – uroczyste spotkanie, interpretowane jako spotkanie Starego Przymierza z Nowym, data pierwszego pojawienia się Jezusa w jerozolimskiej świątyni i spotkania z Symeonem.

Według prawa mojżeszowego każdy syn pierworodny należy do Boga. Kiedy minęło czterdzieści dni od porodu, młode matki udawały się do świątyni, przedstawiały nowo narodzonego syna Bogu i dokonywały symbolicznego wykupienia, składając ofiarę z baranka; ofiarą biedaków była para synogarlic lub młodych gołębi. Wykupienie pierworodnego wiązało się ze zwyczajowym oczyszczeniem matki po urodzeniu dziecka. A tak na marginesie – zwyczaj oczyszczenia przejęło chrześcijaństwo i był on kontynuowany jeszcze w okresie międzywojennym, rzadziej w mieście, ale często w parafiach wiejskich. Obrzęd ten zwał się w Polsce „wywodem". Kobiecie klęczącej przed kratką prezbiterium kapłan podawał zapaloną świecę, odmawiał modlitwę, a kończąc ją, kropił święconą wodą i kobieta, już „oczyszczona", obchodziła z zapaloną świecą „ofiarę" wokół głównego ołtarza świątyni. Święto Matki Boskiej Gromnicznej było przed wojną świętem kościelnym i dniem wolnym od pracy; zlikwidowane zostało zaraz po II wojnie.

Już w V wieku dzień 2 lutego obchodzono niezwykle uroczyście w Jerozolimie, a najważniejsza była procesja ze świecami, upamiętniająca nazwanie Jezusa „światłem na oświecenie pogan". W Europie święto Ofiarowania stało się powszechne w VII wieku i głównym jego bohaterem był Chrystus. W Polsce jednak, gdzie od dawien dawna najwyższą cześć oddawano Matce Boskiej, obchodzi się ten dzień jako dzień Oczyszczenia, stąd jego maryjny charakter i jego nazwa Matki Boskiej Gromnicznej. Nasi przodkowie głęboko wierzyli, że „Maryja gromnicą symbolizująca Pana Jezusa odpędzi od nich wszelkie zło".

„Jak piątek panu Jezusowi tak sobota poświęcona była Matce Boskiej; w tym dniu we wszystkich domach zapalano światło pod jej obrazami. Wszystkie święta Bogarodzicy obchodził cały naród bardzo uroczyście – tak jej Oczyszczenie 2 lutego Matki Boskiej Gromnicznej; jak Zwiastowanie 25 marca; Wniebowzięcie – 15 sierpnia nosi nazwę Matki Boskiej Zielnej; Narodzenie – 8 września – Matki Boskiej Siewnej i Niepokalane poczęcie – 8 grudnia"- pisał Gloger.

I choć odnowiona liturgia zwraca przede wszystkim uwagę na fakt ofiarowania Dzieciątka Zbawiciela w świątyni jerozolimskiej, to w kalendarzu polskich świąt jest to święto Matki Boskiej. A ponieważ ze Świętem Ofiarowania nierozłącznie związana jest bogata symbolika światła, nosiło ono niegdyś nazwę *Festum candelarum*, czyli uroczystość świec, bliską polskiej nazwie święta Matki Boskiej Gromnicznej.

W dzień oczyszczenia Najświętszej Marii Panny święci się grube woskowe świece, dawniej odlewane przez kościelnych w specjalnych blaszanych formach. Wierni przychodzą z tymi okazałymi świecami, zwanymi „gromica czyli chronić od gromów mająca" do kościoła, ksiądz święci je i palą się one podczas nabożeństwa. Potem „zapaloną gromnicę z kościoła niosą do domu; kto płomień zachowa, albo komu trzy krople wosku na rękę padną, ten szczęśliwą ma wróżbę". / 57

Znaczenie symboliczne gromnic, jak w ogóle światła w liturgii, płynie ze słów Ewangelii wg św. Jana, że „Chrystus jest światłością prawdziwą, która oświeca wszelkiego człowieka, na ten świat przychodzącego". Modląc się podczas święcenia gromnic, kapłan prosi Boga, ażeby swoją „nauką i łaską umysł ludzi oświecał, a miłością serca ich zapalał".

O tym jak mocno z polską tradycją związane jest to święto, najlepiej świadczy jego obecność w poezji, literaturze, malarstwie. Najbardziej znanym wizerunkiem Gromnicznej jest obraz Piotra Stachiewicza z cyklu „Legendy o Matce Boskiej", przedstawiający Marię idącą przez zaśnieżony krajobraz, a obok bojaźliwie nastroszone stado wilków. Polskie obchody tego święta najlepiej chyba opisał dziewiętnastowieczny poeta Kazimierz Laskowski:

> (...) Płyną tony nabozne,
> Jak ta zamieć nad gajem!
> Poprzez pola, przez śniezne,
> Ciągną ludzie przełajem.
> Brną do kolan w śniezycy
> Jak w mokradli nadrzecznej...
> Oj, usłałoz, usłałoz!
> W dzień Maryi Gromnicznej!
> Hula wicher po polu, szumi zamieć po borze;
> stary kościół z modrzewia
> Dziwnie płonie i gorze.
> Przez otwarte ościerze
> Lud przeciska się ławą (...)
> W kazdym ręku gromnica
> jarkim światłem się świeci (...)
> A ludziska wzdychają
> Ze az ściany się trzęsą
> Do tej Pani w ołtarzu
> W pozłocistym robronie
> Do tej Matki Gromnicznej
> O śmierć lekką przy zgonie (...)
> Idą ludzie z kościoła
> Bez obawy i lęku —

Ten się śmierci nie boi
Co gromnice ma w ręku!

(K. Laskowski *Na Gromniczną*)

Poświęcona gromnica jest oznaką wiary, nadziei i miłości. Wierzono, że posiada magiczną moc przepędzania wszelkiego zła. Towarzyszyła umierającemu, a w ludowych zwyczajach obarczona została różnymi trudnymi zadaniami. W wierzeniach wielu krajów zapalenie poświęconej świecy rozprasza ciemności, chroni przed niepogodą, gradobiciem, powodzią, chorobą.

„W każdym polskim domu zarówno pańskim, jak kmiecym była gromnica i palma, na krzyż nad łóżkiem związane". Była pieczołowicie przechowywana w domach. Zapalano ją przed obrazem Matki Boskiej w każde maryjne święto, podczas gwałtownych burz stawiano zapaloną w oknie od strony nadciągającej nawałnicy, wcześniej jednak obchodzono z nią dom dookoła – do tak zakreślonego kręgu nieszczęście nie miało dostępu. Wierzono też, że jej blask odstrasza wilki, dlatego zabierano ją, wyruszając w podróż przez las. Nastrój dawnych trwożnych wiejskich wieczorów, gdy w gromnicach szukano ratunku, najlepiej chyba oddaje wiersz Kazimiery Iłłakowiczówny:

Na Gromniczną jest prześliczna sanna.
Przelata lasami z archaniołami
Maryja Panna
Już gromnice-wilcze świece
w chaszczach.
Podróżnych i sanie
Maryja osłania
Niebieskim płaszczem.
Po ogień Twój święcony,
Wiszący nad woskiem gromnic,
Przez las kolący i wyjące wilki
Idę bez wszelkiej obrony

Wiara w to, że poświęcona gromnica chroni przed wilkami, wzięła się z legendy, według której Matka Boska ocaliła małego wilczka

159

przed rozsierdzonymi chłopami i uczyniła go swoim sługą. Odtąd broniła ludzi przed wilkami, ale i wilki przed ludźmi:

> *A kiedy jasną gromnicą świeci*
> *Panna przeczysta pośród zamieci*
> *Tuz i gromniczny Wilk za swą panią*
> *Jarzy ślepiami*

Stare polskie przysłowie mówi: „Gromnica, zimy połowica".

Dzień 2 lutego, zwany Imbolc, był pradawnym celtyckim świętem związanym z nadejściem wiosny i ciepłem słońca. Wyznawcy pogańskich wierzeń zapalali w tym dniu ogniska i chodzili z pochodniami, aby przyśpieszyć powrót słońca – źródła płodności ziemi.

> *Pośród nocy cichej*
> *W sukience płótnianej*
> *Ku wioszczynie lichej*
> *Idzie niebios Pani (...)*
> *Ona to płomieniem*
> *Gromnicznej światłości*
> *Zimę w wiosnę zmieni*
> *Smutek w pieśń radości.*
>
> (A. Leśniak *Gromniczna gaździna*)

Choć Gromniczna zapowiadała wiosnę, to dzień 2 lutego powinien być zimowy, bo: „Gdy słońce świeci na Gromnicę, to przyjdą mrozy i śnieżyce", „Gdy na Gromnicę z dachu ciecze, zima się jeszcze przewlecze" i „Gdy na Gromniczną roztaje, rzadkie będą urodzaje".

Według starych polskich zwyczajów Gromniczna to był ostatni dzień, kiedy kawaler powinien oświadczyć się o rękę panny, aby ślub mógł odbyć się jeszcze w karnawale. „W dzień Panny Gromnicznej – bywaj zdrów mój śliczny" – mawiano do kawalerów, którzy do tego dnia się nie oświadczyli.

TŁUSTY CZWARTEK

Zapowiedzią nadchodzącego końca zapustów jest czwartek – od tłustych biesiad zwany tłustym, niezwykle hucznie i wesoło obchodzony.

> Gdy uderzył wielki dzwon,
> objął w świecie pączek tron.
> Król przez wszystkich ukochany,
> piękny, pulchny i rumiany,
> W brzuszku wprawdzie miał on dziurę,
> lecz w tej dziurze konfiturę.
> Okazale i wspaniale siadł król Pączek na krysztale;
> A wokoło jego dworki, wysmukłe, kruche faworki,
> Na półmiskach legły szynki i kanapki i tartynki.
> Co za hałas, co za gwar! Tańczy chyba ze sto par.
> Bo za króla Pączka hula nawet dziaduś i babula...
> Świat się cały w kółko kręci, tańczy, hula bez pamięci (...)
>
> (J. Mączyński *Losy króla pączka*)

„Tłusty Czwartek jest dniem uprzywilejowanym u Polaków do biesiad zapustnych, na których muszą być u możniejszych pączki i chrust czyli faworki, chruścik, a u ludu reczuchy, pampuchy..." pisał Gloger.

I rzeczywiście, dzień ten do dzisiaj nie może obejść się bez tradycyjnych pączków, które kiedyś smażono prawie w każdym polskim domu: „Powiedział nam Bartek, że dziś tłusty czwartek; myśmy uwierzyli, pączków nasmażyli". Ale tłustoczwartkowymi przysmakami były też bałabuchy – pszenne bułeczki polane roztopioną słoniną ze skwarkami, hreczuszki, oładki, raczuchy – placki wypiekane z gryczanej mąki, plińce, słodkie racuchy.

❖ PĄCZKI POLSKIE ❖

Składniki:

1½ szklanki mąki, 30 g drożdży, 6 żółtek, ćwierć szklanki cukru,
7 łyżek masła, łyżka czystej wódki, szklanka przegotowanego ciepłego mleka,
¾ łyżeczki soli, łyżka cukru, otarta skórka z 1 cytry; smalec do smażenia,
konfitura z róży do nadziewania, cukier puder wymieszany z wanilią

Laskę wanilii kroimy na mniejsze kawałki, wkładamy do cukru pudru, zostawiamy na kilka dni.

Drożdże ucieramy z łyżką cukru, dolewamy ćwierć szklanki mleka, przykrywamy, zostawiamy w cieple. Z cukru i żółtek ucieramy puszysty kogel-mogel, dokładnie mieszamy z pozostałym mlekiem. Ogrzaną mąkę i sól przesiewamy do miski, wlewamy żółtka z mlekiem, drożdże, dodajemy otartą skórkę z cytryny, dokładnie mieszamy, dodajemy wódkę, a później wyrabiamy ciasto, aż stanie się gładkie i lśniące. Przykrywamy i zostawiamy w cieple do wyrośnięcia. Lekko natłuszczonymi dłońmi odrywamy małe kawałki ciasta, rozpłaszczamy na dłoni, nakładamy konfiturę z róży, zbieramy ciasto wokół konfitury, sklejamy dokładnie, aby utworzyła się niewielka kula. Układamy (zlepioną stroną do dołu) na posypanej mąką serwecie, przykrywamy ściereczką, zostawiamy do wyrośnięcia. Gdy podrosną, przewracamy na drugą stronę, przykrywamy i ponownie zostawiamy na chwilę. W płaskim rondlu z grubym dnem mocno rozgrzewamy smalec. Sprawdzamy, wrzucając kawałek ciasta – gdy się od razu zrumieni, można smażyć pączki. Na gorący smalec wkładamy partiami pączki, smażymy na średnim ogniu bez przykrycia. Gdy się zrumienią z jednej strony, obracamy. Smażenie pączków bez przykrycia sprawia, że po obróceniu wypływają wyżej, a w środku tworzy się równiutka jaśniejsza obrączka. Po wyjęciu osączamy z nadmiaru tłuszczu, posypujemy przesianym cukrem pudrem.

❖ PĄCZKI BAŚKI Z KONFITURĄ Z WIŚNI ❖

Składniki:

1 kg mąki, 80 g drożdży, łyżeczka cukru, 2 szklanki mleka, pół szklanki
stopionego masła, 8 żółtek, pół szklanki cukru, sól, konfitura z wiśni,
cukier puder, tłuszcz do smażenia

Rozdrabniamy drożdże z łyżką mleka i łyżeczką cukru, zostawiamy w cieple.
Ucieramy żółtka z cukrem na pianę, dodajemy stopione masło i cały czas ucierając, dodajemy stopniowo mleko i przesianą mąkę. Dodajemy zaczyn drożdżowy
i sól i wyrabiamy gładkie, lśniące ciasto tak długo, aż pojawią się pęcherzyki. Zostawiamy do wyrośnięcia, po czym ponownie wyrabiamy. Dzielimy na porcje, każdą
rozwałkowujemy na dość gruby placek, wycinamy kółka, nakładamy konfiturę
z wiśni, dokładnie sklejamy po 2 kółka, smażymy partiami.

❖ SEROWE PĄCZKI MAŁGOSI ❖

Składniki:

1½ szklanki mąki krupczatki, 300 g półtłustego twarogu, 3 łyżki cukru,
pół szklanki mleka, 60 g masła, 30 g drożdży, 2 całe jajka, 2 żółtka, otarta
skórka z 1 pomarańczy, łyżka soku z pomarańczy, sól, tłuszcz do smażenia,
cukier puder do posypania

Drożdże ucieramy z łyżeczką cukru, 2–3 łyżkami mąki, dokładnie mieszamy
z mlekiem, zostawiamy w ciepłym miejscu do wyrośnięcia. Twaróg dwukrotnie
przepuszczamy przez maszynkę. Masło ucieramy z cukrem na pianę i cały czas
ucierając, stopniowo dodajemy żółtka i jajka, a następnie zmielony ser. Do utartej
masy dodajemy otartą skórkę z pomarańczy, przesianą mąkę, rozczyn, sok z pomarańczy i sól. Wyrabiamy ciasto, przykrywamy, zostawiamy do wyrośnięcia.
Z ciasta formujemy niewielkie kule, układamy na posypanej mąką stolnicy, przykrywamy i ponownie zostawiamy do wyrośnięcia. Potem smażymy partiami
w rozgrzanym tłuszczu, osączamy, posypujemy cukrem pudrem.

❖ PĄCZKI PARZONE ❖

Składniki:

3½ szklanki mąki, 40 g drożdży, 8 surowych żółtek, 2 jajka, 1½ łyżki cukru, 8 łyżek
stopionego masła, 2 szklanki mleka, otarta skórka z 1 cytryny, kieliszek rumu, pół
łyżeczki soli, powidła śliwkowe, smalec do smażenia, cukier puder do posypania

Drożdże ucieramy z łyżeczką cukru i 2–3 łyżkami letniego mleka, przykrywamy, zostawiamy w ciepłym miejscu. Pozostałe mleko zagotowujemy, zdejmujemy z ognia, na wrzące wsypujemy stopniowo mąkę (szklanka), cały czas mieszając, aby nie dopuścić do powstania grudek. Ucieramy na gładką, jednolitą masę, dodajemy rozczyn z drożdży, dokładnie mieszamy. Przykrywamy, zostawiamy w ciepłym miejscu na godzinę. Żółtka dokładnie roztrzepujemy z całymi jajkami i ubijając, stopniowo dodajemy cukier. Ubijamy, aż do uzyskania puszystej masy, po czym mieszamy z wyrośniętym ciastem, dodajemy skórkę z cytryny, przykrywamy i zostawiamy w cieple. Gdy ciasto podwoi swoją objętość, wyjmujemy na stolnicę, dodajemy sól, rum i pozostałą mąkę i dokładnie wyrabiamy ciasto przez 15–20 minut. Wlewamy stopione przestudzone masło i ponownie wyrabiamy, aż do połączenia ciasta z masłem. Przykrywamy i zostawiamy w cieple. Dzielimy ciasto na porcje, każdą rozwałkowujemy na dość gruby placek, wycinamy kółka, na środek kładziemy powidła śliwkowe, sklejamy, układamy na omączonej serwecie, zostawiamy do wyrośnięcia, po czym smażymy w gorącym smalcu.

❖ PĄCZKI Z RODZYNKAMI ❖

Składniki:

500 g mąki, 50 g drożdży, 100 g cukru, szklanka śmietanki kremówki,
pół szklanki mleka, 100 g masła, 150 g rodzynek, paczka cukru
waniliowego, sól, olej do smażenia, szklanka cukru pudru,
łyżka mielonego cynamonu

Dokładnie mieszamy cukier puder z cynamonem. Drożdże rozdrabniamy, ucieramy z łyżeczką cukru i ciepłym mlekiem, zostawiamy w cieple. Mąkę przesiewamy na stolnicę, dodajemy masło (80 g), sól, cukier i cukier waniliowy, dokładnie siekamy nożem. Wlewamy śmietankę i rozczyn drożdżowy, wyrabiamy lśniące, gładkie ciasto. Przykrywamy ściereczką, zostawiamy w cieple na pół godziny. Umyte rodzynki sparzamy wrzątkiem, osuszamy, dodajemy do ciasta, dokładnie wyrabiamy. W płaskim rondlu mocno rozgrzewamy olej. Zanurzaną w stopionym maśle łyżką nakładamy porcje ciasta na gorący olej, smażymy partiami. Po wyjęciu osączamy z nadmiaru tłuszczu, posypujemy cukrem z cynamonem.

❖ CHRUST – FAWORKI ❖

To drugi karnawałowy przysmak, znacznie szybszy i łatwiejszy w przyrządzaniu niż pączki. W staropolskiej kuchni „chrustem" nazywano różnego rodzaju pokrojone lub lane ciastka smażone w głębokim tłuszczu. Przygotowywano je z ciasta biszkoptowego, lanego, a nawet drożdżowego, no i oczywiście „bitego" lub „zbijanego". Dziś faworki to płatki ciasta o składzie zbliżonym do ciasta kruchego. Ciasto powinno mieć „jedwabistą konsystencję", być miękkie i luźne, aby dało się dobrze wałkować. Niezwykle ważną sprawą jest wtłoczenie w ciasto jak największej ilości powietrza (będącego znakomitym środkiem spulchniającym); mąka powinna być więc starannie przesiana, a ciasto, po dokładnym wyrobieniu, przez kilkanaście minut wybijane o stolnicę lub wałkiem. Ciasto „zbijane" po dokładnym wyrobieniu należy przez kilka minut bić wałkiem, po czym przykryć i na godzinę zostawić w chłodnym miejscu.

Łatwiejszym sposobem przygotowywania faworków jest utarcie żółtek z cukrem, masłem, z dodatkiem śmietany i spirytusu oraz takiej ilości mąki, aby dało się to łatwo zrobić. Po wyłożeniu na stolnicę dodajemy pozostałą mąkę i szybko wyrabiamy ciasto. Zarówno w jednym, jak i drugim przypadku ciasto musi odpocząć, potem wałkujemy ciasto partiami i od razu smażymy (w przeschnięte ciasto łatwiej wsiąka tłuszcz i faworki są niesmaczne).

Najlepszy do smażenia faworków jest smalec lub sklarowane masło (z dodatkiem spirytusu lub wódki, albo kilku plasterków ziemniaka). Smażymy partiami w gorącym tłuszczu (na niezbyt silnym ogniu) z obu stron na jasnozłoty kolor. Kruchości faworkom dodaje duża ilość żółtek i mała ilość tłuszczu i cukru. Powierzchnia usmażonych z dobrze wyrobionego ciasta faworków powinna być pokryta pęcherzykami, co zwiększa ich lekkość i kruchość.

❖ CHRUST ŻÓŁTKOWY, czyli FAWORKI BITE ❖

Składniki:

5 żółtek, pół szklanki cukru, pół szklanki śmietany, 1½–2 szklanki mąki,
łyżeczka soku z cytryny, tłuszcz do smażenia,
cynamon z cukrem pudrem do posypania

Ucieramy żółtka z cukrem na pianę, wlewamy śmietanę, dokładnie mieszamy i stopniowo, stale mieszając, dosypujemy przesianą mąkę. Pod koniec wyrabiania ciasta dodajemy sok z cytryny. Doskonale wyrobione ciasto rozwałkowujemy na posypanej mąką stolnicy, kroimy na paski, każdy nacinamy w środku, przekładamy. Smażymy na gorącym tłuszczu na złoty kolor, osączamy na papierowym ręczniku, posypujemy cukrem pudrem wymieszanym z cynamonem.

❖ KREPLE, czyli FAWORKI NA WINIE ❖

Składniki:

3 jajka, 1–1½ szklanki mąki, 1–2 łyżki masła, 3–4 łyżki cukru,
pół szklanki białego wina, tłuszcz do smażenia, cukier puder do posypania

Do przesianej na stolnicę mąki dodajemy masło, siekamy nożem na piasek, dodajemy pozostałe składniki i doskonale wyrabiamy ciasto jak na pierogi, po czym mocno wybijamy wałkiem, aż utworzą się pęcherzyki powietrza. Ciasto przykrywamy i pozwalamy mu odpocząć przez 1–2 godziny. Rozwałkowujemy na lekko posypanej mąką stolnicy, kroimy w cienkie paski, każdy nacinamy w środku i jeden koniec przeciągamy przez rozcięcie. Wkładamy partiami na silnie rozgrzany tłuszcz, a gdy się zrumienią, przewracamy na drugą stronę. Usmażone osączamy z nadmiaru tłuszczu na papierowym ręczniku, posypujemy cukrem pudrem.

Tłusty czwartek to początek mięsopustu, ostatnich dni karnawału, nazywanych tak, ponieważ „mięso opuszcza człeka na długie tygodnie". „Wyraz mięsopust znaczy dokładnie to samo co karnawał, którego pochodzenie wiąże się z włosko-łacińskim *carne vale* i zwrotami *carnem laxare, levare* – rozstawać się z mięsem. Mięsopust-karnawał w wielu krajach Europy obchodzono hucznie barwnymi pochodami po ulicach i placach miasta, balami maskowymi, ucztami, widowiskami teatralnymi, hulaszczymi pieśniami. Zabawy te nawiązywały do tradycji rzymskich, do bachanaliów czy saturnaliów, stąd nazwa «bachusy», w Krakowskim spotykana jeszcze w XIX wieku" – pisał Gloger. Rozpoczynają się więc najbardziej hulaszcze dni karnawału. „Król Mięsopust" pozwalał na wszystko, co w innych dniach budziło zgorszenie. Już w tłusty czwartek od świtu chodzono gromadami po ulicach przy odgłosie hucznej muzyki i tańców, wychylano też kielich za kielichem; ponownie rozpoczynało się obwożenie kurka i chodzenie z turoniem, kozą, niedźwiedziem, bocianem, konikiem, a wszystkie z wyobrażanych zwierząt miały przynosić człowiekowi szczęście i powodzenie. Bawiono się, śpiewano, płatano liczne figle. Jednym z mięsopustnych zwyczajów ludowych było wciąganie przez panny i kawalerów do karczemnej izby pnia drewna i polewanie go wodą, dopóki karczmarz nie wydał poczęstunku. Potem skokami przez pień kobiety pokazywały, jak wysoko wyrośnie im w tym roku len, a mężczyźni – jak wysoki będzie owies.

> *Mięsopust jest na panny jarmark i młodziany,*
> *Kiedy się w przyrodzone oddawają stany.*
> *Kto na on czas nie skoczy, pniem się ochrzcić może,*
> *Kto z ludźmi nie chce, z pniaki żyć musisz nieboże,*
> *I pień taki dawają włóczyć pospolicie,*
> *Dając znać, że bez druha już to drwa i nie życie*
> *To słowa siedemnastowiecznego nieznanego poety, a inny wierszokleta dodaje:*
> *Lepiej było iść leda za chłopinę*
> *W te mięsopusty, niż włóczyć szczepinę*

> (*Kiermasz wieśniacki*)

Z „zapustnych tańców" słynęło Pomorze. Było to połączenie tańca z zabawą w kłodę. Kobiety tańczyły więc lennego, a mężczyźni jędrzny taniec. Lenny, zwany inaczej „wysoki len", tańczyła starsza kobieta, starając się, jak najwyżej podskoczyć, bo wysokość podskoku wróżyła, jak wysoko len wyrośnie. W jędrznym tańcu jak najwyżej starali się skoczyć młodzieńcy – im wyższy skok, tym zboże miało być wyższe, a „potem tańczono do upadłego, aby zboże było jędrne (jędrzne)". Innym pomorskim tańcem mięsopustu, ulubionym na Kociewiu, był miotlarz. Tu między ustawionymi w rzędy dziewczętami i chłopcami tańczyła jedna osoba z miotłą, którą potem porzucała, wybierając kogoś z szeregu – chłopcy musieli natychmiast wybrać sobie partnerkę; ten, dla którego nie starczyło dziewczyny, tańczył z miotłą.

Swoje obrzędy i tańce mieli też pasterze – ci używali w tańcach kijów i łańcuchów, a także rybacy, którzy w ostatkowe wieczory schodzili się do szypra na „zeszewiny". Przez dwa dni wspólnie wiązano wielką sieć, we wtorek zawieszano ją u sufitu i najpierw wszyscy

wspólnie się w niej huśtali, a później należało się z niej jak najszybciej wyplątać. Ostatni musiał postawić pozostałym beczkę piwa. Potem wszyscy z kuflami w rękach tańczyli „wiwat", uważając, by nie
wylać ani kropli piwa.

Tym wszystkim pomorskim zabawom towarzyszył tłusty poczęstunek. Najczęściej były to pomorskie pączki, zwane „purclami",
drożdżowe ciastka „ruchaniaki" (ruchanki, ruchacze), „oparzeńce" –
rodzaj pączków z chlebowego ciasta nazwanych tak dlatego, że po
upieczeniu polewano je gorącą wodą i stopioną słoniną lub boczkiem, bądź zapustne placki ziemniaczne zwane „plińcami".

❖ KARTOFLANE PLIŃCE ZAPUSTNE ❖

Składniki:

1½ kg dużych ziemniaków, 2 surowe jajka, 3–4 łyżki mąki, duża cebula, sól,
pieprz, tłuszcz do smażenia – olej lub smalec

Obrane, umyte i osuszone ziemniaki ścieramy na tarce, odciskamy sok, dodajemy
startą na tarce cebulę, wbijamy jajka, dodajemy mąkę. Dokładnie mieszamy, doprawiamy solą i pieprzem. Na patelni mocno rozgrzewamy tłuszcz, nakładamy
łyżką niewielkie placki, smażymy z obu stron na złoty kolor.

Zwyczajem, który przetrwał niemal do dziś, jest krakowski comber i wielkopolski podkoziołek. W ostatni zapustny czwartek „po
miastach przekupki urządzały zabawę uliczną zwaną comber", najbardziej znaną w Krakowie, gdzie „Rynek cały był kołem tańca. Uciekały przed nim chłopaki, bo gdy którego baby pochwycić zdołały,
wiązały do kloca mszcząc się, że w bezżeństwie kończył zapusty,
w wieniec go grochowy stroiły i przymuszały ciągnąć kloc po rynku,
krzycząc »comber, comber«, aż się wykupił" – pisał Oskar Kolberg.

Ale według Glogera nie był to tylko krakowski zwyczaj: „comber
znany jest po wsiach radomskich, gdzie kobiety stroją w karczmie
lalkę słomianą wyobrażającą Mięsopust, chodzą z nią po domach
i zmuszają panny i mężatki do okupu. W poznańskim znowuż »cum-
ber« (cumper) to zabawa urządzana przez dziewczęta parobkom. Na
Śląsku wreszcie jeszcze dzisiaj comber jest karnawałowym przyjęciem dla kucharek".

Najprawdopodobniej comber to zabawa pochodząca z Niemiec, gdzie *Zampern* jest odpowiednikiem tyrolskiej kukły słomianej (*Eger-thansel*). Taką słomianą kukłę wnosiło się tam pannom, które w karnawale za mąż nie wyszły i zawód ten musiały okupić. Ten niemiecki zwyczaj odbił się na wielu polskich zwyczajach zapustnych.

Jak głosi stara legenda, krakowski comber wziął swoją nazwę od nazwiska znienawidzonego przez przekupki krakowskie burmistrza, który srogo je karał za najmniejsze nawet przewinienie. Mawiano więc „Pan Bóg wysoko, a król daleko, któż nas zasłoni przed Combrem". Kiedy więc umarł, a umarł podobno nagle, właśnie w tłusty czwartek, całe miasto szalało z radości, i wśród tańców i śpiewów przekazywano sobie wiadomość, że burmistrz Comber nie żyje.

Tyle legenda, a w książce *Gregorianki*, wydanej w 1600 roku, jest opis scen, które przekupki krakowskie w tłusty czwartek wyprawiały, w tak zwany babski czomber: „W dniu tym otyłe baby straganne, podzielone na roty, schodziły się z różnych ulic na rynek krakowski i naprzeciw orła rozpoczynały wesoły taniec, śpiewając pieśni combrowe (...) Od świtu w dniu tym pospólstwo krakowskie przy odgłosie hucznej kapeli, wśród pląsów, tańców, podskoków, okrzyków i wychylanych kielichów, gromadami chodziło po ulicach. Wielki czworoboczny Rynek Krakowski stawał się jednym kołem tańca (...) przekupki poprzebierane za panie, strojąc głowy w liki z wiórów stolarskich, zatrzymywały wszystkich jadących i idących ulicą (...) w dniu tym wszystko im było wolno; każdy musiał się wykupić datkiem (...)". Nic tu nie ma o srogim burmistrzu.

Tyrolskie czy krakowskie, śląskie czy radomskie jest pochodzenie tego zwyczaju, dziś już nie ma to znaczenia. Ważna była zabawa.

Od tłustego czwartku trwały szalone zabawy, ale najhuczniej bawiono się od niedzieli do północy z wtorku na środę popielcową. Ostatnie dni karnawału upływały więc wesoło, głośno i nie najtrzeźwiej. Te trzy ostatnie dni zwano dniami kusymi, szalonymi, gościnnymi lub popularnie ostatkami, i już wiele wieków temu narzekano, że: „większy zysk czynimy diabłu trzy dni rozpustnie mięsopustując, aniżeli Bogu czterdzieści dni nieochotnie poszczące" – jak pisał w XVI w. Grzegorz z Żarnowca, pisarz i kaznodzieja kalwiński, a Mikołaj Rej, też kalwin, wybrzydzał: „W niedzielę mięsopustną kto

zasię nie oszaleje (...) twarzy nie odmieni, maszkar, ubiorów ku diabłu podobnych sobie nie wymyśli, już jakoby nie uczynił chrześcijańskiej powinności dosyć".

„W kuse dni przebierali się mężczyźni za żydów, cyganów, olejka-
rzy, chłopów, dziadów; niewiasty podobnież za żydówki, cyganecz-
ki, wiejskie dziewki i kobiety; mową i gestami udając osoby, jakich
postać brały na siebie" – czytamy u Łukasza Gołębiowskiego.

Aż nadchodził wtorek, ostatni dzień karnawału przed środą popielcową, przed wielkim postem, obchodzony w całej Europie i zwany po
francusku *Mardi gras*, po angielsku *Shrove Tuesday*, a po niemiecku
Fastnachtsdienstag. Dawniej tego dnia w Paryżu paradowano po ulicach z tłustym wołem ozdobionym na łbie przepaską, któremu towarzyszyła kompania przebrana za księży i orkiestra instrumentów blaszanych; było to naśladownictwo rzymskich procesji ofiarnych.

Zapustny wtorek, zwany w Polsce „śledzikiem", to ostatnie chwile beztroskiej zabawy, z której niechętnie rezygnowano.

I ostatni wtorek biezy
Choć się dawno w głowie kręci
Rozhulany rój młodziezy
Leci w taniec bez pamięci,
Strugi wina jak fontanny
Jak ulewne płyną deszcze
Choć zar w piersiach nieustanny
Wina! Wina! Wina jeszcze!
Tańca jeszcze!....

(Wł. Syrokomla *Dni doroczne*)

Ale karnawał tak łatwo nie rezygnował, powstało więc porzekadło: „Powiedzcie wstępnej środzie, niech czeka w ogrodzie". Środa
popielcowa oznaczała więc koniec zabaw. Popielec zresztą to dziwny
czas, kiedy walczą ze sobą dwa nurty: religijno-ascetyczny i rozryw-
kowo-zwyczajowy. Z jednej strony, jak pisał Kitowicz: „Na ten Popielec zjeżdżali się i schodzili do kościołów wszyscy katolickiego wyznania, panowie nawet najwięksi nigdy go nie opuszczali (...) Taka
zaś była jeszcze pobożność Polaków (...) że nawet chorzy, nie mogą-

cy dla słabości przyjąć Popielcu w kościele, prosili o niego, aby im był
dany w łóżku". Ale też wśród tłumów idących do kościoła czatowali młodzi chłopcy, starając się przypiąć do sukien pań skorupy jajek,
kurze łapki, kości uwiązane na sznurku, indycze szyje, a wszystko po
to, by wzbudzić śmiech na poważnym nabożeństwie. Przebrani za
dziadów i cyganów młodzieńcy chodzili w tym dniu z niedźwiedziem, zbierając datki od wychodzących z kościoła. A na wsiach był
stary zwyczaj obwożenia we wstępną środę kurka drewnianego na
dwóch kółkach. Chodzono z nim po chatach i zbierano datki (ser,
masło, jaja), aby urządzić ostatnią zapustną ucztę.

Jeszcze w ostatkowy wtorek bawiono się hucznie, ale przed północą:

> *(…)kapela takt urywa,*
> *I w pół taktu taniec stawa:*
> *Bije północ… swoje prawa*
> *Święty Kościół odzyskiwa.*
> *Do pokuty! Do pokuty*

(Wł. Syrokomla Dni doroczne)

Był też stary polski obyczaj, aby w zapustny wtorek pożegnać po
skończonych tańcach karnawał „popielcowym kazaniem". Kiedy bie-
siadnicy posilali się jeszcze mięsopustnym jadłem, jeden z nich, przebrany za księdza, „w koszuli zamiast komży, pas zawiesiwszy na szyi
zamiast stuły", stawał na osłoniętym dywanem stołku niby na ambo-
nie, aby wygłosić kazanie, które powinno być pełne dowcipnych mo-
rałów i aluzji zrozumiałych tylko dla zebranych, anegdotek i senten-
cji zaskakujących głupotą. Jednego tylko nie było wolno – obrażać
uczuć religijnych i pozwalać sobie na osobiste złośliwości wobec gości. Im dłuższe i bardziej naszpikowane łacińskimi zwrotami były te
kazania, tym większy wzbudzały podziw. Wygłaszano też kazania na
„zadany temat"; każde powinno trwać co najmniej pół godziny, być
zbiorem dowcipnych i wesołych paradoksów, bez związku logiczne-
go zestawionych, a orator powinien wykazać się w nim erudycją,
wielką znajomością postaci z dziejów starożytnych i nowożytnych
i wygłaszać je płynnie, bez zacinania się i powtarzania. Oto fragment
osiemnastowiecznego kazania popielcowego, w którym mówca,

przedstawiając śmierć Bachusa, będącego symbolem karnawału, kończy: „A kiedy jego znajomi przyjdą nawiedzić go domi to w zimnym łożu jego nie zastaną dawnego przyjaciela swego, ani kota, ani szczura, ani Rusina, ani Mazura, ani wilka, ani niedźwiedzia, ani szczupaka – jeno śledzia. Tego oto, którego tutaj mam honor prezentować waszmość państwu (...) a który jest Holender prawdziwy i nie przyjechał tutaj po to, jako niegdyś jego bracia Holendrowie albo dzisiejsze Szwaby, aby nas uczyć chodzenia około jarzyn, albo zgoła rozumu, ale po to, aby był zjedzon z octem i oliwą. I ażeby pokrył z czasem swoją solą i kwasem wszystkie frykasy, marcepany i inne nudności, które niejednemu z nas z zapust zostały w gardle i kolą go jakby kości. Co z tłustym wtorkiem ma taki związek, jak babilońska wieża z pieskiem amorkiem i kupą podwiązek, a z mijającym zapustem, jak czart z odpustem, a z przybywającym popielcem, jak robiony kwiatek ze złotym cielcem" (Z. Kaczkowski *Murdelio*)

Ciekawostka: w Kalabrii, na zakończenie karnawału, w niedzielę poprzedzającą środę popielcową, na trzy dni przed rozpoczęciem wielkiego postu podaje się specjalną zieloną zupę *alla calabrese*.

❖ ZIELONA ZUPA KALABRYJSKA ❖

Składniki:

400–500 g świeżego szpinaku, szklanka osolonego wrzątku,
6 szklanek mocnego bulionu wołowego, łyżka soku z cytryny; 8–12 kromek
bułki, 1–2 ząbki czosnku, łyżka masła, łyżeczka soku z cytryny, sól

Pulpety:

500 g mielonego mięsa wołowego, 200 g tartej bułki, 150 g ostrego tartego
sera, 3–4 łyżki drobniutko posiekanej zielonej pietruszki, 3 jajka, sól, pieprz

Umyty szpinak wkładamy do rondla, zalewamy szklanką osolonego wrzątku, gotujemy 3 minuty, osączamy na sicie, siekamy. Przygotowujemy pulpety: łączymy wszystkie składniki, dokładnie wyrabiamy masę, formujemy kulki wielkości orzecha włoskiego. Zagotowujemy mocny bulion wołowy z sokiem z cytryny, na wrzątek wkładamy pulpety, dodajemy szpinak, gotujemy na małym ogniu ok. 15 minut. Posiekany czosnek ucieramy z masłem, solą i sokiem z cytryny. Na rozgrzanej patelni rumienimy kromki bułki posmarowane masłem. Podajemy do zupy.

POPIELEC

Po kazaniu „zabijano grajka", jeden z biesiadników witał post słowami:

Któż się tam na przypiecku krząta?
Wstępna Środa żurowi uprząta.
Wstępna środa następuje,
Pani matka żur gotuje

a gospodyni znikała w kuchni, by dopilnować przygotowania pod-
kurka.

Gdy o północy rozdzwaniały się kościelne dzwony, milkła muzyka, gasły wszędzie światła. „Po wielu domach gospodarz na lasce
wnosił wiązkę śledzi przywiązanych, obnosił wkoło zapowiadając
koniec dni szalonych. Po zamożniejszych rodzinach śledzie robiono
z marcepanu, przynoszono na półmisku, rozrzucając wśród dziewcząt, które myśląc, że to prawdziwe, uciekały w popłochu".

A gdy domowy zegar kończył wybijać godzinę 12, godzinę przej-
ścia od zapustów do postu, pani domu wchodziła do jadalni z półmis-

173

kiem przykrytym pokrywą. Ucztujący obstępowali ją kołem, a gospodarz podnosił pokrywę, spod której „ulatywało ptaszę, najczęściej wróbel, mające symbolizować płochość". Na półmisku zostawały śledzie, jajka i kubek mleka, główne potrawy maślanej kolacji zwanej podkurkiem.

„Po wieczerzy mięsnej w ostatni wtorek, około godziny 12 północnej, mleko jaja i śledzie dawano, temi potrawami przygrywając niejako postowi nadchodzącemu i po stopniach od mięsa przez nabiał do niego postępując. Ta kolacja zwała się podkurek i wszędzie była używana, tak w wielkich domach, jak i małych" (Ł. Gołębiowski).

> (...)A tymczasem na krysztale król śledź zasiadł okazale.
> „No minęły grzeszne czasy pączków, szynek i kiełbasy,
>   Bo za śledzia jegomości cały naród ściśle pości,
>   Są i jaja, jest oliwa, a śledź bladą twarzą kiwa,
>   Kto zaś bardzo użyć rad, to ogonek z śledzia zjadł.
>
> (Mączyńska Losy króla pączka)

Niezjedzenie śledzia i jaj podawanych na podkurek i niepopicie go mlekiem byłoby grzechem lub przynajmniej grubą nieprzyzwoitością. Podkurkowa uczta rozpoczynała nieodwołalnie post. Niekiedy podkurek przeciągał się do białego rana, a mleko wykorzystywano do wróżb: brano je na łyżkę i chlapano na sufit, z kształtu plam odczytując przyszłość.

Tak jak zapusty musiały być wesołe, tak post miał był smutny, bo inaczej: „Zapust smutny, post wesoły – będziesz człeku przez rok goły".

> Tak po dniach pustoty, skazówka zegara
>   Jest palcem co niegdyś w uczt sali.
> Tak groźnie nakreślił oczom Baltazara:
>   „Zważonyś" i Bóg cię obali.
> Młodzi ty pusta! Gdy w owej godzinie
>   Twą myślą na przyszłość się zwrócisz,
> Jak groźnie do duszy ten głos ci popłynie

„Proch jesteś i w proch się obrócisz"
Lecz tego co wyższe zna cele,
Popielec zasmucić nie zdoła
Bo drozszą mu będzie nad płoche wesele
Rozwaga z powagą u czoła

Zgodnie ze starą tradycją, rano we wstępną środę, w karczmie u belki przy progu zawieszano przetak z popiołem, a chłopiec umieszczony na piecu pociągał za sznurek i obsypywał popiołem każdego wchodzącego do karczmy.

Na wsi chowano instrumenty muzyczne, wszelkie świecidełka, a nawet lustra, których jeśli nie chowano, to przynajmniej przykrywano je chustami. Kobiety unikały kolorowych i błyszczących strojów, ubierając się w ciemne, skromne suknie. Dokładnie szorowano patelnie, aby nie zostały na nich ślady tłuszczu, potem je zamykano, a najczęściej wieszano w kominie.

Kościelne dzwony wzywały „do popiołu":

Jedni idą zwiesiwszy do kościołów głowy,
którym w komży ksiądz sypie popiół temi słowy:
Pamiętaj to, żeś z prochu powstał...

pisał pod koniec XVI wieku Kacper Miaskowski. W Środę Popielcową, będącą wstępem do Wielkiego Postu, stąd jej druga nazwa – wstępna środa – we wszystkich kościołach odbywają się uroczyste msze pokutne, a księża posypują wiernym głowy popiołem powstałym ze spalenia ubiegłorocznych palm, i mówią nad każdym: *Memento homo, quia pulvis es in pulverum reverteris*, co znaczy „Pamiętaj człowiecze, żeś proch i w proch się obrócisz". Obrządek ten ma przypominać o nieuniknionej śmierci. Nadchodzi czas rozmyślań nad upływającym czasem.

Popielec rozpoczyna długi okres postu, mający też swoją szatę zewnętrzną – obrzędową. Symboliczne posypywanie głów popiołem w kościele przeszło na wieś i stało się ulubioną zabawą w półpościu. Trudno dociec, w jakim kraju i kiedy przekształcono pokutny obrzęd kościelny w karygodną zabawę zwyczajową. Może w Rzymie

175

w IV wieku, kiedy Kościół ustanowił Wielki Post, a może później i gdzie indziej. W każdym razie Polacy od dawien dawna praktykowali te „dokazowiska i swywole".

Popiół, jak pisał Jędrzej Kitowicz, „swawolna młodzież rozdawała go sobie sama, trzepiąc się po głowach workami popiołem napełnionymi albo też wysypując zdradą jedni drugim obojej płci na głowy pełne miski popiołów. Ta jednak swawola nie praktykowała się po wielkich domach, tylko po małych szlacheckich i po miastach między pospólstwem.

Druga ceremonia – nie kościelna, ale światowa – z popiołem bywała długo w używaniu po miastach i po wsiach, która zawisła na tym, że jaki młokos przed przechodzącą lub tuż za przechodzącą niewiastą albo jaka dziewka przed lub za mężczyzną rzucała na ziemię garnek popiołem suchym napełniony, trafiając pociskiem tak blisko osoby, że popiół z garnka rozbitego, wzniesiony na powietrze musiał ją obsypać albo obkurzyć. Co zrobiwszy swawolnica lub swawolnik (...) uciekł; że zaś nie kożdy mógł znieść cierpliwie taki ceremoniał, sukni i oczom szkodliwy (...) trafiało się, że stąd wynikały zwady i bitwy...".

Zwyczaj rozbijania garnka z popiołem trwał w Polsce niezwykle długo, tyle że garnek rozbijano o drzwi domów w półpoście o północy. Tłuczenie w tym dniu starych garnków było symboliczną oznaką zaostrzenia postu, bo dawniej od połowy postu nie jadano w Polsce nawet potraw gotowanych.

Śródpoście to był również czas, kiedy topiono śmierć-zimę, Marzannę. Po utopieniu kukły wszyscy natychmiast rozbiegali się do swoich domów, uważając przy tym bardzo, bo kto w czasie powrotu przewrócił się, temu wróżona była choroba, a kto szybko i sprawnie przybiegł do domu, tego czekał dobry rok.

W niektórych okolicach Polski topienie zimy odbywało się już w środę popielcową: „W niektórych okolicach Krakowskiego (...) parobka owiniętego w grochowiny prowadzą na powrozie do stawu, zdzierają z niego te grochowiny i wrzucają do stawu, po czem udają się do karczmy na hulankę (...). W Lubelskiem był to manekin ze słomy lub grochowin, obwożony po wsi na małym wózku, a następnie spalany lub topiony w rzece lub stawie".

176

Ten stary zwyczaj – dziś przeniesiony na 21 marca, pierwszy dzień wiosny – najhuczniej obchodzony był w Wielkopolsce, Małopolsce i na Śląsku.

Najweselszym momentem było topienie Marzanny i chodzenie z goikiem (gaikiem).

Marzaneczka we wieńcu,
dokąd ją nieść mamy,
kiedy dróżeczki nie znamy.

Według Kolberga początki tej ludowej uroczystości wiążą się z wprowadzeniem chrześcijaństwa. W niedzielę śródpostną, a więc gdzieś w marcu – pleciono figurę słomianą i ubierano ją w kobiece stroje, po czym wetknąwszy ją na wysoką tykę, obnoszono najpierw po wsi ze śpiewem – śpiewały tylko dziewczęta – a potem niesiono do rzeki lub stawu. Tu Marzannę rozbierano, a słomianą kukłę wśród licznych okrzyków wrzucano do wody. Do wsi wracano z choinką ozdobioną wstążeczkami, malowanymi skorupkami, złotymi i srebrnymi paseczkami i śpiewając, już wspólnie z chłopcami: „Nasz gaik zielony pięknie przystrojony" – chodzono od domu do domu domagając się poczęstunku.

❖ DOBRE KLUSKI NA OLEJU, czyli POLSKIE POSTY ❖

Post według encyklopedycznej definicji to praktykowane całkowite lub częściowe powstrzymanie się od pokarmów. Niemal wszystkie wielkie religie znają regułę postu. Dla Żydów rezygnacja z mięsa symbolizowała ból i miała przypominać o cierpieniach, jakich doznał ich lud. Żydzi poszczą 24 godziny w dniu święta pojednania – jest to jedyny post wyraźnie wyznaczony w Starym Testamencie. Mahometanie poszczą za dnia przez cały miesiąc (ramadan); u protestantów post ma charakter wyjątkowy, a najliczniejsze i najsurowiej przestrzegane są posty w kościołach prawosławnych.

Dla pierwszych chrześcijan post nie był rytuałem pokuty, ale środkiem umożliwiającym podniesienie życia duchowego na wyższy poziom. Początkowo wielu wiernych odrzucało post, gdyż został przejęty z dawnych religii misteryjnych. Dopiero pod koniec IV wieku post został ustanowiony jako obowiązek poprzedzający przyjęcie eucharystii, a w V wieku ustanowiono Wielki Post przed Wielkanocą i Adwent przed Bożym Narodzeniem. W chrześcijaństwie bezmięsny piątek przypomina o męczeństwie Chrystusa, a poszczenie w środę – dzień zdrady Judasza.

> *Co gotują? węgorze, śledzie, szczuki w soli,*
> *Wyzinę, łosoś, karpie brzuchom na post gwoli*
>
> (K. Miaskowski *Na post polski*)

Przestrzeganie przepisów postnych w Polsce rozpoczęło się bardzo wcześnie. Z kronik żyjącego w X wieku niemieckiego biskupa i kronikarza Thietmara (Dietmara), będących ważnym źródłem o epoce Piastów, dowiadujemy się o drakońskich metodach wybijania zębów, stosowanych przez władze państwowe wobec nieprzestrzegających w tym zakresie przepisów kościelnych. W XIII wieku posty były w Polsce surowiej i ściślej przestrzegane niż w innych krajach katolickiej Europy. Podczas gdy np. w Europie Wielki Post rozpoczynał się od Środy Popielcowej, u nas już siedemdziesiąt dni przed Wielkanocą, a do jego zachowania zobowiązani byli wszyscy dorośli.

„W pierwszych wiekach polskiego chrześcijaństwa Polacy zachowali Post Wielki tak surowo, że od jego połowy czyli śródpościa, aż do Wielkiej nocy nie przyjmowali pokarmów ciepłych i gotowanych, żyjąc tylko chlebem, suszonymi owocami i rybą wędzoną" (Gloger).

Wstępna Środa zwana Popielcem rozpoczynała Wielki Post trwający czterdzieści dni, czyli aż do Wielkanocy.

A dawniej post to był post – w kuchni królował żur, jęczmienne kasze, ziemniaki, śledzie i ryby. Na obiad jadano najczęściej jednogarnkowe potrawy bez tłuszczu.

W Małopolsce np. niezwykle popularny był żur, a na Pomorzu grochówka ze śledziem:

❖ PRZEMYSKI ŻUR ZE ŚLEDZIEM ❖

Składniki:

2 szklanki zakwasu owsianego (z grubo mielonej mąki)
3 szklanki wody, 1 solony śledź, 4–5 suszonych grzybów,
pół szklanki śmietany, sól, pieprz

Solonego śledzia moczymy, obieramy ze skóry i ości, kroimy w cienkie paski. Umyte grzyby zalewamy przegotowaną wodą, zostawiamy na 2–3 godziny, gotujemy. Miękkie wyjmujemy, kroimy w paseczki, a do wywaru z grzybów wlewamy zakwas owsiany. Zagotowujemy, doprawiamy do smaku solą i pieprzem, wlewamy śmietanę, mieszamy i podgrzewamy. Do wazy wrzucamy pokrojonego śledzia i grzyby, wlewamy żur, mieszamy. Podajemy z gotowanym grochem lub gotowanymi ziemniakami.

❖ KASZUBSKA GROCHÓWKA ❖

Składniki:

200 g grochu, 1 kg ziemniaków, 3 solone śledzie, 2 listki laurowe,
łyżka majeranku, sól, szczypta pieprzu

Solone śledzie namaczamy na noc. Umyty groch zalewamy 2 l przegotowanej wody i zostawiamy na noc. Następnego dnia dodajemy liście laurowe i majeranek, gotujemy na niewielkim ogniu. Gdy groch jest już prawie miękki, doprawiamy solą, pieprzem, wyjmujemy liście laurowe. Ziemniaki obieramy, kroimy w grubą kostkę, gotujemy w osolonej wodzie na pół twardo. Odcedzamy, dodajemy do grochu, gotujemy razem kilka minut. Wymoczone śledzie obieramy ze skóry, usuwamy ości, kroimy na dzwonka, dodajemy do zupy. Jeśli zupa zbyt gęsta, dolewamy wody.

We wtorkowy zapustny wieczór pieczono ciasto drożdżowe zwane na wschodzie Polski korowajem, a na północy – popielnikiem. Był to duży, kolisty, cienki, niezbyt smaczny placek zapowiadający postne jadło. We wstępna środę leżał w każdym domu na stole z wetkniętą brzozową witką, a każdy z domowników mógł zagłuszyć głód, skubiąc po kawałku, ale zostawiając nietknięty środek.

Śródpoście najczęściej wypadało w marcu, a „Pierwszego marca trawy do garnca" głosiło stare polskie przysłowie. Toteż na święto Marzanny w skład jadłospisu wchodziły „zielone zupy i zielone sałatki" – przygotowywano je z różnych ziół – z mlecza, pokrzywy, krwawnika, lebiodki, podagrycznika; dawniej wierzono, że takie zupy i sałatki „przeganiają złe moce i dodają sił". Po to więc, aby oczyścić organizm po zimie, a jednocześnie nie złamać postu, staropolska kuchnia wymyśliła mnóstwo potraw, które dziś stają się tak bardzo modne, a których dobroczynny wpływ udowodniła współczesna dietetyka i medycyna. Jak jest z przeganianiem złych mocy, nie wiadomo, ale takie menu – bogate w sole mineralne i witaminy – były i są znakomitą kuracją oczyszczającą organizm po zimie.

❖ PURÉE Z ORZESZKAMI ZIEMNYMI ❖

Składniki:

500 g młodych listków pokrzywy, 2 łyżki oliwy, 1 posiekana cebula,
pół szklanki orzeszków ziemnych, sól, łyżka soku z cytryny

Listki pokrzywy układamy na sicie, przelewamy wrzątkiem, a następnie zimną wodą, drobno kroimy. Orzeszki mielimy w maszynce do orzechów. Na rozgrzanym w rondlu oleju szklimy cebulę, dodajemy orzeszki i mieszając, smażymy 1–2 minuty. Dodajemy pokrzywę i mieszając, smażymy 5–10 minut. Doprawiamy do smaku solą i sokiem z cytryny, mieszamy.
Znakomity dodatek do pieczeni, filetów, sznycli cielęcych lub drobiowych

❖ SURÓWKA WIOSENNA ZE SZCZAWIU ❖

Składniki:

Po szklance młodych liści szczawiu i szpinaku, pęczek rzodkiewek z listkami

Sos:

2 łyżki oliwy, łyżka soku z cytryny, po pół łyżeczki miodu i musztardy, sól,
szczypta pieprzu

Dokładnie mieszamy składniki sosu, lekko schładzamy.
Dokładnie umyty szczaw, szpinak i rzodkiewki osączamy na sicie. Liście rzodkiewek drobno kroimy, rzodkiewki kroimy w plasterki, liście szczawiu i szpinaku kroimy w paski. Łączymy składniki surówki, polewamy sosem, mieszamy.

❖ SURÓWKA Z MLECZA Z POMARAŃCZAMI ❖

Składniki:

3–4 garście liści mlecza, 2–3 pomarańcze, 1–2 czerwone cebule, po szczypcie
pieprzu i cukru, sól, 2–3 łyżki oliwy

Liście mlecza moczymy w zimnej osolonej wodzie, osuszamy, rwiemy na kawałki.
Obrane pomarańcze kroimy w grubą kostkę, usuwamy pestki, cebulę kroimy
w cienkie plasterki. Łączymy składniki, doprawiamy solą, pieprzem i cukrem, skrapiamy oliwą, lekko schładzamy.

❖ SURÓWKA Z RZEŻUCHY ❖

Składniki:

Ok. 150 g zielonej rzeżuchy, kilka liści sałaty lodowej, 2 winne jabłka,
łyżeczka soku z cytryny, 2–3 łyżki posiekanych orzechów włoskich

Sos:

3 łyżki oleju sałatkowego, 2 łyżki soku z cytryny, łyżeczka miodu, sól,
pieprz, mały drobniutko posiekany ząbek czosnku

Składniki sosu dokładnie mieszamy, lekko schładzamy. Obrane jabłko ścieramy na
grubej jarzynowej tarce, skrapiamy sokiem z cytryny, łączymy z posiekaną rzeżuchą, orzechami i pokrojoną w paski lodową sałatą, polewamy sosem, mieszamy.

❖ SURÓWKA Z MŁODYCH PĘDÓW GORCZYCY ❖

Składniki:

3 szklanki młodych pędów gorczycy, pęczek cebulki dymki,
2 łyżki posiekanych orzechów włoskich, łyżka cytryny, 1½–2 łyżki oliwy,
sól, po szczypcie pieprzu, cukru i otartej skórki z cytryny

Umyte i osuszone pędy gorczycy i dymkę drobno kroimy, posypujemy solą, pieprzem, cukrem i otartą skórką z cytryny, skrapiamy sokiem z cytryny i oliwą, mieszamy, posypujemy posiekanymi orzechami.

❖ SAŁATKA WIOSENNA ❖

Składniki:

Po pół szklanki pokrojonych liści rzodkiewki, melisy, krwawnika,
pęczek cebulki dymki, 4–5 czerwonych rzodkiewek,

2 jajka ugotowane na twardo, 50 g sera gouda, sól, pieprz,
łyżka soku z cytryny, szczypta cukru, 2 łyżki majonezu, 2 łyżki jogurtu

Dokładnie mieszamy majonez z sokiem z cytryny, jogurtem, solą i pieprzem.
Dymkę i białka z jajek drobno kroimy, ser ścieramy na grubej jarzynowej tarce, łączymy z posiekaną zieleniną, polewamy sosem, mieszamy, lekko schładzamy.
Przed podaniem posypujemy posiekanymi żółtkami jajek i dekorujemy plasterkami rzodkiewek.

❖ SAŁATKA ŚWIĄTECZNA ❖

Składniki:

300 g młodych pędów pokrzywy, 1 duża czerwona cebula, 1 pomarańcza,
2 kromki ciemnego razowego chleba (wileński)

Sos:

pół szklanki śmietanki kremówki, 2 łyżki startego parmezanu, sól, pieprz,
gałka muszkatołowa, łyżka soku z cytryny, pół łyżeczki miodu;
kilka listków krwawnika

Umytą pokrzywę układamy na sicie, przelewamy wrzątkiem, a następnie zimną
wodą, osączamy. Wyszorowaną pomarańczę sparzamy wrzątkiem, obieramy ze
skórki. Ze skórki ścinamy białą warstwę, a żółtą kroimy w cieniutkie paski. Wrzucamy na 1–2 minuty do wrzątku, odcedzamy, przelewamy zimną wodą, osączamy. Śmietankę ucieramy z miodem, sokiem z cytryny, solą, pieprzem, gałką i parmezanem na jednolity, gładki krem, lekko schładzamy. Razowy chleb kroimy
w niewielką kostkę, rzucamy na silnie rozgrzaną patelnię, chwilę smażymy, mieszając. Obraną pomarańczę kroimy w grubą kostkę, usuwamy pestki, cebulę kroimy w cienkie półplasterki. Cebulę i pomarańcze łączymy z listkami pokrzywy
i grzankami, polewamy sosem, dokładnie mieszamy. Dekorujemy paskami skórki
pomarańczowej i listkami krwawnika.

❖ SAŁATKA Z MŁODEJ POKRZYWY Z CZOSNKIEM ❖

Składniki:

500 g młodej pokrzywy, 3–4 ząbki czosnku, garść młodych liści szczawiu,
po 2 łyżki posiekanej zielonej pietruszki, koperku, kolendry i szczypiorku,
sól, pieprz, łyżka miodu, 2–3 łyżki octu winnego

Umytą pokrzywę wrzucamy na lekko osolony wrzątek na 2–3 minuty, odcedzamy, przelewamy zimną wodą, osączamy. Pokrzywę i szczaw kroimy w paski, łączymy z pozostałą zieleniną. Posiekany czosnek ucieramy z solą, pieprzem i miodem, mieszamy z octem. Polewamy sałatkę, mieszamy.

❖ SAŁATKA Z SERA CAMEMBERT Z RZODKIEWKAMI ❖

Składniki:

250 g listków mniszka, pęczek cebulki dymki,
pęczek rzodkiewek z młodymi listkami,
2 ugotowane na twardo jajka, 100 g sera camembert,
łyżeczka mielonej gorczycy, 2 łyżki soku z cytryny, 2–3 łyżki oleju, sól,
łyżeczka miodu, szczypta pieprzu, 2 łyżki nasion słonecznika

Zerwane młode listki mlecza zalewamy zimną wodą, zostawiamy na godzinę. Z obranych jajek wyjmujemy żółtka, ucieramy z gorczycą, miodem, solą i pieprzem, dodajemy sok z cytryny i cały czas ucierając, stopniowo olej. Gładki sos lekko schładzamy. Rzodkiewki myjemy, listki drobno siekamy, rzodkiewki kroimy w plasterki, łączymy z osuszonymi listkami mlecza, pokrojonymi białkami jajek i pokrojonym w kostkę serem. Polewamy sosem, mieszamy, posypujemy pestkami słonecznika.

❖ SAŁATKA GRECKA Z MLECZA ❖

Składniki:

Ok. 500 g młodych listków mlecza, 100 g bekonu,
łyżka miodu, łyżeczka ostrej musztardy, łyżka oliwy,
3 łyżki białego wytrawnego wina, po ćwierć łyżeczki soli,
pieprzu, lebiodki, łyżeczka nasion kopru

Dokładnie umyte listki mlecza układamy w misce, zalewamy zimną wodą, zostawiamy na 20 minut, po czym wyjmujemy, osuszamy i drobno kroimy. Wrzucamy do salaterki. Na patelni przesmażamy drobno pokrojony bekon, łyżką cedzakową wyjmujemy skwarki, dodajemy je do listków mlecza, a na patelnię wlewamy olej, miód, wino, dodajemy nasiona koperku i musztardę i mieszając, podgrzewamy na niewielkim ogniu. Zdejmujemy z ognia i przestudzamy. Sałatkę posypujemy pieprzem, lebiodką, mieszamy, polewamy sosem i ponownie mieszamy.

❖ ZUPA Z LESZCZA ❖

Składniki:

1–1½ kg leszcza, ćwierć łyżeczki szafranu, 2 listki laurowe, 1 spora cytryna,
po pół szklanki drobno posiekanych liści pokrzywy i szczawiu,
po 2 łyżki posiekanych listków stokrotek i szpinaku, 2–3 łyżki twarożku,
szklanka jogurtu, łyżka masła, sól, pieprz, łyżeczka soku z cytryny,
po 2 łyżki posiekanego koperku i szczypiorku

Sprawioną, dokładnie umytą i osuszoną rybę nacieramy solą, owijamy w folię, wkładamy do lodówki na 1–2 godziny. Wyszorowaną cytrynę sparzamy wrzątkiem, osuszamy, kroimy na plasterki, usuwamy pestki. Zagotowujemy 1½ litra wody z szafranem, listkiem laurowym, gotujemy 5 minut, dodajemy pokrojoną cytrynę i szczyptę soli. Gotujemy następne 3–4 minuty, wkładamy rybę i gotujemy na bardzo małym ogniu ok. 20–25 minut. Miękką rybę wyjmujemy, po przestudzeniu usuwamy ości, kroimy na kawałki. W rondelku topimy masło, dodajemy posiekaną zieleninę, skrapiamy sokiem z cytryny i chwilę dusimy. Łączymy z przecedzonym wywarem z ryby, gotujemy ok. 5 minut. Jogurt ucieramy z twarożkiem, wlewamy do zupy, dokładnie mieszamy, dodajemy pokrojoną rybę, podgrzewamy (nie gotujemy). Przed podaniem posypujemy koperkiem i szczypiorkiem.

❖ ZUPA ORMIAŃSKA Z ORZECHAMI ❖

Składniki:

500 g młodych pędów i listków pokrzyw, 2 łyżki masła, 2 cebule, 3–4 ząbki
czosnku, 3–4 ziemniaki, 2 surowe żółtka, pół szklanki śmietany,
po 2 łyżki drobno posiekanych orzechów włoskich i zielonej pietruszki,
1½ l bulionu z kury lub wywaru z warzyw

W rondlu topimy masło, szklimy na nim drobno pokrojoną cebulę, dodajemy pokrojone w kostkę ziemniaki i chwilę smażymy, mieszając. Zalewamy gorącym bulionem, gotujemy ok. 20 minut, dodajemy posiekaną pokrzywę i gotujemy jeszcze 5–6 minut. Śmietanę dokładnie rozkłócamy z żółtkami, roztartymi z solą ząbkami czosnku, posiekanymi orzechami, wlewamy do zupy, dokładnie mieszamy, podgrzewamy, ew. doprawiamy do smaku solą i pieprzem. Przed podaniem posypujemy posiekaną zielona pietruszką.

❖ WIOSENNY KREM Z POKRZYWĄ ❖

Składniki:

1 spory por, 2 główki kruchej sałaty, 200 g młodych listków pokrzywy,
100 g listków szpinaku, pęczek zielonej pietruszki, 2 łyżki masła,
2 łyżki soku i pół łyżeczki otartej skórki z cytryny, po pół łyżeczki soli
i białego pieprzu, 1½ l bulionu z kurczaka

Dokładnie umyty por kroimy w cienkie plasterki, umyte i osuszone listki pokrzywy, szpinaku i zielonej pietruszki drobno siekamy. W sporym rondlu topimy masło, wrzucamy por i chwilę smażymy na dość silnym ogniu. Dodajemy pokrzywę, pietruszkę, szpinak i porwane listki sałaty, mieszamy i chwilę smażymy razem. Skrapiamy sokiem z cytryny, dodajemy skórkę cytrynową i dusimy ok. 10 minut, po czym zalewamy gorącym bulionem. Doprowadzamy do wrzenia, przykrywamy i gotujemy na niewielkim ogniu ok. 5–6 minut. Lekko przestudzamy, miksujemy, podgrzewamy, doprawiamy do smaku solą, pieprzem, szczyptą cukru i ew. sokiem z cytryny. Podajemy z grzankami z bułki lub groszkiem ptysiowym.

WIELKANOC

WIELKANOC, czyli UROCZYSTOŚĆ UROCZYSTOŚCI

Solemnitas Solemnitatum, czyli uroczystość uroczystości – tak w VI wieku papież Grzegorz Wielki nazwał Wielkanoc.

Następująca po zapustach – święcie końca zimy i zarania wiosny, poprzedzana Wielkim Postem, w czasie którego zima walczy z wiosną – Wielkanoc to największa uroczystość kościelna. To równie ważny okres w życiu rolnika, nic więc dziwnego, że tak wiele miejsca zajmuje w wierzeniach i wyobrażeniach prawie wszystkich ludów europejskich. A ponieważ w czasach prasłowiańskich na dzisiejszy okres świat wielkanocnych przypadały obchody święta zmarłych (przez Słowian obchodzone cztery razy w roku: podczas równonocy wiosennej i jesiennej oraz podczas letniego i zimowego przesilenia), w wielkanocnych uroczystościach i wierzeniach występuje tak wiele elementów zaduszkowych, tak wiele wierzeń związanych z duchami, dziwami i różnego rodzaju czarami.

W radosne i wesołe wielkanocne święta wplatają się tony smutne, poważne, płynące z rozważań o Męce Pańskiej, ale prapoczątek mające w pogańskim święcie zmarłych. Stąd też spotykane jeszcze do niedawna zanoszenie wielkanocnego jadła na groby najbliższych i palenie ogni, taczanie jajek na grobach lub zakopywanie ich w ziemi i wzywanie zmarłych na ucztę. Pozostałością tych starych praktyk są – także i dzisiaj – spotykane zakazy wykonywania pewnych czynności: przędzenia, szycia, wicia sznurów itp., jako złowróżbne znaczenie okresu wielkanocnego; dni, w których niczego nie należy zaczynać.

Święta Bożego Narodzenia i święta Wielkanocy mają wiele cech wspólnych, podkreślających nasz narodowy charakter, nasza polską gościnność, serdeczność i głęboką pobożność, dzięki którym religia i obyczaj przenikają się wzajemnie. Tak jak podczas Wigilii dzielenie się opłatkiem, tak na Wielkanoc dzielenie się święconym jajkiem przypomina prastare chrześcijańskie agapy.

Święta Wielkanocne – święta Zmartwychwstania Pańskiego – były zawsze dla nas, Polaków, świętami wiary w sprawiedliwość polskich pragnień, w słuszność wysiłków i w nieodwołalny triumf przekazywanych nam przez pokolenia cnót narodowych.

Dziś dzień Wielkanocny, Chrystus zmartwychwstaje,
nam, bracia Polaki, przykład z siebie daje.
Jezus był niewinnie przez Żydów męczony,
na krzyżu rozpięty i żółcią pojony –
I nasza Ojczyzna Polska ukochana,
jest pod trzy mocarstwa dzisiaj rozebrana,
Także jest niesłusznie, ze w kajdanach jęczy,
Moskal naszych braci na Sybirze dręczy.
Jak Chrystus na krzyżu był żółcią pojony,
tak i naród polski jest dziś udręczony

pisał w 1865 roku chłopski poeta Walski, pokazując, czym była dla polskiego chłopa Wielkanoc. Dobrze jest w tym czasie pamiętać też o radach Leona Potockiego z 1854 roku:

„Minęły wieki, a tak jak niegdyś znicz od pogan strzeżony, tak jak pogańskie pamiątki od ludu przechowywane – pielęgnujmy dawne przodków obrzędy: to, co weszło w zwyczaj, niech zwyczajem zostanie, a to, co było, cośmy od Ojców zasłyszeli, lub sami jeszcze widzieli, przekażmy tym, co po nas przyjdą; pomni, że gdzie była przeszłość, tam i przyszłość będzie...".

❖ PALMOWA NIEDZIELA ❖

Otóz Wierzbna, otóz Kwietna
zawitała nam Niedziela...
Do świątyni gronem wszystkiem
Idą młodzi, idą starzy,
Rózdzkę wierzby z młodym listkiem
Niosą święcić do ołtarzy...

(Wł. Syrokomla: *Dni pokuty i Zmartwychwstania*)

Zwyczaje związane z obchodem Wielkiejnocy rozpoczynają się od Niedzieli Palmowej, dawniej zwanej jeszcze Wierzbną lub Kwietną. Wszyscy czterej ewangeliści opisują wjazd Chrystusa do Jerozolimy na pięć dni przed ukrzyżowaniem, ale tylko jeden – święty Jan – wspomina, że zgromadzony lud wita Go gałązkami palmowymi: [tłum.] „...wziął gałązki palmowe i wybiegł Mu naprzeciw. Wołali: Hosanna!" (Jan, 12, 13). To jedno zdanie ewangelisty dało początek zwyczajowi, a jeśli nawet nie zwyczajowi, to jego treści i powszechnej dziś w całej Polsce nazwie: Niedziela Palmowa.

Etnografowie twierdzą, że zwyczaj przystrajania rózeg wierzbowych lub leszczynowych o rozwiniętych, czyli po staropolsku „rozkściałych" pąkach, gałązkami cisu, jałowca, a także kolorowymi wstążkami, jest starosłowiański i łączy się z pradawnym świętem wiosny, obchodzonym koło równonocy wiosennej, co często zbiega się ze świętami Wielkiejnocy.

Wyjaśnienie, czemu polska palma to gałązka wierzbowa i leszczynowa, odnajdujemy w wielu legendach. Jedna z nich, mająca swój początek w średniowieczu, mówi, że gdy po śmierci Chrystusa cała natura pogrążona była w żałobie, wierzba babilońska, usłyszawszy tę straszną wieść z Golgoty, westchnęła: „On umarł, teraz smutne moje gałęzie zwieszać się będą zawsze ku wodom Eufratu i płakać łzami jutrzenki...". Ale też Słowianie wierzyli, że rózga wierzbowa przedstawia sobą „ognisty pręt boga Pioruna i dlatego każde pole i dom opatrzone godłem tego bóstwa gromu i burzy polecane jest jego opiece, a tym samym wolne od piorunów i nawałnicy". W Polsce,

191

gdzie starosłowiańska tradycja przetrwała długo, wierzbowe gałązki służyły więc za narzędzie magicznych zabiegów mających zapewnić zdrowie, płodność i bogactwo.

Materiał, z jakiego sporządzano palmy, był ustalony tradycją, ale obowiązujący w różnych wsiach zestaw gałązek i ziół nie był jednakowy. Zgodnie ze starymi wierzeniami palmy powinny zawierać gałązkę leszczyny i wierzby, cisu, sosny lub jałowca i winorośli, nie powinny natomiast zawierać gałązki topoli (osiki).

Stara legenda tłumaczy to tak: po śmierci Jezusa, gdy cała przyroda pogrążona była w żalu, sosna rzekła: „On umarł, więc na znak żałoby przybiorę ciemny kolor i szukać będę miejsc odludnych". Winorośl, usłyszawszy smutne wieści, szepnęła: „Z żalu pociemnieją moje jagody, a z prasy, w której wyciskać je będą, spłynie »Lacrima Christi«. Cis na znak żałoby odezwał się: „On umarł, teraz będę rósł tylko na cmentarzach, pszczoła pod karą śmierci nie dotknie moich zatrutych kwiatów, ptaki na mych gałęziach śpiewać nie będą".

Jedynie topola pozostała niewzruszona i rzekła: „Cóż mnie to obchodzi? On zmarł z powodu grzeszników, a ja jestem niewinna, zostanę taka, jaka byłam". I za ten brak uczucia liście topoli skazane zostały na wieczne drżenie. Ale stare polskie legendy podają też inny powód drżenia topolowych liści: gdy żadne drzewo nie chciało użyczyć Judaszowi swoich gałęzi na jego zbrodniczy zamiar, jedynie topola ofiarowała mu swoje konary i od tej pory drży przed Panem Bogiem.

Takie są legendarne tłumaczenia, jakich gałązek należy, a jakich nie należy używać do robienia palm.

Polacy zawsze przypisywali palmie właściwości lecznicze i czarodziejskie. I dlatego po powrocie z kościoła święconymi palmami chłostano się dla zdrowia.

Orzeźwiona łzami wiary
Wraca w domy ciżba prosta
I jak każe zwyczaj stary
Rózdzką wierzby siebie chłosta;
„Nie ja biłem, wierzba biła!"

Z niepamiętnych czasów świata
Taki zwyczaj trwa radośnie
I syn ojca, i brat brata
Poświęconą rózdzką chłośnie.
Skąd to poszło? – nikt nie zbada,
Nikt po księgach nie odszuka
Od pradziada do pradziada
Poszedł zwyczaj na prawnuka....

(Wł. Syrokomla *Dni pokuty i Zmartwychstania*)

Chłostanie się palmami to jeden stary zwyczaj związany z Palmową Niedzielą, drugim jest połykanie pączków gałązki wierzbowej, co miało zapobiec chorobom gardła, płuc i wszelkim bólom... Wspominają o tym zwyczaju połykania „bagniątek" czternasto- i piętnastowieczne kazania kościelne, a Mikołaj Rej w wydanej w 1556 roku w Krakowie *Postylli Pańskiej* mówi (zapewne ironicznie, jako kalwin) – „W kwietną niedzielę kto bagniątka nie połknął, a dębowego Krystusa do miasta nie doprowadził, to już dusznego zbawienia nie otrzymał".

Dębowy Chrystus – to jeszcze jeden staropolski zwyczaj związany z tym dniem. W dawnej Polsce katolicy naśladowali wjazd Zbawiciela do Jerozolimy; niegdyś było to praktykowane u wszystkich ludów chrześcijańskich, w Polsce dochowało się aż do XX wieku. „Ubierano jednego z gospodarzy na wzór Chrystusa Pana, wsadzano go na osła i wśród wesołych okrzyków i śpiewów, prowadzono go do drzwi kościoła, gdzie słano mu pod nogi gałązki wierzby kwitnącej. W wielu wsiach gospodarze z pokorą głęboko pojętą wymawiali się od naśladowania Boskiego Zbawiciela. Dlatego rzezano w drzewie figurę Chrystusa siedzącego na osiołku. Figurę tę zaopatrzoną w kółka ciągnęli najgodniejsi i najstarsi wybrańcy wsi. Zwyczaj ten na pamiątkę triumfalnego wjazdu Chrystusa do Jerozolimy był corocznie odnawiany" (M. Wargowski *Wielki Tydzień na wsi*).

Był jeszcze jeden niezwykle stary zwyczaj – który powoli zanika – związany z Niedzielą Palmową. Jak pisze ksiądz Kitowicz: „Tak więc w Kwietną Niedzielę przy procesji mali chłopcy ze szkół parafialnych występowali z oracjami wierszem o wjeździe Chrystusa do Jerozolimy i jego męce...". W dawnej Polsce na pamiątkę powitania Chrystusa przez lud Jerozolimy dzieci przynosiły na ten dzień palmy królowi polskiemu. Oczywiście, nie były to byle jakie dzieci, lecz potomkowie rodzin senatorskich i książęcych, a każdy najpierwszy ród w Polsce zabiegał o to, żeby jego latorośl mogła wziąć udział w tej uroczystości. Podobnie obdarowywano palmami dostojników prowincjonalnych duchownych i świeckich. Ubrani na biało chłopcy z palmami, po wręczeniu palmy królowi lub innemu dostojnikowi, wygłaszali ówczesną modą stosowne oracje, na ogół o treści religijnej. Jak powszechny to był zwyczaj, świadczy fakt, że w 1591 roku w Krakowie wydano specjalny podręcznik takich oracji: *Deklamacje na dzień Wielkiejnocy dla ćwiczeń pacholąt szkolnych* Stanisława Skoreckiego. Zwyczaj ten został zarzucony za panowania Jana Kazimierza, króla, który z powodu nieustannych wojen rzadko bywał w stolicy podczas Wielkiejnocy.

Ale oracje pozostały. Przejęli je żacy, a skorzy do figlów – zmieniali często treść.

Od dawien dawna w Niedzielę Palmową klasztory i plebańskie szkółki wystawiały widowiska pasyjne pełne pobożnych wzruszeń i godziwej nauki. Jednym z najstarszych przykładów średniowiecznych misteriów pasyjnych jest *Historyja o chwalebnym Zmartwychwstaniu Pańskim* Mikołaja z Wilkowiecka:

> *I po dziś dzień ludzie wierni*
> *Po wszystkim świecie nabozni*
> *Weselą się i radują*
> *Gdy to sobie spominają...*
> *I słońce teraz inaksze*
> *Wyzsze, cieplejsze, jaśniejsze*
> *Owa wciórnastko stworzenie*
> *Czuje Pańskie Zmartwychwstanie...*

Szybko jednak nabożne misteria zaczęły się przeradzać w parodie
i śpiewano:

Jedzie sobie Pan Jezus do miasteczka małego.
Osiołek pod nim lichy, Pan Jezus na nim cichy.
Dajcie osiołkowi sianka, i o mnie też nie zapominajcie.
Na siedem śledzi mi dajcie.
Inni na bochenek chleba, bo jeść dać mi potrzeba.
A wam za to zapłaci sam Pan Jezus z nieba...

Takie lub jeszcze frywolniejsze wiersze deklamowano podczas
procesji, niosąc lub wioząc figurę Chrystusa do kościoła Z czasem deklamacje przerodziły się w improwizowane przedstawienia żaków
i przypominać zaczęły średniowieczne występy sowizdrzałów. Prze-
mowy zaczęły być coraz bardziej świeckie i tak rozśmieszały uczest-
ników procesji, że Kościół ich zakazał.

Aktorzy, nie mogąc więc liczyć na datki, przenieśli swoje widowiska poza teren kościołów, ograniczyli się do miejsc świeckich.
I jak w Zapusty, wynurzali się w Palmową Niedzielę przebierańcy,
aby radować ludzi swoim wyglądem i oracjami w mowie wiąza-
nej. Dawali więc przedstawienia w pałacach i dworach, zajazdach,
karczmach i w wiejskich chatach, a kwietnoniedzielne oracje
niezwiązane z kościołem przestały mieć jakikolwiek sens – zupełnie jak popielcowe kazania. Musiały być tylko rymowane, a celem
ich wygłaszania było zbieranie datków. Oto jedna z próbek takich
oracji:

Ja mały zaczek skoczyłem za krzaczek,
A z krzaczka na wodę, stłukłem sobie brodę,
Ja z brody do baby, lecz babo, bom słaby,
Baba do mnie z kijem, ja z babom się bijem,
Uderzam babę o piec,
Jaz wyskoczył z baby malowany chłopiec,
Z tego chłopca baran i owca,
A z tego barana mliko i śmietana.
A z tej śmietany kościół murowany.

Grupy aktorskie dające takie przedstawienia nazywano *pueri*, od łacińskiego słowa *puer* – chłopiec. Mieszkańcy Krakowa przerobili to później na gwarowe „puchery", a górale podhalańscy nawet na „pucheroki".

Dziś obchody Niedzieli Palmowej są proste. Ludzie kupują lub robią sobie palemki, idą z nimi do kościoła, gdzie podczas lub po mszy odbywa się ich święcenie. Potem niosą je do domu, na wsi zatykają starym zwyczajem za święty obraz, w mieście wieszają na ścianie lub wstawiają do wazonu, by palemka równo się ususzyła, i trzymają je do następnej Niedzieli Palmowej. Poza tym dzisiejsze palemki to prawdziwe dzieła sztuki, choć rzadko spotyka się w nich uświęcone tradycją gałązki.

I to wszystko. Nie ma śladu po puerach, po procesjach z figurą Chrystusa, nikt nie wręcza palm dostojnikom ani nie wygłasza oracji. Nie ma też śladu po prasłowiańskiej magii. Nikt nie łyka bagniątek ani nie wygania bydła na pierwszą trawę z palmą w ręku.

Obrzęd stał się skromniejszy, bardziej prywatny. Powszechność nic jednak nie straciła na jego obecnej skromności. Może nawet przeciwnie.

❖ WIELKI TYDZIEŃ ❖

Już Wielki Tydzień, rzewniejsze brzmią pieśni,
Dłuższe modlitwy, posępniejsze lica,
Śmiech się nie ozwie, struna nie zadzwoni...

(A. Pług)

Wielki Tydzień upływa pod znakiem przygotowań i oczekiwania Wielkiej Niedzieli. Przez wieki uczestniczono w ciągu tych dni w nabożeństwach upamiętniających wjazd Chrystusa do Jerozolimy, zapowiadający Jego śmierć i zmartwychwstanie: „Wszyscy Polacy w duchu pobożności w Wielki Tydzień, odrzuciwszy dzieła światowe, zajmowali się nabożeństwem, przygotowywaniem do spowiedzi wielkanocnej, nie opuszczali żadnego nabożeństwa" (J. Kitowicz).

W tym czasie odwiedzano ubogich i chorych, którym udzielano wsparcia. Wiele też ludowych wróżb związanych było z tym okresem. Dni wielkotygodniowe wróżyły pogodę na cały rok; uważano, że jaka Wielka Środa – taka będzie wiosna, jaki Czwartek – takie lato, Wielki Piątek wróżył pogodę na żniwa i wykopki, a Sobota zapowiadała pogodę na całą zimę.

❖ WIELKA ŚRODA ❖

Tak pisze o zwyczajach tego dnia ksiądz Jędrzej Kitowicz: „W Wielką Środę po odprawionej jutrzni w kościele, która się nazywa ciemną jutrznią, dlatego iż za każdym psalmem odśpiewanym gaszą po jednej świecy, jest zwyczaj na znak tego zamieszania, które się stało w naturze przy męce Chrystusowej, że księża psałterzami i brewiarzami uderzają kilka razy o ławki, robiąc mały tym sposobem łoskot; chłopcy swawolni, naśladując księży, pozbiegawszy się do kościoła z kijami, tłukli nimi o ławki z całej mocy, czyniąc grzmot po kościele jak największy...".

Ponieważ po ciemnej jutrzni aż do rezurekcji milkły kościelne dzwony, po wsiach chodzili chłopcy z kołatkami, bębnem lub tzw. tarapatami i obchodząc codziennie wieś trzy razy, przypominali wszystkim, że obowiązuje post i według starych przepisów kościelnych, kto nie będzie pościł, temu „kołatkami wybiją zęby...".

Wielka Środa była też dniem, w którym gospodarze wychodzili z poświęconą w ubiegłym roku wodą, święcili pola, aby dobrze rodziły. Na znak tego, że Chrystus „za grzechy nasze był od Judasza wtenczas zaprzedany Polacy w ten dzień mięsa nie jadali...".

Zygmunt Gloger tak opisuje rozprawę z Judaszem w Wielką Środę: „Gromada chłopców, zrobiwszy sobie Judasza ze słomy, przybranego w szaty czarne podarte, trzymającego kaletę w ręku napełnioną szkłem tłuczonym dla brzęku (na pamiątkę trzydziestu srebrników), na cmentarzu przed kościołem chłostała Judasza kijami, sieczono go drewnianymi pałaszami, wśród wrzawy i śmiechu zebranego ludu włóczono Judasza po ulicach, wkładano na taczki, wieziono na plebanię, do gospody. Na koniec topiono lub palono".

❖ WIELKI CZWARTEK, zwany też CIERNIOWYM ❖

W Wielki Czwartek rzesza cała
Do ciemnicy wiedzie Chrysta
Dzwony zmilkły, a nastała
Jakaś cisza uroczysta...

(W. Syrokomla)

Zamilkły kościelne dzwony. Od Wielkiego Czwartku do Wielkiej Soboty, gdy dzwony milczały, „używano tylko klekotów do kołatania", a chłopcy biegali z kołatkami, mocno hałasując, co miało symbolizować wypędzenie Judasza.

Na pamiątkę „jako Chrystus przy wieczerzy nogi uczniom mył w pokorze" był w Polsce zwyczaj, że „biskupi i królowie nasi w Wielki Czwartek starcom umywali nogi. Zygmunt III był pierwszym, który ten obrządek statecznie dopełniał. Za Stanisława Augusta raz się trafiło, że każdy z 12 starców miał sto lat z okładem, a jeden 125". Po umyciu nóg starcom „sadzano ich potem do stołu, a król i znakomitsze osoby im usługiwały. Każdy starzec otrzymywał zupełny ubiór, łyżkę, nóż i grabki srebrne, tudzież serwetę, w której dukat był zawiązany" (J Kitowicz *Opis obyczajów*).

W Wielki Czwartek, na pamiątkę wieczerzy pańskiej, we wszystkich domach jedzono tajnię – postną kolację:

I w Wielki Czwartek u Pańskiej wieczerzy
Co tak do Wilii z wystawy podobna
Posępne twarze, smutek w sercu leży,
I chociaż suta uczta, lecz żałobna.

(A. Pług)

Według staropolskich obyczajów wielu Polaków po tajni nic już nie jadło aż do wielkanocnego śniadania.

Daleko, bo do prasłowiańskich czasów sięga oddawanie czci zmarłym w Wielki Czwartek, który niegdyś nosił nazwę Wielkanocy umarłych, a Michał z Janowca w swoich *Kazaniach Trzemeszeńskich* z 1497 roku przestrzegał przed pogańskim zwyczajem palenia

w Wielki Czwartek jarzących ogni na pamiątkę dusz bliskich, a także przed wierzeniem, że dusze do tego ognia przychodzą i przy nim
się grzeją. A mimo to do tej pory zachowała się pieśń:

> *W Wielki Czwartek, w Wielki Piątek*
> *Cierpiał Chrystus za nas smętek*
> *Pietrze, Pietrze weź te klucze*
> *Idź do raju wypuść dusze.*

I niemalże do naszych czasów zachowało się palenie wielkanocnych ogni, co według wielu etnografów jest pozostałością po pogańskich wierzeniach i „można przypuszczać, że momenty zaduszkowe
wplotły się jako jeden ze składników w zwyczaje palenia ogni wiel-
kotygodniowych oraz spalania różnych manekinów słomianych...".

Wiara w przebywanie dusz zmarłych wśród żywych w Wielki
Czwartek była tak silna, że jeszcze do niedawna nie myto naczyń po
tajni, a „niektórzy zostawiali umyślnie na nich resztki potraw", wierząc, że „karmią się nimi w nocy dusze umarłych lub demon, zwany
ubożę (tj. skrzat przebywający stale w domu dla szczęścia)".

Z wiarą w obecność zmarłych łączyła się też wiara we wszelkiego
rodzaju czary, w zwiększone wpływy złych mocy, a wreszcie we
wszelkie nadprzyrodzone zjawiska. Według wierzeń to właśnie Wielki
Tydzień jest okresem największej potęgi i wyuzdania mocy nieczys-
tych. A kres im kładzie cud Zmartwychwstania. Nawet diabły strze-
gące nieprzebranych skarbów opuszczają je wtedy i śpieszą do koście-
ła. Stąd pewnie wzięło się zanotowane w XVII wieku przez Potockiego
porzekadło: „W Wielką Niedzielę najpodlejszy idzie do kościoła szuja".

✦ WIELKI PIĄTEK ✦

Wielki Piątek – to groby. Zwyczaj strojenia grobu Chrystusowego
przywędrował do Polski najprawdopodobniej z Czech lub Niemiec
(w takiej formie nie był znany w innych krajach Europy), i dzięki naszej polskiej szerokiej naturze bardzo się rozwinął. Zewnętrzna oka-
załość i ambicje poszczególnych zgromadzeń zakonnych (w czym

199

celowali przede wszystkim jezuici i misjonarze) sprawiły, że bogactwem wystawy i pomysłów polskie groby olśniewały cudzoziemców. Zygmunt Gloger w swojej *Encyklopedii Staropolskiej* pisze: „Jest wprawdzie w mszale rzymskim rubryka nakazująca w Wielki Czwartek przygotować miejsce stosowne w kościele na wystawienie Najświętszego Sakramentu w dzień wielkopiątkowy, sobotni i część Wielkiej Niedzieli, jednak tylko w Polsce i na jej pograniczach upowszechnił się od wieków średnich (...) zwyczaj uroczystego przybierania w »ciemnicy«, stróżowania i obchodzenia grobów...".

> *Noc na dworze – a w kościółku*
> *Uroczyste światła płoną;*
> *Grób Chrystusa oświetlono*
> *Od podłogi do wierzchołku.*
> *Malarz wiejski prosty tani,*
> *Wymalował skały groty,*
> *Wymalował szczyt Golgoty*
> *I trzy krzyże widne na niej...*
>
> (Wł. Syrokomla *Dni pokuty i Zmartwychwstania*)

W ubieraniu grobów dosyć wcześnie zaczęły się pojawiać elementy narodowe. W XVII w. w jednym z kościołów warszawskich ułożono grób z samych szyszaków, tarcz, szabel i innych militariów. W okresach narodowej niewoli przepych ustępował przed grobami--symbolami. W 1942 roku np. w kościele św. Anny w Warszawie grób zbudowany był ze zwęglonych belek, drutu kolczastego, surowego czarnego krzyża, a na tym wszystkim leżał chudy, jakby wykradziony z obozu koncentracyjnego, martwy Zbawiciel. Tradycja grobów-symboli trwa zresztą do dzisiaj.

Przy grobach straż sprawowały specjalne warty, a pełnili ją najlepsi i najbardziej szanowani obywatele, często przebrani w polskie mundury.

Starą, piękną polską tradycją było odwiedzanie grobów. W miastach, gdzie kościołów było więcej, należało obejść wszystkie, w każdym spędzić kilka chwil na modlitwie, a także złożyć datek na biednych. Ale już w XVIII wieku zwyczaj odwiedzania grobów nabrał charakteru przede wszystkim towarzyskich spotkań. Tradycja odwiedzania grobów Chrystusowych w Wielki Piątek trwa do dziś.

Znikła za to, i to dość dawno, tradycja procesji „kapników", czyli biczowników, do grobów, ale też sam Kościół zabronił biczowania się, i jeszcze tylko w Krakowie w XIX wieku kapnicy biczowali się podczas procesji Bożego Ciała.

Ściśle związane z wielkopiątkową tradycją były też niegdyś kwesty. W każdym kościele panie z towarzystwa kwestowały na biednych. Pieniądze zebrane w czasie wielkanocnych kwest przeznaczano na pomoc ubogim, budowę przytułków, szpitali, sierocińców, domów dziecka. A im piękniejsze kobiety kwestowały, tym pieniędzy było więcej.

W ludowych obrzędach wielkopiątkowych ważne miejsce zajmują śledź i żur. W tym dniu odbywało się wybijanie żuru, potrawy spożywanej przez okres całego postu, czyli od Środy Popielcowej do Wielkiego Czwartku. W Wielki Piątek gospodynie wyrzucały nareszcie post, którego symbolem był popiół rozsypywany na polu, po czym tłukły garnek, w którym ten popiół niosły. A później w całej Polsce odbywał się pogrzeb żuru i śledzia.

Żur wynoszono z kuchni jako już niepotrzebny, a towarzyszyły temu niewybredne żarty. Na Kujawach np. oblewano żurem drzwi domów, szczególnie tych, w których mieszkały młode i piękne dziewczęta. Wyrzucano też śledzie, które przez sześć tygodni były obok żuru podstawą codziennego jadłospisu.

„W Piątek Wielki wieczorem albo w Sobotę rano drużyna dworska przy małych dworach, uwiązawszy śledzia na długim i grubym powrozie, do którego był nicią cienką przyczepiony, wieszała nad drogą na suchej wierzbie albo innym drzewie, karząc go niby za to, że przez sześć niedziel panował nad mięsem, morząc żołądki ludzkie słabym posiłkiem swoim" – pisał ksiądz Kitowicz.

Według starych ludowych wierzeń Wielki Piątek był dniem bardzo ważnym w gospodarstwie, dniem obwarowanym wieloma praktykami i okazją do obrony przed czarami. Wierzono, że tego dnia przed wschodem słońca woda w rzekach i potokach ma właściwości uzdrawiające i zabezpieczające przed chorobami, dlatego też myto się w nich i kąpano, i to bardzo porządnie, wierząc, że ustrzeże to przed bólami rąk, nóg i ust przez cały rok. Myto też krowy, aby zdrowe były i dużo mleka miały.

Powszechnie wierzono w czarodziejską moc tego dnia, dlatego też gospodarze sadzili wtedy nowe drzewka owocowe, przekonani, że dobrze się przyjmą i będą znakomicie owocowały. Masło robione w Wielki Piątek gospodynie przechowywały przez cały rok i używały go potem jako lekarstwa na rany dla zwierząt i ludzi. Zniesionym w tym dniu jajkom przypisywano cudowną siłę – podobno nigdy się nie psuły, a rzucone do ognia natychmiast gasiły pożar. Wielki Piątek był też dniem, w którym pieczono „święcone" – chleb żytni, pszenny, placki z serem, jajeczniki, a w wodzie pozostałej po umyciu naczyń, w których zarabiano ciasto, myto twarz i ręce, bo to zapewnić miało urodę i gładką cerę.

Z dniem tym związanych jest też wiele przysłów rolniczych. Oto niektóre: „W Wielki Piątek – dobry siewu początek"; „Jeżeli w Wielki Piątek kropi – radujcie się chłopi"; „W Wielki Piątek zrób początek, a w Sobotę kończ robotę"; „W Wielki Piątek jasno – to w stodole ciasno".

Pracowano w tym dniu od wczesnego świtu i to bardzo pilnie, bo pracować można było tylko do południa.

I jeszcze jedna prastara tradycja związana z Wielkim Piątkiem – gotowanie i malowanie jajek.

W Wielki Piątek młode dziewczęta zabierały się do malowania wielkanocnych jajek, a w wodzie, w której się jajka gotowały, myły włosy, wierząc, że będą gęste, bardzo piękne i lśniące.

Od setek lat uważano jajko za siłę przeciwdziałająca złym duchom. W kulcie zmarłych wykorzystywane było podczas tzw. *coena novemdialis,* tj. uczty dziewiątego dnia, zamykającej okres żałoby; wkładano wtedy do grobów jajka, aby oczyścić zmarłych ze wszystkich nieprawości. Wiara w siłę przeciwdziałającą złym mocom sprawiła, że używano też jajek jako kamienia węgielnego przy zakładaniu nowych miast, wielkich budowli (np. kościół Mariacki), przy budowie nowych domów.

202 Jajko figuruje też we wszystkich obrzędach związanych z ważny-

mi momentami w pracach rolnika. Gdy na wiosnę pierwszy raz wyprowadzano bydło na pole, na progu stajni kładziono jajko, które po przejściu stada oddawane było biednym z prośbą o modlitwy za bydło. Po grzbiecie każdej sztuki bydła – od konia aż do owcy – taczano jajko po to, aby przez lato bydło stało się krągłe jak jajko, a konie biegały tak szybko, jak ono się toczy. Do jajka uciekano się zawsze, gdy tylko zaistniała potrzeba obrony przed złymi duchami człowieka, jego domu i mienia, bo jajka miały według wierzeń posiadać właściwości przeciągania na siebie ciążącej na człowieku lub zwierzęciu choroby.

Wiele jest też starych podań i legend dotyczących początków malowania jajek.

Podanie greckie z X wieku mówi, że zwyczaj malowania jajek wielkanocnych wprowadziła święta Magdalena. Ponoć Maria Magdalena, przyszedłszy do Heroda z prośbą, aby ulitował się nad Jezusem, podarowała mu kilka malowanych jajek. Ta opowieść dała początek przekonaniu, że to wyłącznie dziewczęta powinny malować jajka, a najładniejsze z nich ofiarowywać swoim chłopcom, co miało zjednać im miłość.

Jakikolwiek był początek malowania jajek, zwyczaj ten trwa do dziś. To pisankami właśnie dyngują się (wykupują) dziewczęta przed oblewaniem w Wielkanocny Poniedziałek, to z nimi wiąże się wiele wielkanocnych zabaw i gier, a najpopularniejsza z nich – walatka – to uderzanie pisanką o pisankę. Niegdyś, ten kto stłukł pisankę przeciwnika, wygrywał cały jego zapas. Inną pisankową grą była dawniej burda polegająca na rzucaniu do siebie pisanek. Kto złapał – zatrzymywał pisankę przeciwnika, kto stłukł – oddawał jedną ze swoich. W niektórych miejscowościach urządzano zawody przerzucania pisanek przez dach kościoła lub chaty: „W pisanki bawi się młodzież wiejska od Wielkiej Niedzieli do Zielonych Świątek. Dorastający chłopak, poczuwszy wolę bożą do której z dziewcząt, czeka uroczystości Zmartwychwstania Pańskiego, wtedy wyraża jej swoje uczucia miłosne przez doręczenie pisanki. Jeżeli dziewucha przyjmie pisankę i w zamian da swoją, to każe tym się domyślać, że będzie wzajemna. Nawiązane tym sposobem miłostki kończą się często małżeństwem" („Wisła", 1897).

203

Pisanki ofiarowywano dzieciom lub dla zabawy zakopywano w ziemi, ale tak, aby dzieci mogły je znaleźć i przynieść do domu.

Był to też ulubiony podarunek wielkanocny. Całe stosy pisanek ofiarowywano w dowód przyjaźni najbliższym i przyjaciołom, bowiem podarowanie pięknie zdobionego jajka było wyrazem dobrych życzeń i serdecznych uczuć.

Nazwy jajek wielkanocnych zależą od sposobu, w jaki zostały zrobione. I tak: jajka pomalowane na jeden kolor nosiły nazwę kraszanek, malowanek, byczków, ałunek, hałunek.

Jeżeli na jednostajnym tle wyskrobany był deseń – takie jajka zwały się rysowanką lub skrobanką.

Pisankami lub piskami nazywano jajka malowane na jeden kolor lub kilka z białym wzorem; najpierw pokrywano je pszczelim woskiem (za pomocą kostki), a następnie gotowano w barwnikach.

Wszystkie gotowane i barwione jajka po ostygnięciu nacierano smalcem dla nadania im połysku. Zależnie od lokalnego obyczaju używano różnych barwników. I tak na kolor żółty barwiono jajka w łupinach cebuli, najjaśniejszy, jasnożółty z odcieniem kanarkowym uzyskiwano z kory młodej, niedojrzałej jabłoni, z dodatkiem kwiatów majówki błotnej (*Caltha palustris*), a także z suszonych kwiatów jaskrów polnych. Na zielono barwił jajka wywar z widłaka, młode żyto ozime, inne zboża i trawy, liście pokrzywy lub liście barwinka, a także suszony kwiat fiołka i jemioła. Kolor brunatny nadawały jajkom liście bazylii, można go też było uzyskać przez moczenie jajek w wodzie stojącej w wydrążeniu pnia dębowego. Kolor fioletowy dawało gotowanie jajek w wywarze z liści kwiatu ciemnej malwy (*Altaea rosea*). Na czerwono (od pomarańczowego do ciemnego karminu) farbowano jajka w łupinach cebuli, korze dębowej, krokusie, w szyszkach olchowych, owocach czarnego bzu, suszonych owocach jagody, w odwarze z robaczków zwanych czerwcami. Kolor czarny nadawały jajkom kora olchy i młode liście klonu czarnego. Do barwienia jajek używano ponadto farbki do bielizny, atramentu, kawy i cynamonu.

Szczególnie symbolicznie pojmowano niegdyś barwy pisanek. Kolor fioletowy lub niebieski oznaczał żałobę wielkopostną, ale ubarwione tak jajka miały symbolizować koniec żałoby. Barwy żółte, zie-

204

lone i różowe oznaczały radość ze zmartwychwstania Chrystusa, a czerwona symbolizowała krew Chrystusa przelaną za grzechy.

Stara polska legenda związana z naszymi dziejami i czerwonym kolorem jajek wielkanocnych mówi, że pewnego razu w czasie świąt wielkanocnych Tatarzy wyrżnęli ludzi na cmentarzu. Krwią zamordowanych zalane zostały jajka, które ludzie ci nieśli do poświęcenia. Potem, przez lata, na pamiątkę tamtych wydarzeń, pisanki barwiono na czerwono.

Zależnie od rysunku wykonanego na jajku pisanki nosiły jeszcze swoje własne nazwy: w sosenki, jabłuszka, topolki, dzwoneczki, koguciki, kurze łapki... Cały ogromny dział etnografii poświęcony jest badaniom tej przebogatej dziedziny polskiego folkloru, i choć dzisiaj nikt już chyba nie maluje aż tylu pisanek, to warto pamiętać, jak to niegdyś robiono.

❖ WIELKA SOBOTA ❖

Wielka Sobota – to dzień święconego: „W sobotę wielką ognia i wody naświęcić, bydło tym kropić i wszytki kąty w domu, to też rzecz pilna" – pisał Mikołaj Rej w swojej *Postyllii Pańskiej*.

Rankiem tego dnia na placu przed kościołem odbywa się święcenie ognia: „Około dużego stosu najrozmaitszego rodzaju drzewa, jak starych krzyżów, gałęzi tarniny itp., zgromadzają się wierni w skupieniu, oczekując przybycia księdza. Młodzież staje najbliżej ogniska. W końcu zjawia się kapłan. Ogień rozniecono, ceremonia poświęcenia dokonana. Zaledwie ksiądz zdołał się oddalić, a już ta sama gromada, która przed chwilę była w takim skupieniu, rzuca się na ognisko, nie czekając aż ono się wypali, aby zdobyć choć jeden ogarek, choć jedną gałązkę poświęconą, którą z radością zaniesie do domu, jako ochronę przed burzami i gradami. Lud bowiem wierzy, że gałązka taka (...) w polu ochroni urodzaje przed szkodliwością nawałnicy, a dom, w którym znajduje się taki talizman, będzie szczęśliwy przez cały rok" (F. Gawełek „Wielkanoc").

Przed kościołem opalano również głowienki, czyli drewienka leszczyny (ponieważ to leszczyna według starych podań udzieliła schronienia świętej rodzinie w czasie ucieczki z Egiptu) złożone na krzyż. Popiół z tego stosu rozsypywali potem gospodarze na polu podczas pierwszej orki, a głowienki zatykali w drugi dzień wielkanocnych świąt na krańcach swojego pola, by je chronić od klęsk żywiołowych. Na Białostocczyźnie do tej pory jeszcze w drugi dzień świąt wielkanocnych gospodarze wychodzę w pole na tzw. taczanie korowaja. Na krańcach pól zakopują głowienki i kości z drobiu, a pieczywo świąteczne, przyniesione w pięknie haftowanych ręcznikach, toczą wokół pola, co ma zapewnić urodzaj i strzec od klęski. Po tym obrzędzie bardzo często odbywa się wielka uczta na świeżym powietrzu, której towarzyszą śpiewy.

Święcone głowienki miały chronić również domy. Jeden z leszczynowych krzyżyków przybijano nad drzwiami; przystrojony paskami kolorowej bibułki bronił dostępu do domu złym duchom.

Zapalanie i święcenie ognia oznaczało rozpoczynanie nowego czasu. Skończyły się post i zima, zaczynały się radość i wiosna. Po poświęceniu ognia odbywało się święcenie wody, którą potem „skrapia gospodarz całe obejście i wszystkich domowników, resztę zaś przechowuje aż do przyszłej Wielkiej Soboty, używając jej do pokrapiania zboża przed zasiewem, w wypadkach choroby itp." (F. Gawełek „Wielkanoc"). Po poświęceniu ognia i wody, gdy ksiądz zaśpiewa „Gloria", rozwiązuje się dzwony kościelne, które dzwonią po raz pierwszy po kilkudniowym milczeniu.

Z tym pierwszym wielkosobotnim dzwonieniem wiąże się mnóstwo polskich legend.

Najbardziej znana, występująca w wielu wersjach, to legenda o Lucyperze, władcy ciemności. Po śmierci Pan Jezus, zstąpiwszy do piekieł, kazał Archaniołowi Gabrielowi przykuć łańcuchami Lucypera do kamiennego słupa. Ogniw łańcucha zaś było tyle, ile jest dni w roku. Lucyper przez cały rok przegryza jedno ogniwo łańcucha dziennie, a ostatnie ma pęknąć właśnie w Wielką Sobotę. Lecz dzwony sprawiają, że ogień w piekle powiększa się, ogniwa ponownie się spajają i Lucyper nie może się uwolnić. Według legendy więzy pękną dopiero w dniu końca świata, na sądny dzień, i wtedy narodzi się jego syn – Antychryst. Lecz nie nastąpi to dopóty, dopóki w Wielką Sobotę dzwonią dzwony i brzmi „Alleluja".

206

Według starosłowiańskich wierzeń w noc z Wielkiego Piątku na Wielką Sobotę, o godzinie dwunastej na rozstajnych drogach zbierają się czarownice i warzą w kotłach czarodziejskie zioła („macierzankę uzbieraną z siedmiu miedz, nasięźrał z siedmiu lasów, miętę z siedmiu ogrodów"), prosząc diabła, aby dał im moc czynienia czarów. Dlatego też w Wielką Sobotę gospodynie doiły krowy o bladym świcie, aby uprzedzić czarownice, bo te mogły odebrać krowom mleko. Ponieważ to kolejny czarodziejski dzień, nie wolno w tym dniu było w ogóle pracować, chyba że piec „święcone", nie wolno nikogo wywoływać z domu, bo przez cały rok byłby na ludzkich językach, w ogóle nie wolno było robić prawie niczego.

Rano święcono wodę i ogień, a przez cały dzień pokarmy.

Święcone – kulminacja wielkich świątecznych przygotowań, to stary słowiański obyczaj, to „pamiątka z duszy słowiańskiej wypruta, bo jej nie obchodzą w żadnym innym kraju, jak u nas" (L. Siemieński *Pisma*). Według wielu etnografów jest to pozostałość z czasów pogańskich, gdy każdej uroczystości towarzyszyły uczty, gry, zabawy, tańce, zwyczaj sięgający „odległej starożytności (...) powszechny jedynie na Sławiańszczyźnie: zastawianie stołów podczas świat wielkanocnych rozmaitemi potrawami" (L. Potocki *Święcone*).

Zwyczaj powszechny, umiłowany i bardzo polski, jakże często jednak krytykowany przez „owych propagatorów cywilizacji, spoglądających krzywym okiem na wszystko, co swoje", dowodzących, że to „barbarzyński zwyczaj, ten zbytek zastawy i jadła, że takie placki, baby i szynki można jeść cały rok, a nie w jednym lub kilku dniach" (L. Siemieński). Ale według Mikołaja Reja, „kto święconego nie je, a kiełbasy dla węża, chrzanu dla płech, jarząbka dla więzienia, już zły krześcijanin" (*Postylla Pańska*).

A Newerani, uczony franciszkanin żyjący w połowie XVIII wieku, podaje: „w Polsce święcą chrzan, na znak tego, że gorzkość męki Jezusowej tego dnia w słodycz się nam i radość zamieniła. I dlatego też przy tym masło święcą, które znaczy tę słodycz. Święcą też na ostatek jaja kurze na dowód tego, że jako kokosz dwojako niby kurczęta rodzi, raz niosąc owoc, drugi raz go wysiadując, tak przez Chrystusa dwa razy odrodzeni jesteśmy".

207

Święcone, niegdyś w Polsce bardzo sute, dziś znacznie skromniejsze, od wieków należy do najmilszych narodowych tradycji, pielęgnowanych w każdym polskim domu. Zasiadając dziś do zastawionego stołu wielkanocnego, bądź niosąc nasze skromne święcone do kościoła w Wielką Sobotę, dobrze jest pamiętać, jak wyglądało staropolskie święcone naszych pradziadów.

Poczytajmy więc, bo też opisy niektórych święconych czyta się jak baśnie z tysiąca i jednej nocy.

Oto szesnastowieczny opis święconego, mieszczanina i rajcy krakowskiego Mikołaja Chroberskiego, przekazany przez dworzanina hetmana Tarnowskiego, Mikołaja Pszonkę, w liście do żony Salomei:

„A czas już wielki abym Waszeci opisał (...) com widział i pożywał na święcone u Imci pana Mikołaja Chroberskiego, rajcy, mieszczanina utściwego (...) Stół okrągły na środku, wielki, dębowy, zęby stu ludzi koło niego wygodnie siado i jadło. Obrus na nim jeden wielki, ale w krzyż zaszywany. Na sześciu misach srebrnych, roboty wspaniałej były mięsiwa wędzone wieprzowe z zad. Na drugich sześciu było dwoje prosiąt okrąglutkich, kiełbasy najmniej po cztery łokcie długie, a dziwnie pachnące i koloru krokoszowego, ciemnego ustrojone rzędami jaj święconych i pisanek pomalowanych w przeróżnej barwie, ale najwięcej na rakowe. Mięsiwo miało cudną powłokę z tłuszczu, w różową barwę wpadającą. Pomiędzy temi missami, stały figury z ciasta przedniego, wyobrażające dziwnie zabawne historyjki. Poncyusz Piłat wyjmował kiełbasę z kieszeni Mahometa, a wiadomo, że Żydzi i Turcy nie jedzą wieprzowiny, więc to na nich epigramma było pocieszne. Na samym środku stołu stał dziwnie piękny baranek z masła, wielkości naturalnej owieczki, ale ja bych za cały stół rad był wzią jemu oczy, a wszakoż to były dwa brylanty jak laskowe orzechy, w czarnej oprawie alias pierścienie ukryte w masie, których tylko tyle widać było, ile potrzeba na okazanie oczu Tego baranka, na którym wełna maślana, a nie do poznania była od prawdziwej, robiła sama Imci Panna Agnieszka z rodzicem swoim (...) Dalej tedy stały banki srebrne wyzłacane z octem, oliwa i cztery kruże wielkie starego miodu na tacach srebrnych, wyzłacanych, obstawione także czarami wyzłacanymi. Dalej srebrne łódeczki z konfektami, wszelkich owoców, jako Pan Bóg w kraju dał (...) Stało też w gąsiorach, prawda szklanych, wino, ale te gąsiory stały w koszykach srebrnych, wyzłacanych, a główki miały śrubowane w zawój srebrny, a szkło białe jak śnieg i gładkiej roboty (...) Pomijam inne drobniejsze rzeczy, a za już czas przystąpić do najważniejszej (...) do kołaczów, placków, jaeczników, mączników i Bóg spamięta ich miana (...) które okrążały jeden najpoważniejszy kołacz. Kołacz ten był cwałowy, cyrkumferencyi z ośm łokci. Jeśli nie więcej, gruby na dwie piędzi, a jakeśmy tylko weszli do izby, to nam luz zapachniał swojemi przyprawami. Po brzegach wkoło niego stały rożne figurki święci dwunastu Apostołowie udani jak żywo, a wszystko z ciasta (...) W środku stał Zbawiciel nasz, Pan Jezus Chrystus z chorągiewką, a nad nim unosił się Anioł na druciku u szabaśnika izdebnego nieznacznie w górze zawieszony...i z gęby wychodziły mu słowa „Resurrexit sicut dixit Alleluia!". Inne placki wyobrażały rozmaite zjawiska. Zabawiła mnie kąpiel, bo to był taki jeden placek, co miał w środku sadzawkę z białego miodu, i wyglądały rybki i nimfy kapiące się, a Kupid strzelał do nich z łuku, ale zamiast w serca, to im bezecnik, Panie odpuść, mierzył w śliczne oczka, które zasłaniały sobie od wstydu. Robota tego była bardzo sztuczna, a tak rzekę nic podobnego nie zdarzyło mi się widzieć i u wielkich Panów (...) Zapomniałem Waszeci powiedzieć, że w nim (w kołaczu) było sera ze trzy kamienie, miodu tyleż i innych przypraw nie licząc, dziwnie smaczny".

Znakomitego kucharza musiał mieć krakowski rajca Chroberski, a pan Pszonka niezwykle wymagającą żonę, gdyż list jest ponadto niezwykle szczegółowy w opisie strojów, sreber, mebli. Tak wyglądało szesnastowieczne święcone u krakowskiego mieszczanina.

A oto siedemnastowieczny opis święconego, jakie wyprawił wojewoda Sapieha w Dereczynie za czasów króla Władysława IV (1595–1648), na które zjechało się „co niemiara panów z Korony i Litwy": „Na samym środku był baranek wyobrażający *Agnus Dei* z chorągiewką, calutki z pistacyami; ten specyał dawano tylko damom, senatorom, dygnitarzom i duchownym. Stało czterech przeogromnych dzików, to jest tyle, ile części roku. Każdy dzik miał w sobie wieprzowinę, alias szynki, kiełbasy, prosiątka. Kuchmistrz najcudowniejszą pokazał sztukę w upieczeniu całkowitem tych odyńców. Stało tandem 12 jeleni także całkowicie pieczonych z złocistemi rogami, całe

209

do admirowania, nadziane były rozmaitą zwierzyną, alias zającami, cietrzewiami, dropiami, pardwami. Te jelenie wyrażały 12 miesięcy. Naokoło były ciasta sążniste tyle, ile tygodni w roku to jest 52, cale cudne placki, mazury, żmudzkie pirogi, a wszystko wysadzane bakalią. Za niemi było 365 babek, to fest tyle, ile dni w roku. Każde było adorowane inskrypcyami, floresami, że niejeden tylko czytał, a nie jadł. Co zaś do bibendy było 4 puchary, exemplum 4 por roku, napełnione winem jeszcze od króla Stefana, tandem 12 konewek srebrnych z winem po królu Zygmuncie, te konewki exemplum 12 miesięcy. Tandem 52 baryłek także srebrnych in gratiam 52 tygodni, było w nich wino: cypryjskie, hiszpańskie i włoskie. Dalej 365 gąsiorków z winem węgierskim alias tyle gąsiorków, ile dni w roku, a dla czeladzi dworskiej 8760 kwart miodu robionego w Berezie, to jest tyle ile godzin w roku...".

I jeszcze kilka opisów XVIII i XIX-wiecznego szlacheckiego święconego.

Lucjan Siemieński opisuje święcone w sposób niemal batalistyczny:

„Na ogromnym stole przykrytym śnieżnym obrusem, środek zajmują szynki, ozory, nadziewane prosięta, pieczone baranki, niby to stara gwardya, falanga, o które rozbijają się najzuchwalsze apetyty, wszystko to kupi się w spokojnej powadze dookoła *Agnus Dei*, misternie wyrobionego z masła, trzymającego jak hetman tego dnia, chorągiew zmartwychwstania. Na skrzydłach tego taboru stoją podobne wieżom baby, zadziwiające ogromem, a jeszcze więcej lekkością (...) Dalej na brzegach stołu stoją podobne rzymskim mozaikom placki, mazurki z najfantastyczniejszymi wzorami pełne kokieterii i smaku, a wszędzie zielenią się kity bukszpanu, niby to laur wieńczący bohaterów dnia tego, a wszędzie rozrzucone jaja podobne do piramid, kul i granatów leżących na wałach twierdzy".

Podobnie święcone opisuje we wspomnieniach z lat dziecinnych Zygmunt Gloger: „Był w naszym domu pokoik narożny niewielki, w którym na święta wielkanocne ustawiano święcone na dużych stołach zasłanych białymi obrusami. Białe ściany tego pokoiku przybierano w świerkowe gałęzie, miłą woń lasu dające. Więc najprzód widziałeś wysokie na łokieć walcowego kształtu baby szafranowe, przybrane w białe czepce z lukru, różnobarwnego maku i konfitur domowych. Ustawiono je w zwartym szeregu pod ścianami jakby do boju, który miał się zakończyć ich poćwiartowaniem i spożyciem przez ludzi. U ich stop leżały pokotem, w drugim szeregu niby wasale, placki pulchne, a grube jak poduszki, wysadzane rzędami białych migdałów i czarnych wielkich rodzenków. Dalej szły słodkie mazurki, jak kwadratowe kobierczyki, przybrane w lukier, mak kolorowy i agrest smażony. Stół oddzielny przeznaczony był dla mięsiwa. Tu królował postawiony na środku pieczony baranek (...) Na wielkiej misie stos różnobarwnych i wzorzystych pisanek rozweselał ten obraz tylu ofiar świata zwierzęcego, poświęconego gwoli uroczystości dorocznej i niekłamanych apetytów wiejskich. Obok baranka czarna głowa potężnego wieprza (...) trzymała w rozwartej paszczy białe jajko (...) Para rumianych prosiąt z zamrużonymi oczami i pozakręcanymi kokieteryjnie ogonkami, trzymających korzenie chrzanu w zębach (...) Indory, które za życia tyle sprawiały harmidru (...) leżały teraz ciche, wykazując tylko, że były przed śmiercią przemocą utuczone, a po śmierci nadziane. Stos kiełbas podobien był do węża skręconego w sto pierścieni z niewidzialną głową i ogonem. Mięsiwo przyozdobione było, jak i ciasta, gałązkami zielonego barwinku, a panował nad niemi krzyż obrośnięty jasnozieloną, drobną, gęstą rzeżuchą (...) Na ziemi stały kopanie z galaretą z nóg wołowych przyrządzoną i kosze z rumianemi pierogami, co wszystko przeznaczone było dla czeladzi, dla której kupiono dwa tuziny wielkich nowych misek, aby każdemu nadzielić czubatą porcyę wszelkiego mięsiwa".

I jeszcze dwa opisy święconego z 1839 roku sporządzone przez Leona Potockiego i Juliusza Słowackiego – skromne i przebogate. Leon Potocki pisze: „W środku długiego stołu, okrytego obrusem, wznosił się dawnym zwyczajem, na postumencie, baranek sztucznie wyrabiany z masła z opartą na nim karmazynową chorągiewką. Wkoło niego na srebrnych półmiskach spoczywały rozmaite mięsiwa przyprawne na zimno, przystrojone zielonymi gałązkami. Dzicze głowy, szynki, kiełbasy, rozmaita zwierzyna i prosię w zębach trzymające jajko, i indyk z nadzieniem, łosia i cielęca pieczeń. Ponad krańcami stołu, podobny do owego łańcucha odosobnionych warowni, któremi nowa strategia otacza obronne miasta, ciągnął się długi szereg bab oblanych cukrem, cykatą i konfiturami, a przewyborne placki, mazurki, marcypany komunikacyą pomiędzy nimi ułatwiały".

Juliusz Słowacki, opis święconego u JO Księcia Radziwiłła Sierotki: „Skoro bowiem otworzono drzwi do pierwszej sali, zaleciało nas powietrze i aura przesiąkła zapachem święconego, które urządził kucharz pierwszy JO księcia, Włoch Loga, ku krotochwili i zabawie, w pierwszej bowiem sali stały trzy pasztety olbrzymiego kształtu, które ujrzawszy, książę zawołał: Panowie do ataku. I – co wymówiwszy, zdjął z pierwszego pasztetu czapkę – i wyleciało z niego wielkie mnóstwo żywych kuropatw, jemiołuch, gołębi, jarząbków, ortolanów (...) Tu książę przyzwał kucharza do sali. I zaczął go mocno strofować za to że nie dopiekł zwierzyny, kucharz się tłumaczył po włosku (...) zrozumiałem co mówił i byłem wielce ciekawy co się w drugich pasztetach okaże. Albowiem zapytany kucharz, co się znajdowało w wielkiej piramidzie, stojącej na prawo, odrzekł księciu panu, iż upiekł w niej całego Laokonta z wężami (...) Wtem JO książę, wziąwszy ze ściany buławę żelazną nabitą gwoździami, dał tak po piramidzie, że aż się rozleciała – i ujrzeliśmy siedzącego na ruinach pasztetu karła w cielistym ubiorze, który był cały skrępowany kiełbasami, jakoby ów Laokont właśnie (...) A w trzecim paszcecie co? (...) Andromeda przykuta do skały łańcuchami (...) Jakoż i po rozbiciu trzeciego pasztetu znaleźliśmy karlicę księcia (...) która święconymi salcesony przywiązana była za ręce do pasztetu, a przed nią leżał ogromny szczupak mający zamiast własnej głowę dzika, a paszczękę otworzoną (...) My wszyscy dziwiliśmy się tym pięknym inwencjom Włocha, które niby oszukując nas, w zawiedzeniu trzymały ranny apetyt (...) Nie mając co robić w pierwszej sali, gdzie już tylko smok i owe salcesony mogły być ku pożywieniu, weszliśmy za księciem panem do sali drugiej, gdzie już czekały na nas niewiasty (...) Obróciliśmy oczy na święcone, a było na co patrzeć, albowiem i tu pod prezydencją księcia kucharz wszystko tak urządził, że nie tylko apetytowi, ale i myśli było przyjemnym. W sali tej albowiem, śród mnóstwa drzew, z miodu lipcowego była sadzawka, z wyspą zielonym owsem pokrytą, na której się pasł święty baranek z chorągwią, mający oczy z dwóch karbunkułów ze skarbcu JO księcia wyjętych, które błyszczały niezmiernie. Na tego baranka godziło czterech dzików okropnej wielkości upieczonych całkowicie, a dwanaście jeleni ze złoconymi rogami, w rożnych pozyturach wyskakiwało z lasu, który był z drzew pomarańczowych, rożnymi konfektami obrodzony. Gdy tu same mięsiwa, to w przyległej komnacie były ciasta i napoje nie mniej misternie ułożone Nie lasy tam, ale baby podobne skałom nosiły na głowach z migdałowych murów groty i fortyfikacje, coś nawet podobnego Jerozolimie widać było, albowiem śród cukrowych domów ukryte ananasy koronami szarymi naśladowały palmowe drzewa, a w bramach zaś figurki cukrowe w szmelcowanych pancerzach i z krzyżami czerwonymi na piersiach jako jerozolimscy rycerze za czasów Godfreda, stali na straży (...) Nie będę tu opisywał mnogości rożnej konwi, roztruchanów, czar złotych i srebrnych, i kryształowych, i win rożnych i miodów, i małmazjów, które się tam obficie znajdowały".

Te liczne cytaty pokazują, że święcone było w Polsce rzeczą ważną, że było co oglądać, podziwiać i jeść, a obyczaj przez wieki się nie zmieniał.

Dziś dziwić może, jak udało się zjeść tak ogromne ilości przygotowywanych smakołyków, ale pamiętać należy, że niegdyś każdy dwór utrzymywał wielu kawalerów i liczne panny, połowę służby i czeladzi, pamiętano też o święconym dla starych sług, sierot, kalek podróżnych, a baby i mazurki przechowywano aż do Zielonych Świątek. A i rodziny były liczniejsze. Jedno dziecko w rodzinie to była niezmierna rzadkość.

Oczywiście, z opisanym powyżej święconym nikt nie szedł do kościoła. To księża objeżdżali pałace, dwory, zaścianki, wioski:

> *Kapłan jadła i napoje*
> *Poświęcone kropi wodą*
> *Wielki Boże dary Twoje*
> *Niech do grzechu nas nie wiodą*
> *Niechaj człowiek przypomina*
> *śród biesiady, że są głodni*
> *Niech pienisty kielich wina*
> *nie dopuszcza go do zbrodni...*

(Wł. Syrokomla Dni pokuty i Zmartwychwstania)

Zygmunt Gloger wspomina, że „gdy nadeszła wieść o przybyciu kapłana, powstał we wsi ruch niezwykły. Biegano z wiadomością od chaty do chaty. Z pod każdej strzechy wychylała się kobieta, niosąc spiesznie do dworu słomianą, o płaskim dnie, owalną kobiałkę z ciężarem, w biały, czysty, szeroki z frędzlami ręcznik dawnej roboty zawiniętym. Następowała chwila tradycyjna, charakterystyczna. Przed starym gankiem (...) wieśniaczki ustawiały na ziemi swoje kobiałki w duże półkole i odkrywały z białych zasłon to, co do poświęcenia przyniosły. Były to wszystkie prawie analogiczne ze święconem we dworze przedmioty, jeno uboższe i skromniejsze i brakowało tylko mazurków. W każdej kobiałce kraśniało kilka pięknie rysowanych pisanek, rozpierał się owalny pieróg (...) do jego boku tulił się świeży ser śnieżnej białości, opasany wiankiem kiełbasy, kawał wędzonki i sól do poświęcenia nieodzowna. U zamożniejszych pyszniła się babka żółta od krokoszu, pękata (...) i wyglądało ciekawie spod ręcznika blade prosię z jajkiem lub chrzanem w zębach. Wszystko przybrane było zielonym barwinkiem i gruszewnikiem leśnym i roztaczało woń niezmiernie przyjemną dla tych, którzy przez cały post wstrzymywali się od nabiału, okrasy wszelkiej i mięsa".

W naszym dzisiejszym święconym nie ma wprawdzie pieczonego prosięcia – ani bladego, ani rumianego – ale jest i chrzan, i sól, i kiełbasa, i babka, barwinek i pisanki; a wszystko mieści się w małym koszyczku. A jeszcze pamiętam, jak niedawno wiejskie kobiety dźwigały do kościoła ogromne wiklinowe kosze, bo wszystkiego musiało być dużo, ponieważ według starych wierzeń święcone posiadało nadzwyczajną moc. Po przyjeździe z kościoła należało więc obejść ze święconym dom trzy razy, aby zapewnić mu dostatek i pozbyć się szczurów i myszy. Poświęcone kości zwierząt i drobiu należało zakopać w czterech rogach granic wioski, aby zabezpieczać ją od klęsk i gradu, a ze święconym chlebem i ciastem trzeba było obejść stodołę, aby przez cały rok była pełna. Skorupki pisanek wyrzucone do ogrodu chroniły kapustę od liszek, chleb dawany krowom powodował dobre ich zapładnianie itd., itd. Święconym należało podzielić się z najbiedniejszymi i sierotami, nic nie mogło się zmarnować.

Tak więc stary obrzęd błogosławieństwa pokarmów i napojów, znany w kościele katolickim już w VIII wieku, zachował się w Polsce do dziś.

Wielką Sobotę kończyła rezurekcja – nabożeństwo biorące swoją nazwę od łacińskiego słowa *resurrectio* – zmartwychwstanie. „Rezurekcja – to obrzęd radosny, w krajach słowiańskich powszechny (...). Polega on na wyniesieniu Najświętszego Sakramentu z tzw. grobu i trzykrotnej uroczystej procesji wokoło kościoła wśród pieśni wielkanocnych. Obchód ten powstał z misteriów średniowiecznych, a na jego rozszerzenie wpłynęli bożogrobcy" (Z. Gloger).

Według wierzeń ludowych w czasie rezurekcji woda w źródłach i studniach zamienia się na chwilę w miód, a skarby ukryte w ziemi zapalają się jasnym płomieniem.

Gdy rozlegały się dzwony na rezurekcję, wszyscy spieszyli do kościoła (bo kto rezurekcję przespał, nie miał prawa jeść święconego), wierzono też, że kto nie pójdzie, będzie ciągle chorował. Gospodarze potrząsali drzewkami owocowymi, by rodziły obficie, mówiąc: „Powstań drzewo, bo Chrystus zmartwychwstał". W czasie procesji wypatrywano, czy nie ma przypadkiem wśród modlących się czarownicy, „bo jeśli jest, to musi się jej przytrafić coś takiego, co nie pozwoli jej trzykrotnie obejść kościoła – rzemyk od kierpca odpadnie, spódnica się oberwie". W czasie rezurekcji uroczyste tłumy zalegały kościoły, a w wielkiej procesji, trzy razy obchodzącej kościół, triumfalnie brzmiała zwycięska pieśń zmartwychwstania: „Wesoły nam dziś dzień nastał". To pierwsze słowa jednej z najwspanialszych w całorocznym repertuarze polskich pieśni religijnych, śpiewanej od setek lat.

Polskich pieśni wielkanocnych – w przeciwieństwie do kolęd – nie znamy dziś zbyt wiele, większość z nich zaginęła bezpowrotnie. Autorem jednej z nich, szczególnie pięknej, jest Mikołaj Rej. To „Alleluja" z muzyką Wacława Szamotulskiego. Alleluja – najczęściej powtarzane w czasie Wielkanocy słowo, pochodzi z języka hebrajskiego i znaczy dokładnie „Chwalcie Boga!" (hallelū -Jāh). „W Polsce cały lud śpiewał zawsze w kościele Alleluja na Wielkanoc, przejmując się uczuciem najwyższej radości religijnej" (Gloger).

Wracając z rezurekcji do domu, wszyscy witają się i pozdrawiają

2 l 5

na drodze, w domu, słowami »Chrystus Pan zmartwychwstał«, na co odpowiadają im »Prawdziwie zmartwychwstał« (...) Po przyjściu do domu gospodarze wypuszczają konie, aby i one cieszyły się z wolności i święciły swoja radością to wielkie święto Zmartwychwstania" (Kantor „Wielkanoc").

Niegdyś rezurekcyjne dzwony zwoływały ludzi na nabożeństwo w Wielką Sobotę o 12 w nocy. Od czasów stanisławowskich, chcąc oszczędzić ludziom nie zawsze bezpiecznych nocnych powrotów do domów, uroczystość Zmartwychwstania przeniesiono na niedzielny świt, a dzwonom wtórowały armaty, moździerze, strzelby i pistolety. Bardzo to było niegdyś głośne nabożeństwo. „W Sobotę Wielką, gdy pan Harmider z działami i puszkarzami wyruszył na rezurekcję, udałem się także do Nieświeża, abym przytomny był letycji i allelujom. Rezurekcja odbyła się jak należy – książę pan z przyjacielem swoim, JP Abrahamem Duninem, podczaszym litewskim, klęczeli w pierwszej ławce karmazynami wybitej i w procesji nieśli baldakin nad celebrantem, a dziedziniec obszerny przed kościołem wysłany makatami i liściem ajeru, wydawał się jak łąka kwiecista. Skoro więc we drzwiach kościoła ukazał się celebrant ze złotą monstrancją i mający nad głowę karmazynowy baldakin (...) dano ognia z dwunastu dział, a dzwonnicy na wieżach wystrzelili z dwóch moździerzy, a całe pospólstwo strzelało z kluczów, z dubeltówek, z krocie i był huk taki, że zwalił się pułap w domie pewnego mieszczanina" (Juliusz Słowacki *Święcone*).

Nadchodziła Wielka Niedziela.

Po prymarii – pierwszej mszy po Zmartwychwstaniu Pana – spieszono do domów. Na drogach odbywały się wyścigi furmanek, bo kto pierwszy do domu zajedzie, temu zboże nadzwyczaj się uda. Wyposzczeni ludzie spieszyli do domu na Wielkie Śniadanie.

❖ WIELKA NIEDZIELA ❖

Jedną z największych atrakcji świąt wielkanocnych było wielkie obżarstwo. Po czterdziestodniowym Wielkim Poście już od Palmowej Niedzieli czekano z niecierpliwością na ten dzień, śpiewając:

216

Jedzie Jezus, jedzie
weźmie zur i śledzie,
Kiełbasy zostawi
I pobłogosławi...

albo:

Dobre placki przekładane
i kiełbasy nadziewane,
Daj mi Chryste zazyć tego,
Daj doczekać święconego.

Wielkanoc – zawsze było to w Polsce święto rodzinne poświęcone jedzeniu. Ponieważ następowało po długim poście, wiele było recept na uchronienie się od zgagi. Według najstarszych porad należało zjeść na czczo święconego chrzanu i chuchnąć trzy razy do komina, albo zjeść przed śniadaniem usmażone na maśle pokrzywy. I teraz już można było przystąpić do gargantuicznej wprost uczty, o której rozmiarach niewielkie tylko pojęcie dają nam opisy staropolskiego święconego. Ale i chłopskie, biedne śniadanie wielkanocne nie grzeszyło umiarem: „Po mszy rannej pożywają święcone. Nasamprzód jedzą po kawałeczku jaja, potem po kawałku chleba z masłem, wreszcie cielęcinę pieczoną, słoninę, kiełbasę, jaja, wszystko (...) zmieszane z chrzanem", a potem obiad: „jedzą bowiem rosół i mięso, a kaszę domową zastępuje ryż" (E. Janota *Lud i jego zwyczaje*), a potem ciasta, baby, serowniki i tak przez cały dzień. „Siadają według starszeństwa do śniadania (...) zwanego „siewnica", zaczynając od chrzanu (...), potem dzielą się jajkiem, a potem jedzą kiełbasę, placki, paskę..." (Kantor: „Wielkanoc").
Chrzan musiał być zawsze w czasie wielkanocnego śniadania, bo:

Na ostatku baszczu, krzan w nim nadrobiony,
bo Jezus na krzyzu żółciom beł pojony,
Krzan i żółć jeden smak równy ma
To na te pamiotkę jeść go nam kazajo...

217

Pisał w połowie XIX wieku chłopski poeta Walski.

Chłopi głęboko wierzyli, że nic ze „święconego" nie może się zmarnować. Okruszyny ciast rozsiewano więc po ogrodzie, skorupki z jajek wynoszono na grządki, ze święconego chrzanu robiono krzyżyki i wkładano pod węgły domu, aby się go węże nie trzymały. Pilnowano tylko, aby żadnych święconych okruszyn nie zjadły kury, boby „piały jak kogut". Kawałki chleba, sera i kiełbasy dawano krowom i koniom, bądź zakopywano w ziemi na znak „że wszystko z niej pracą rąk wydostaje (...) kości z mięsa rozrzucano w polu, by szczury i chomiki szkody nie robiły".

Pierwszy dzień świąt – Wielka Niedziela – upływał na ogół w ścisłym rodzinnym gronie, dopiero poniedziałek wielkanocny był dniem składania wizyt sąsiadom i znajomym.

❖ PONIEDZIAŁEK WIELKANOCNY ❖

Po Niedzieli spędzonej w gronie rodzinnym, przeważnie na jedzeniu, nadchodził dzień harców i swawoli – poniedziałek, słynący w całej Polsce z oblewania się wodą. Różne nazwy nadawano temu zwyczajowi – Oblewanka, Lejek, św. Lejek, Meus, Emaus, wreszcie dyngus i śmigus.

Najstarszą wzmianką o dyngusie w Polsce jest, co ciekawe, uchwała synodu diecezji poznańskiej z 1420 roku *Dingus prohibetur* – już wówczas zabraniająca zwyczaju, który wprawdzie nieco zmieniony, ale dotrwał do naszych czasów. W uchwale tej czytamy: „Zabraniajcie, aby w drugie i trzecie święto wielkanocne mężczyźni kobiet, a kobiety mężczyzn nie ważyli się napastować o jaja i inne podarunki, co pospolicie się nazywa dyngować, ani do wody ciągnąć, bo swawole i dręczenie takie nie odbywają się bez grzechu śmiertelnego i obrazy imienia Boskiego".

Wiele średniowiecznych kazań kościelnych poświęconych jest tej wielkanocnej zabawie. Oto fragmenty z piętnastowiecznych kazań: „Niedziela wielkanocna i dwa dni następne pełne są nierządnej zabawy, obmierzłego dyngowania i rozmaitych guseł. Mężczyźni i kobiety łupią się, dyngują wzajemnie o podarki, mianowicie jajka, ciągną się do wody, przyczem niejednego duszą albo topią, smagają się rózgą i pięścią". „Wczoraj spowiadali się, jutro biegną do domów, po izbach, napastując dobrych ludzi, wołając: »daj jaja, daj jaja«".

Chociaż jednak zabraniano usilnie tej zabawy, grożąc tym, którzy się nie poprawią, że „należy ich ekskomunikować i nie chować na cmentarzu" – to zabawa trwała. W dzienniku podróży po Polsce pod datą 16 IV 1661 r. Jan Faggiuolli notuje: „W dzisiejszy dzień wielkanocny starodawnym kraju tego zwyczajem jest, iż mężczyźni sprawiają tak zwany dyngus kobietom, skraplając je wodą, a to szczególniej się dzieje między kochankami. Na drugi dzień Wielkiejnocy białogłowy zwykły się odwdzięczać, obryzgując mężczyzn, a taka wzajemna łaźnia przeciąga się aż do Zielonych Świątek".

Jędrzej Kitowicz w *Opisie obyczajów za panowania Augusta III* pisze: „Amanci dystyngowani, chcąc tę ceremonią odprawić na amantkach swoich bez ich przykrości, oblewali je lekko różaną lub inną pachnącą wodą po ręce, a najwięcej po gorsie, małą jaką sikawką albo flaszeczką. Którzy zaś przekładali swawolą nad dyskrecją, nie mając do niej żadnej racji, oblewali damy wodą prostą, chlustając garkami, szklenicami, dużymi sikawkami, prosto w twarz lub od nóg do góry. A gdy się rozswawolowała kompania, panowie i dworzanie, panie, panny, nie czekając dnia swego, lali jedni drugich wszelkimi statkami, jakich dopaść mogli; hajducy i lokaje donosili cebrami wody, a kompania dystyngowana, czerpając do nich, goniła się i oblewała od stóp do głów, tak iż wszyscy zmoczeni byli, jakby wyszli z jakiego potopu. Stoły, stołki, kanapy, krzesła, łóżka, wszystko to było zmoczone, a podłogi – jak stawy – wodą zalane (...). Największa była rozkosz przydybać jaką damę w łóżku, to już ta nieboga musiała pływać w wodzie między poduszkami i pierzynami jak między bałwanami; przytrzymywana albowiem od silnych mężczyzn, nie mogła się wyrwać z tego potopu...". Tak polewali się możni tego świata, aby dochować tradycji. A „...zaś w miastach i wsiach młodzież obojej płci czatowała z sikawkami i garkami z wodą na przechodzących (...) Parobcy zaś po wsiach łapali dziewki (...) złapaną zawlekli do stawu albo do rzeki i tam wziąwszy za nogi i ręce wrzucili, albo też włożywszy w koryto przy studni lali wodą poty, póki im się podobało". Nie broniły się jednak dziewczęta, bo wiadomo było, że nieoblanie znaczyło brak powodzenia u chłopców.

W wielu miejscowościach Polski już w Wielka Niedzielę wieczorem przygotowywano się do lejka. W ten wieczór młodzi mężczyźni układali w tajemnicy przed dziewczętami wiersze, które następnie, siedząc na dachu jakiegoś domu lub na wysokim drzewie recytowali, a właściwie wykrzykiwali przy użyciu tradycyjnej formuły, jaką ilość wody dla każdej z nich przeznaczają. Wymieniali też wszystkie wady i zalety wiejskich panien. „Ta jednak, której imię wcale przy dyngusie nie jest wymienionem, choćby nawet z najgorszej przedstawiony była strony, ma to sobie za wielkie ubliżenie. W nagannem tem zapomnieniu widzi wyraźną dla imienia i osoby swojej pogardę" (O. Kolberg *Lud*).

A nie były to wierszyki miłe, i wykrzykiwane głośno z wysokiego miejsca słyszane były przez całą wieś. Oto kilka nie najdrastyczniejszych przykładów takich przywoływek, poczynając oczywiście od najdelikatniejszych:

> *W pierwszej chałupie ode dwora*
> *Jest tam dziewka piękna, młoda*
> *Na imię jej Jagna,*
> *Do Boga i ludzi podobna,*
> *A niech się nie boi,*
> *Bo tam za nią Marcin stoi,*
> *I dla jej urody*
> *pięć kubełków wody.*

Ta panna jak widać miała już swojego Marcina.

> *Panna Jadwiga, bogobojna,*
> *Ale chłopa pragnąca,*
> *Krowy nie wydoi, bo się ogona boi,*
> *Izby nie wymiecie, po kolana śmiecie,*
> *Jest taka gruba, że potrzebuje,*
> *dwie fury pyrzu,*

do wyłozenia w łyzu
Jak chleb upiecze,
to się szczur pod skórką
przewlecze,
Za karę dostanie sześć wiader wody.

Nie było formułki „niech się nie boi", nie miała widać panna Jadwiga swojego kawalera. Ale było i tak:

Jest tam dziewczyna, ładno, urodno,
do świni podobno,
z nosa do psa,
z brzucha do woło-dupa,
z oka do źryboka,
Do jeji manyzu
fure pyrzu.

Bywało i gorzej – nic więc dziwnego, że przywoływki rozpoczynały się od słów: „niech się trzęsą wszystkie dziewki, zaczynamy przywoływki". Stary zwyczaj zanika i dziś już tylko na Kujawach, w rodzinnej wsi Kasprowicza – Szymborzu koło Inowrocławia – pielęgnuje ten zwyczaj Stowarzyszenie Klubu Kawalerów powstałe w 1834 roku.

Niewyjaśniony jest początek lanego poniedziałku. Jedni wywodzą ten zwyczaj z Jerozolimy, „gdzie schodzących się i rozmawiających o zmartwychwstaniu Chrystusowem Żydzi wodą z okien oblewali dla rozpędzenia z kupy i przytłumienia takowych powieści" (J. Kitowicz). Inni początek oblewania wywodzą od wprowadzenia „wiary świętej do Polski, a szczególniej do Litwy, kiedy nie mogąc wielkiej liczby przychodzących chrzcić pojedynczo, napędzali tłumy do wody i w niej nurzali, albo stojących na brzegu tąż wodą obficie skraplali" (Ł. Gołębiowski *Gry i zabawy*).

Samo oblewanie się wodą ma pewnie początek w prasłowiańskich czasach, kiedy głęboko wierzono w oczyszczającą moc wody, a gdy

221

Kościół wprowadził jej poświęcenie – tym samym usankcjonował stary zwyczaj.

Dzisiejsza, niemalże ogólnopolska nazwa śmigus-dyngus wzięła się z połączenia dwóch wielkanocnych obrządków. Tak jak w czasie świąt Bożego Narodzenia chodzono po kolędzie, tak w czasie świąt Wielkiejnocy chodzono po dyngusie. Dyngowano, dyngusowano, śpiewając:

Przyszliśmy tu po dyngusie
Zaśpiewamy o Jezusie.

ale również:

Przyszedłem tu po dyngusie
Lezy placek na obrusie
Tata kraje, mama daje
Proszę o malowane jaje.

czy też:

Dyngus, dyngus,
Po dwa jaja,
Nie chcę chleba
tylko jaja.

Poranne dyngowanie kończyło się popołudniowym oblewaniem dziewcząt. Jan Karłowicz pisał: „W poniedziałek po obiedzie chłopaki idą po dyngus, na skąpanie dziewek. Gospodarze dają wówczas tym parobkom Dyng, tj. dwa kawały placka i po kieliszku wódki (...) parobcy śpiewają (...) potem następuje wiersz o Męce Pańskiej i w końcu przymówka o datek".

Dyng – znaczyło wykup. W Wielkopolsce po dyngusie chodziła „kompanija z grajkiem: jeden był przebrany za bociana, inny niósł żywego koguta, inny torbę" – zbierano datki.

222 Na Mazowszu dyngowaniu towarzyszyło topienie niedźwiedzia jako symbolu zimy. W innych okolicach, bo pamiętać należy, że nie-

gdyś niemalże w każdej wsi zwyczaje lekko różniły się od siebie, „przebierają się chłopcy za cyganów i zbierają datki. Po skończeniu tego obchodu udają się za wieś, gdzie w rowie topią »małego cyganka«, tj. zawiniątko ze słomy, które obnosili ze sobą" (F. Gawełek *Wielkanoc*).

Śmigus, pochodzący najprawdopodobniej od niemieckiego słowa *schmagustern*, oznaczał uderzanie brzozową rózgą po nogach i oczywiście też wiązał się z wykupem oraz oblewaniem wodą. W *Starożytnościach Warszawy* Wejnert pisze, że w siedemnastowiecznej Warszawie szmigusem nazywano podarunek, jaki składało miasto kantorowi przy kościele św. Jana.

W naszych czasach na pojęcie śmigus-dyngus niewątpliwie złożyły się trzy obrzędy związane z drugim dniem Wielkiejnocy – smaganie rózgą, oblewanie wodą i zbieranie podarków. Niegdyś ściśle przestrzegano zwyczaju, że w poniedziałek wielkanocny panowie oblewali panie i mogli to robić przez cały dzień, natomiast we wtorek, czyli tzw. trzeci dzień świąt, mężczyźni byli oblewani przez kobiety, ale mogły one to robić tylko do chwili „póki świnie z chlewa nie wytężą".

Ale zwyczaje i nazwy mieszały się i – zależnie od dzielnicy, a czasami gminy – dzień ten i obyczaje z nim związane były różnie nazywane. W Lubelskiem poniedziałek wielkanocny nazywano np. mokrym szmigustem i „starsi oblewali kobietom tylko palce (pozostałość zapewne po opisywanych przez ks. Kitowicza zwyczajach), młodsi zaś leją się całymi konewkami i trwało to czasami aż do Zielonych Świątek, a dzieci chodzą po szmigusie i zbierają datki ze święconego". I stąd pewnie powstał dwuwiersz:

Od Wielkiejnocy do Zielonych Świątek
można dać śmigus i w piątek.

Na Mazurach w drugi dzień wielkanocny chłopcy i dorośli mężczyźni „chodzą ze śmigusem po dyngusie". Oblewają się wodą, biją rózgami i mówią przymówki, czyli oracje o datek. Na Mazowszu jest zwyczaj wzajemnego oblewania się w poniedziałek i dyngusowania, tj. chodzenia chłopców z kogutkiem, a dziewcząt

223

z gaikiem i zbieranie podarunków za śpiewy i powinszowania. Zwyczaj chodzenia z gaikiem (maikiem, nowym laikiem) był obrzędem związanym z powitaniem nadchodzącego lata, urodzaju. Chodzenie z gaikiem to obnoszenie przez dziewczęta choinki lub sosnowej gałęzi ubranej w różnokolorowe wstążki. Pokręcając gaikiem, dziewczęta śpiewały okolicznościowe pieśni, po każdej zwrotce powtarzając.

Gaiku zielony, pięknie ustrojony,
Pięknie sobie chodzi, bo mu się tak godzi.

Te same obrzędy, w zależności od regionu, kultywowano w śródpościu, na przełomie zimy i w pierwszy dzień wiosny. Chodzenie z gaikiem trwało do Zielonych Świątek.

Tak jak dziewczęta chodziły z gaikiem, tak chłopcy chodzili z kurem. W niektórych okolicach obwożono na wózku żywego koguta ozdobionego kwiatami i różnego rodzaju lalkami, w innych dyngusowy kurek pieczony był z ciasta lub lepiony z gliny, wystrugany z drewna i ozdobiony piórami z koguçich ogonów. Oto opis dyngusowego kurka z województwa kaliskiego podany przez „Gazetę Codzienną" z 1835 roku: „Koło niego (tj. sztucznego kurasa) stoi kilka osóbek, najczęściej traczy i żołnierzy, które za pociągnięciem sznurkami w tę lub ową stronę się ruszają. Albo też stoją obok »kurasa« cztery osóbki po bokach, wyobrażające: żołnierza, kowala, młynarza i żyda, a każden z tych w parze z kobietą; to wszystko za popychaniem dyszla i toczeniem się na dwóch kółkach obraca się i tańczy".

W Krakowskiem chłopcy chodzili z traczykiem; koguta zastępował baranek, ale obrządek i śpiewy były podobne:

Miły gospodarzu, puście nas do izby,
bo nas tu niewiela, nie zrobimy cizby,
Stoimy za drzwiami, jest Pan Jezus z nami,
Do izby nas puście, bo my po śmiguście.
A dajcie, co macie dać,

224

Bo nam tutaj zimno stać,
Krótkie mamy kozuszki,
To nam pomarzną brzuszki.

I – oczywiście – dostawali dyng, szmigus, wykup czy też datek w postaci placków, mazurków, kiełbas, a głównie jajek. Ale też i wódki...

„Dorośli w poniedziałek świąteczny, idąc do dworu czynią panu tysiączne pokłony i każdy kurczęta mu daje, albo innego rodzaju drób, pan odwdzięczając się, każe wytoczyć beczkę wódki, i postawie ją na podwórzu. Otaczają beczkę wieśniacy, pan bierze łyżkę potężne i napełniwszy ją pije do najstarszego z gminy, oddaje mu łyżkę, która krąży od jednego do drugiego, póki wódki wystarczy, jeżeli beczkę wypróżni się przed zachodem słońca, uczta się kończy. Ci, którzy na nogach trzymać się mogą, wracają do domu, inni leżą na dziedzińcu zamkowym, na drodze..." (Ł. Gołębiowski *Gry i zabawy*). W późniejszych czasach wprawdzie może beczek nie wytaczano, ale wystarczy, że w każdej chacie chodzący z kogutkiem wypili po kieliszku wódki, a trzeźwi być nie mogli.

Omawiając poniedziałkowe zwyczaje, przypomnieć należy jeszcze o starym krakowskim, zwanym Emaus – urządzanym na pamiątkę objawienia się Chrystusa uczniom, będącym w drodze do miasta Emaus. Krakowski Emaus był to wielki, uroczysty spacer mieszczan po całym dniu siedzenia za stołem. Z czasem przerodził on się w ludową zabawę, rodzaj odpustu. Na Zwierzyńcu ustawiano kramy ze słodyczami, zabawkami, koralami. Młodzi chłopcy zaczepiali dziewczęta, uderzając je baziami, a sami między sobą toczyli walki na kije. A dla wszystkich spacerujących wielką atrakcję stanowiły procesje bractw religijnych do zwierzynieckich kościołów. Niesiono chorągwie bractw, święte obrazy, a wszystkiemu temu towarzyszyły liczne kapele.

Innym starym, tylko krakowskim zwyczajem była Rękawka.

Szumi woda lecąc naokoło stawka,
Najmilszym dniem w roku jest dla nas Rękawka.

Zwyczaj ten, opisany już w średniowieczu, był jednym z lokalnych krakowskich zwyczajów wielkanocnych. W wielkanocny wtorek, trzeci dzień świąt, po mszy świętej w kościółku św. Benedykta, ludność Krakowa hucznie bawiła się na Rękawce. Była to najprawdopodobniej pamiątka starosłowiańskiej stypy pogrzebowej, czyli „ugoszczenia ludu zebranego na obrzęd pogrzebowy Krakusa". Po przyjęciu chrześcijaństwa wiosenne stypy przeniesiono na dzień zaduszny w listopadzie i tylko w Krakowie, przez pamięć dla jego założyciela, pozostał stary zwyczaj; na grobie założyciela miasta rozdawano biedakom resztki święconego. Na wzgórzu zbierali się mieszczanie krakowscy i rozdawali mazurki, pierniki, placki, kiełbasy, jajka. Według ustnej tradycji nazwa Rękawka pochodzi stąd, że kopiec Krakusa został usypany z ziemi przynoszonej w rękawach lub cholewach butów.

Tak o tym zwyczaju pisze Łukasz Gołębiowski w swoich „Grach i zabawach": „Trzeciego dnia świąt wielkanocnych w Krakowie jest obchód rękawki, do którego powodem miłość i wdzięczność. Ponad przedmieściem Podgórze, na prawym brzegu Wisły, wznoszą się góry skaliste, nazwane Krzemionkami, przy nich mogiła Krakusa. Kochali go poddani i na grób wodza łzami skropiony tysiące rąk znosiło po garstce ziemi z różnych stron krainy, czem kto mógł, i w rękawach od sukni czy koszuli związanych: stąd powstała Krakusa mogiła i wspomnienie rękawki. Gdy wiara chrześcijańska wprowadzona została, wszelką pamiątkę z religijnym łączono obrządkiem (...) Z rana lud wiejski licznie się zewsząd gromadzi i dzień cały tam obozuje. Koło trzeciej z południa wszystko prawie co żyje (...) śpieszy na oddanie popiołom założyciela wieczystej czci i hołdu (...) Nic bardziej zachwycającego, nic mocniej przemawiającego do serca znaleźć nie można. Wesołość prosta i niewinna jaśnieje na twarzy wszystkich. Przy mogile Krakusa nie ma różnicy stanów; wszystko bez ładu zmieszane, zdaje się przypominać, że za owych czasów błogich równość i szczerość panowała, że nie znano wyższych (...) Dziś tylko jeden zwyczaj zabawny istnieje. Tłumy chłopców miejskich i wiejskich trzymają od rana w oblężeniu część góry (...) stąd im bywają rzucane orzechy, jajka, bułki, pierniki itp. rzeczy, za któremi na złamanie szyi, spycha jeden drugiego na dół, chwytają co który może".

O popularności krakowskiej Rękawki najlepiej świadczy liczba wierszy, szarad i zagadek układanych na jej temat. Oto jedna z szarad ułożona przez Bobrowicza i drukowana w „Pszczółce krakowskiej" w 1820 roku:

Me pierwsze z drugim w Polsce wprawne do oręża
Me drugie z trzecim bywa na kościele;
Wszystko samego czasu potęgę zwycięza,
U nas ma wdzięku i znaczenia wiele.

Tak to co najmniej przez trzy dni obchodzono kiedyś w Polsce Wielkanoc. Dzisiaj trzeciego dnia trzeba już iść do pracy... Ale z dawnej tradycji zostało dużo. Przede wszystkim nastrój radości.

Wielkanoc – to święta radosne; w dalszym ciągu nie wolne wprawdzie od psich figlów w rodzaju śmigusa-dyngusa, ale poza tym to wesołe święta towarzyskie, podczas których ludzie odwiedzają się nawzajem, a każdy dom, zwłaszcza w poniedziałek – stoi otworem dla gości, tradycyjnie pełen jedzenia.

Kiełbasy, prosięta, drób należały przed wiekami raczej do potraw pospolitych, na „święcone" starano się zawsze o coś bardziej niezwykłego. Wędzono więc szynki z dzika, przygotowywano pieczeń z łosia, jelenia, sarny, daniela, pieczono dzikie ptactwo na dziesiątki sposobów, ponieważ – jak twierdził w 1616 roku Teodor Zawadzki: „leśne zdrowsze są wszelakie niż domowe, jako kuropatwa, jarząbek, cietrzew, kwiczoł, pardwa, drop, ba, zięby i czyżyk z jabłkami niezła potrawa...".

Dzisiaj warto pamiętać, że zamarynowana w kwaśnym mleku i upieczona ze śmietaną baranina doskonale może naśladować udziec sarni; zwykła kaczka nadziana farszem pasztetowym i upieczona z ziołami w zupełności zastąpi dzikie ptactwo, a kawałek wieprzowej, dobrze przyrządzonej pieczeni nie ustąpi w smaku nadziewanym prosiętom. Zwyczaj jedzenia samych zimnych mięs i ciast przez dwa wielkanocne dni, dawno już nie obowiązuje. Obecnie śniadania wielkanocne są właściwie świątecznymi obiadami. Aby jednak staropolskiej tradycji stało się zadość, dobrze jest na wielkanocny stół przygotować pieczenie i drób w taki sposób, aby można podawać je było zarówno na zimno, jak i na gorąco.

227

❖ MARYNATA DO PIECZENI NA DZIKO ❖

Składniki:

2 szklanki jasnego piwa, 2 drobno posiekane cebule, sok i skórka otarta
z cytryny, 3 drobno pokruszone listki laurowe, szczypta mielonych
goździków, po ½ łyżeczki mielonego ziela angielskiego i pieprzu

Wszystkie składniki marynaty dokładnie mieszamy, zagotowujemy, studzimy,
zalewamy nią mięso, zostawiamy na 2–3 dni, często przekręcając, aby się równo
zamarynowało.

❖ MARYNATA DO MIĘS CZERWONYCH (WOŁOWINA, BARANINA) ❖

Składniki:

2 szklanki maślanki, 1 duża drobno posiekana cebula, ¼ łyżeczki mielonych
goździków, pokruszony listek laurowy, po ½ łyżeczki startej gałki
muszkatołowej, suszonego tymianku i mielonego pieprzu

Wszystkie składniki marynaty dokładnie mieszamy, zalewamy mięso, zostawiamy
na 2–3 dni w chłodnym miejscu.

❖ MARYNATA DO WSZYSTKICH RODZAJÓW MIĘS ❖

Składniki:

1½ szklanki czerwonego wytrawnego wina, 3–4 łyżki oleju,
1 drobno pokrojona cebula, ½ łyżeczki suszonego tymianku, pokruszony
listek laurowy, 8–10 ziarenek kolendry, 4–5 ziarenek ziela angielskiego,
2–3 ząbki czosnku, 3–4 ziarenka pieprzu, ½ łyżeczki soli

Roztarty z solą czosnek mieszamy z pozostałymi składnikami. Umyte i osuszone
mięso wkładamy do kamiennego garnka, zalewamy marynatą, przykrywamy, obciążamy, zostawiamy na 2–4 dni w chłodnym miejscu, od czasu do czasu przekręcając, aby się równo zamarynowało.

❖ MARYNATA WINNA ❖

Składniki:

1 szklanka białego wytrawnego wina, ½ szklanki octu winnego,
2–3 ząbki czosnku, szczypta mielonych goździków,
po ½ szklanki drobniutko pokrojonego selera naciowego

i zielonej pietruszki, 1 posiekana cebula, 1 starta na tarce marchewka,
½ łyżeczki soli, ¼ łyżeczki mielonego pieprzu

Roztarty z solą czosnek mieszamy dokładnie z pozostałymi składnikami marynaty (nie gotujemy). Umyte i osuszone mięso wkładamy do kamiennego garnka, zalewamy marynatą, zostawiamy na 1–2 dni w chłodnym miejscu, często przekręcamy, aby się równo zamarynowało.
Można używać do wszystkich rodzajów mięsa i drobiu.

❖ MARYNATA ZIOŁOWA ❖

Składniki:

2 szklanki białego wytrawnego wina, 1 kieliszek koniaku, 2 łyżki oleju,
¼ łyżeczki mielonych jagód jałowca, po ¼ łyżeczki suszonych ziół:
rozmarynu, majeranku i tymianku, 1–2 ząbki czosnku,
1 mały drobno pokrojony por, ¼ selera i 1 marchewka,
starte na tarce jarzynowej, ½ łyżeczki zmielonego pieprzu

Składniki marynaty dokładnie mieszamy (nie gotujemy). Zalewamy mięso, zostawiamy na 2–3 dni w chłodnym miejscu.

❖ ZAPRAWA WARZYWNO-OLEJOWA ❖

Składniki:

Po 1 dużej marchewce, pietruszce i cebuli, kawałek selera, ½ łyżeczki cukru,
1 pokruszony listek laurowy, szczypta mielonych goździków,
1 łyżka soku z cytryny, 3–4 łyżki oleju, po ¼ łyżeczki mielonego
ziela angielskiego i pieprzu

Warzywa ścieramy na tarce jarzynowej o dużych oczkach, łączymy z drobno pokrojoną cebulą, mieszamy z olejem i korzeniami oraz cukrem. Umyte i osuszone
mięso dokładnie obkładamy przygotowaną zaprawą, przykrywamy, zostawiamy
na 1–3 dni w chłodnym miejscu.

❖ JAGNIĘCINA W MIGDAŁOWYCH PŁATKACH ❖

Składniki:

1½ kg udźca bez kości, 150 g płatków migdałowych, 2 łyżki rodzynek,
½ kieliszka białego wytrawnego wina, 1 łyżeczka soli

Marynata:

2 drobniutko pokrojone cebule, 6–8 ząbków czosnku,
1 łyżka mielonego kminku, 2 łyżki mielonej kolendry,
2 zielone papryczki chili, 1½ szklanki jogurtu,
1 strąk zielonej papryki

Drobno posiekany czosnek ucieramy z cebulą, kolendrą i kminkiem na jednolitą pastę. Z mięsa ścinamy nadmiar tłuszczu, myjemy je, osuszamy, mocno wygniatamy ręką, porządnie nacieramy połową przygotowanej pasty, wkładamy do kamiennego garnka. Pozostałą część pasty dokładnie mieszamy z jogurtem i wypestkowanymi, drobno pokrojonymi papryczkami chili, zalewamy mięso, przykrywamy, wstawiamy na 2–3 dni do lodówki, kilkakrotnie przekręcamy, aby się równo zamarynowało.

Wyjęte z marynaty wilgotne mięso nacieramy solą, szczelnie owijamy w folię, układamy na blasze, wstawiamy do nagrzanego piekarnika. Pieczemy 60–80 minut. Umyte i osączone z wody rodzynki zalewamy na pół godziny winem. Płatki migdałowe uprużamy na suchej patelni. Upieczone mięso odwijamy z folii, posypujemy rodzynkami i migdałami, zostawiamy w lekko nagrzanym piekarniku przez 10–15 minut. Po pokrojeniu w plastry dekorujemy paskami zielonej papryki.

❖ UDZIEC BARANI PIECZONY W FOLII ❖

Składniki:

Ok. 1½ kg udźca baraniego bez kości, 4–5 ząbków czosnku,
1 łyżeczka roztartego rozmarynu, ¼ łyżeczki mielonego jałowca,
1 łyżka soku z cytryny, 3 łyżki oleju,
po ½ łyżeczki mielonego ziela angielskiego i pieprzu,
1 łyżeczka soli

Z mięsa usuwamy nadmiar tłuszczu, myjemy je i osuszamy, mocno wygniatając ręką. Szpikujemy pokrojonymi 2–3 ząbkami czosnku, skrapiamy sokiem z cytryny. Korzenie i zioła ucieramy na pastę z pozostałym czosnkiem roztartym z solą i olejem. Mięso nacieramy pastą, wkładamy do salaterki, przykrywamy i zostawiamy na noc w lodówce. Następnego dnia wkładamy w tunel foliowy lub owijamy folią aluminiową. Układamy na blasze i wstawiamy do nagrzanego piekarnika. Pieczemy ok. 90 minut. Podajemy na gorąco lub zimno.

230

❖ PIECZEŃ CIELĘCA Z ESTRAGONEM ❖

Składniki:

1 kg zadniej cielęciny, 2 łyżki soku i ½ łyżeczki skórki otartej z cytryny,
1 łyżka suszonego estragonu, ¼ łyżeczki cukru,
2–3 łyżki białego wytrawnego wina, 2 łyżki oleju, 1 łyżka tłuszczu,
1 ząbek czosnku, szczypta pieprzu cayenne, sól

Umyte i osuszone mięso mocno wygniatamy ręką. Drobno posiekany czosnek mieszamy z estragonem, skórką i sokiem z cytryny, cukrem, olejem, winem i pieprzem cayenne. Przygotowaną pastą nacieramy mięso i w przykrytej salaterce zostawiamy na noc w lodówce.
Następnego dnia cielęcinę solimy, wkładamy do tunelu foliowego, skrapiamy marynatą i obkładamy plasterkami tłuszczu. Tunel zamykamy z obu storn, układamy na blasze i wstawiamy do nagrzanego piekarnika. Pieczemy 40–50 minut. Podajemy na gorąco lub na zimno.

❖ ROLADA CIELĘCA À LA MODE ❖

Składniki:

1 kg zadniej cielęciny, 8 cieniutkich plasterków wędzonego boczku,
2 cebule, 2 twarde mięsiste pomidory, po ¼ łyżeczki suszonego tymianku,
mielonego cynamonu i mielonych goździków, ½ łyżeczki cukru,
1 kieliszek koniaku, 1 łyżeczka soku i ¼ łyżeczki skórki otartej z cytryny,
2 łyżki oleju, 2 łyżki tłuszczu, 2–3 łyżki białego wytrawnego wina,
½ szklanki bulionu, sól, pieprz, ew. 1 łyżeczka mąki ziemniaczanej

Umyte i osuszone mięso nacinamy wzdłuż do połowy, lekko rozbijamy tłuczkiem, formujemy równy prostokąt. Skrapiamy sokiem z cytryny, oprószamy solą i pieprzem. Dokładnie mieszamy tymianek, goździki, cynamon, cukier, pieprz, skórkę z cytryny z 1 łyżką oleju. Tak przygotowaną pastą mocno nacieramy plasterki boczku. Pomidory sparzamy wrzątkiem, obieramy ze skórki. Obraną cebulę i pomidory kroimy w plastry. Płat mięsa układamy na desce, przykrywamy plasterkami boczku, cebuli i pomidorów, ciasno zwijamy w rulon, związujemy nitką, zrumieniamy ze wszystkich stron na silnie rozgrzanym pozostałym oleju. Przekładamy do brytfanny, obkładamy plasterkami tłuszczu, wstawiamy do nagrzanego piekarnika, skrapiamy winem. Przykrywamy i pieczemy 50–60 minut, często polewając bulionem. Miękkie mięso wyjmujemy, układamy na żaroodpornym pół-

231

misku, wstawiamy do ciepłego piekarnika. Sos przelewamy do rondelka, zagotowujemy, przyprawiamy solą i pieprzem, zdejmujemy z ognia, dodajemy koniak, dokładnie mieszamy, podajemy w sosjerce. Sos można zagęścić mąką ziemniaczaną rozrobioną łyżką wody.

❖ ROLADA CIELĘCA STAROPOLSKA ❖

Składniki:

1 kg cielęciny, 1 łyżeczka soku z cytryny, 2 łyżki tłuszczu,
1 łyżka mielonego ziela angielskiego, ½ szklanki soku z pomarańczy, sól

Farsz:

1 mała cebula, 1 łyżka tłuszczu, ½ szklanki startego (suchego) razowego
chleba, 1 łyżka bułki tartej, 1 łyżka skórki otartej z pomarańczy,
2 łyżki rodzynek, 1 łyżka białego wytrawnego wina,
po ¼ łyżeczki suszonego estragonu, mięty, bazylii
i tymianku, 1 surowe jajo

Umyte i osuszone mięso przecinamy wzdłuż do połowy, lekko rozbijamy drewnianym tłuczkiem, formujemy równy płat, skrapiamy sokiem z cytryny.
Przygotowanie farszu: drobniutko pokrojoną cebulę szklimy na tłuszczu, dodajemy pokruszony chleb i bułkę tartą, chwilę dusimy razem, mieszając. Umyte rodzynki zalewamy winem. Cebulę i chleb zdejmujemy z ognia, wsypujemy skórkę z pomarańczy i zioła, wrzucamy rodzynki, wbijamy jajo, wyrabiamy masę, solimy.
Na płacie mięsa lekko oprószonym solą rozprowadzamy przygotowany farsz. Roladę ciasno zwijamy, owiązujemy nitką, smarujemy stopionym tłuszczem wymieszanym z zielem angielskim. Przekładamy do brytfanny, polewamy pozostałym tłuszczem. Wstawiamy do mocno nagrzanego piekarnika na 10–15 minut, po czym zmniejszamy ogień i pieczemy 40–50 minut, często skrapiając sokiem z pomarańczy i wytworzonym sosem.

❖ SCHAB PO STAROPOLSKU ❖

Składniki:

Ok. 1 kg schabu środkowego bez kości, 1 łyżeczka soku z cytryny,
2 łyżeczki otartego majeranku, 100 g suszonych śliwek bez pestek,
2 łyżki miodu, 2 duże cebule, 1 łyżka smalcu, 1 łyżka dowolnego tłuszczu,
½ szklanki białego wytrawnego wina, sól, pieprz

Umyty i osuszony schab skrapiamy sokiem z cytryny, nacieramy solą, pieprzem i połową majeranku, owijamy folią, zostawiamy na 3–4 godziny w chłodnym miejscu. Wyjmujemy z folii, obsmażamy ze wszystkich stron na silnie rozgrzanym smalcu, przekładamy do rondla, skrapiamy częścią wina, polewamy stopionym tłuszczem, wstawiamy do nagrzanego piekarnika.

Umyte śliwki zalewamy wodą, zostawiamy na kilka minut, po czym krótko obgotowujemy. Obraną cebulę drobno kroimy.

Po 20 minutach pieczenia schab posypujemy cebulą, obkładamy śliwkami, skrapiamy wodą, w której się moczyły, oraz resztą wina, przykrywamy, pieczemy 40–50 minut. Miękkie mięso wyjmujemy, przestudzamy, kroimy w plastry, układamy na żaroodpornym półmisku. Do sosu dodajemy łyżeczkę majeranku, miód i pieprz, zagotowujemy, przecieramy przez sito. Sosem tym polewamy mięso i wstawiamy je jeszcze na chwilę do nagrzanego piekarnika.

Podajemy z kluskami śląskimi lub francuskimi pieczonymi ziemniakami.

❖ WIEPRZOWINA À LA DZIK ❖

Składniki:

1½–2 kg wieprzowiny bez kości (łopatka, szynka, karkówka), 1 łyżka smalcu, 1 łyżka dowolnego tłuszczu, ½ łyżeczki mielonego jałowca, 2 duże cebule, sól

Marynata:

½ szklanki octu winnego, ½ szklanki białego wytrawnego wina, skórka otarta i sok z ½ cytryny, ½ łyżeczki cukru, 20 ziarenek jałowca, po 10 ziarenek pieprzu i ziela angielskiego, listek laurowy, 3–4 goździki

Sos:

2 łyżki marmolady głogowej lub śliwkowej, 1 łyżka tłuszczu, 1 łyżka mąki, 1 szklanka bulionu

Umyte i osuszone mięso mocno wygniatamy ręką, wkładamy do kamiennego garnka, obkładamy plasterkami cebuli, zalewamy gorącą marynatą, przykrywamy, obciążamy, przenosimy w chłodne miejsce na 4–6 dni. Codziennie przekręcamy, aby się równo zamarynowało.

Po wyjęciu z marynaty lekko spłukujemy, osuszamy, nacieramy solą, formujemy pieczeń. Obsmażamy ze wszystkich stron na silnie rozgrzanym smalcu, przekładamy do rondla. W małym rondlu topimy łyżkę tłuszczu, mieszamy z jałowcem, polewamy mięso, wstawiamy je do nagrzanego piekarnika i pieczemy 90–100 minut, skrapiając przecedzoną marynatą.

233

W rondelku rozgrzewamy drugą łyżkę tłuszczu, wsypujemy mąkę, robimy białą zasmażkę, rozprowadzamy zimnym bulionem i gotujemy na małym ogniu, mieszając, aż do zgęstnienia sosu. Wtedy dodajemy przetarty przez sito sos z pieczeni i marmoladę głogową (śliwkową), dokładnie mieszamy.

Pokrojoną na plastry pieczeń układamy na żaroodpornym półmisku, lekko polewamy sosem, wstawiamy na 4–5 minut do nagrzanego piekarnika. Pozostały sos podajemy w sosjerce.

❖ ROLADA WIEPRZOWA CZOSNKOWO-ZIOŁOWA ❖

Składniki:

Ok. 1 kg chudego surowego boczku bez kości, 6–7 ząbków czosnku,
po ½ łyżeczki suszonej mięty, szałwii, bazylii, cząbru i majeranku,
1 łyżka oliwy, 1 łyżka białego wytrawnego wina, ½ szklanki bulionu,
1 łyżeczka soli, ¼ łyżeczki pieprzu

Czosnek utarty z solą łączymy z ziołami, pieprzem, oliwą i winem. Umyty i osuszony boczek bardzo dokładnie nacieramy przygotowaną pastą, ciasno rolujemy, owijamy folią, wstawiamy na noc do lodówki. Następnego dnia boczek w folii układamy na blasze, wstawiamy do nagrzanego piekarnika i pieczemy ok. 90 minut, skrapiając bulionem. Pod koniec pieczenia odwijamy folię, aby mięso się zrumieniło. Podajemy na gorąco lub na zimno, z chrzanem albo ostrymi sosami.

❖ ROLADA Z FARSZEM ORZECHOWO-GRZYBOWYM ❖

Składniki:

Ok. 1½ kg wieprzowiny bez kości (szynka, łopatka),
2 łyżki soku z cytryny, 1 łyżka smalcu, 2–3 łyżki białego wytrawnego wina,
sól, pieprz

Farsz:

50 g suszonych grzybów, 2 łyżki posiekanych orzechów włoskich,
200 g mielonej cielęciny, 3 łyżki masła, 3–4 surowe żółtka, ¼ łyżeczki startej
gałki muszkatołowej, 1 mała cebula, ½ łyżki dowolnego tłuszczu

Umyte i osuszone mięso przecinamy wzdłuż do połowy, lekko rozbijamy tłuczkiem, formujemy równy płat, nacieramy solą i pieprzem, skrapiamy sokiem z cytryny, owijamy w folię, zostawiamy na 2–3 godziny w lodówce. Umyte grzyby namaczamy w niewielkiej ilości wody.

234

Przygotowanie farszu: namoczone grzyby gotujemy, drobno siekamy, łączymy z mieloną cielęciną i drobniutko pokrojoną zeszkloną na tłuszczu cebulą, 3 łyżki masła ucieramy i cały czas ucierając, dodajemy po jednym żółtku. Doprawiamy solą, pieprzem i gałką muszkatołową. Potem, dalej ucierając, dodajemy po trochu masę mięsną i orzechy. Wieprzowinę wyjmujemy z folii, smarujemy masą orzechowo-grzybowo-mięsną, rolujemy, obwiązujemy nitką, zrumieniamy na silnie rozgrzanym smalcu, przekładamy do brytfanny, polewamy stopionym tłuszczem i winem, pieczemy w nagrzanym piekarniku, skrapiając wywarem z grzybów, a później wytworzonym sosem.

Podajemy na gorąco z ziemniakami, zieloną sałatą lub brokułami, a na zimno z ostrymi sosami.

❖ PIECZEŃ WOŁOWA Z MIĘTĄ ❖

Składniki:

Ok. 1 kg polędwicy, ¼ łyżeczki suszonej mięty, 2–3 ząbki czosnku,
¼ łyżeczki pieprzu cayenne, 1 łyżeczka soku z cytryny, 1 łyżka oleju,
4 łyżki posiekanych listków mięty, 1 łyżeczka posiekanych zielonych
listków estragonu, 1 łyżka tłuszczu, ½ szklanki białego wytrawnego wina,
szczypta cukru, sól, pieprz

Roztarte ząbki czosnku mieszamy z pieprzem cayenne, suszoną miętą, łyżką oleju i sokiem z cytryny. Umyte i osuszone mięso mocno nacieramy przygotowaną pastą, owijamy folią, wstawiamy na 3–4 godziny do lodówki. Po wyjęciu z folii kładziemy na żaroodpornym półmisku wysmarowanym tłuszczem i wstawiamy do mocno nagrzanego piekarnika. Pieczemy ok. 30 minut, skrapiając wodą, a potem sosem i winem. Posypujemy posiekanymi zielonymi ziołami, doprawiamy solą, pieprzem i cukrem, przykrywamy folią, pieczemy jeszcze ok. 10 minut.

❖ SZTUFADA KORZENNA ❖

Składniki:

Ok. 1½ kg wołowiny bez kości (pierwsza krzyżowa, zrazowa),
50–70 g słoniny, 1 szklanka bulionu, 1 szklanka czerwonego wytrawnego
wina, 2 łyżki oleju, po szczypcie mielonego ziela angielskiego i mielonych
goździków, 2 łyżki przecieru pomidorowego, szczypta cukru, sól, pieprz,
ew. łyżka mąki ziemniaczanej

235

Zaprawa:

1 pietruszka, 1 marchew, kawałek selera, 2–3 ząbki czosnku, 2 cebule,
po 1 łyżeczce mielonego ziela angielskiego i pieprzu, po ½ łyżeczki
mielonego imbiru i otartego majeranku, ¼ łyżeczki mielonych goździków,
sok i skórka otarta z ½ cytryny, 3–4 łyżki oleju, ¼ łyżeczki cukru

Umyte i osuszone mięso mocno wygniatamy ręką. Przygotowujemy zaprawę: warzywa ścieramy na tarce jarzynowej o dużych oczkach, cebulę drobno kroimy, czosnek rozcieramy z solą. Jarzyny, cebulę i czosnek łączymy ze skórką i sokiem z cytryny, majerankiem, zielem, pieprzem, goździkami i cukrem, dokładnie mieszamy z olejem. Tak przygotowaną pastą mocno nacieramy mięso, układamy je w kamiennym garnku, dokładnie smarujemy pozostałą pastą, stawiamy w chłodnym miejscu na 2–3 dni. Słoninę kroimy w słupki, nacieramy solą, pieprzem, zielem angielskim i goździkami, zostawiamy na noc w lodówce.

Wyjęte z zaprawy mięso osuszamy, szpikujemy słoniną, obsmażamy ze wszystkich stron na silnie rozgrzanym oleju, przekładamy do rondla, obkładamy warzywami z zaprawy, skrapiamy bulionem, przykrywamy, wstawiamy do nagrzanego piekarnika i pieczemy ok. 2 godzin na niewielkim ogniu, często polewając bulionem i czerwonym winem. Miękką pieczeń wyjmujemy, układamy na żaroodpornym półmisku, wstawiamy do piekarnika. Sos z pieczeni przecieramy przez sito, dodajemy przecier pomidorowy, doprawiamy do smaku solą, pieprzem, cukrem i sokiem z cytryny, podgrzewamy. Można go zagęścić łyżką mąki ziemniaczanej rozprowadzoną 2 łyżkami zimnej wody. Pokrojoną na plastry sztufadę lekko polewamy sosem, pozostały sos podajemy w sosjerce.

PRIMA APRILIS

Prima aprilis – łacińska nazwa pierwszego dnia kwietnia to w Polsce jednocześnie nazwa zwyczaju żartobliwego oszukiwania innych osób.

Myślę, że w polskim kalendarzu nie może zabraknąć tej daty.

> Prima Aprilis albo najpierwszy dzień kwietnia
> Do rozmaitych żartów moda staroletnia
> Niejeden się nabiega, nacieszy, nasmęci,
> Po próznicy, przeto go zawsze mieć w pamięci.
> W ten dzień szlachcic drugiemu pieniędzy trefunkiem
> Pozyczył, wziąwszy kartę od niego warunkiem,
> Gdzie położywszy kwotę i termin zapłacie,
> Zwyczajnie pisze prima Aprilis na dacie.
> Minął czas, minął drugi, ów mu nie chce wrócić.
> Za czym przyszło do prawa, przyszło im się kłócić.
> Prezentuje kredytor sędziemu swe karty,
> Dłuznik się prze i powie, ze to były zarty:
> „By nic inszego, prima sprawi się Aprilis;
> Uwierzył głupi żartom". A sędzia: „Jaki lis!

237

Nie tylko w kwietniu, ale gdy bez cudzej szkody,
I w maju wolne żarty; a ty panie młody,
Płać za to, żeś swojemu pismu był przeciwny,
Znał się na żartach, potem przy długu daj grzywny.

(W. Potocki *Prima aprilis*)

Skąd zjawił się ten zwyczaj w Polsce, już w XVI wieku uważany za stary? Wiele było prób wyjaśnienia, ale nadal brak odpowiedzi.

Jedni uważają, że jest to pozostałość rzymskiego święta Cerialii obchodzonego ku czci bogini Cerery na początku kwietnia. Według mitu, kiedy jej córka Prozerpina zbierała narcyzy na Polach Elizejskich, porwał ją do Hadesu Pluton. Cerera, usłyszawszy krzyki córki, wyruszyła na poszukiwanie głosu lub echa głosu, ale została wyprowadzona w pole.

Według innych zwyczaj wywodzi się ze starożytnego Rzymu, kiedy to pierwszego kwietnia, wśród najweselszych zabaw obchodzono początek nowego roku. Są uczeni, którzy twierdzą, że prima aprilis jest echem hinduskiego święta, obchodzonego uroczyście wiosną na cześć Kamy – boga miłości. W dniu tym nawet członkowie kasty zajmującej najwyższą pozycję w społeczeństwie mieszali się z tłumem i zabawiali, obsypując wszystkich czerwonym proszkiem, ochlapując kolorową wodą albo podstawiając nogę temu, kto się zagapił.

Niektórzy historycy i badacze obyczajów wysuwają tezę, jakoby zwyczaj wzajemnego zwodzenia się był dalekim echem średniowiecznych misteriów pasyjnych, w których przedstawiano sceny ciągłego odsyłania Chrystusa od Annasza do Kajfasza. Inni utrzymują, że „Żydzi, nie wierząc w Zmartwychwstanie Pańskie – Chrystus 30 marca przybity na Krzyżu, w dniu 1 kwietnia powstał z grobu – żołnierzy i wszystkich uczyli kłamać". Są też tacy, którzy pochodzenia zwyczaju upatrują we wprowadzającej w błąd zmiennej pogodzie kwietniowej, przeplatającej „trochę zimy, trochę lata", i tacy, którzy twierdzą, że zwyczaj ten pochodzi od żartów przyjętych w święta wielkanocne w niektórych krajach lub od pogańskiego, celtyckiego święta wiosny.

238

A kiedy zaczęto dowcipkować na prima aprilis?

Podobno już w XIII wieku, choć zdaniem Francuzów zwyczaj jest młodszy, a wziął się stąd, że w 1564 roku Karol IX przełożył Nowy Rok z 1 kwietnia na 1 stycznia, co nie tylko zmieniło całkowicie kalendarz, ale także zakłóciło obyczaj wręczania prezentów noworocznych. Dziewięć lat później kościół zatwierdził tę zmianę, wprowadzając kalendarz gregoriański. Z przyzwyczajenia dalej wręczano więc sobie 1 kwietnia drobne upominki, ale z czasem, zamiast prawdziwych, zaczęto przesyłać bezwartościowe przedmioty o charakterze żartobliwym; aby mieć jeszcze więcej okazji do śmiechu, zaczęto sobie robić psikusy i kawały.

Jak wynika z historycznych przekazów na francuskim dworze Ludwika XIII, a więc w pierwszej połowie XVII wieku, odbywały się na prima aprilis niezwykle wesołe zabawy, polegające na wzajemnym wprowadzaniu się w błąd. Monarcha nie tylko zezwalał na dowcipy, ale sam chętnie brał w nich udział.

Obojętne jednak, jakie były jego początki, ten tradycyjny dzień wzajemnego oszukiwania się dla żartu, nabierania, wyprowadzania w pole jeszcze dziś rozpowszechniony jest w wielu krajach europejskich. I tak Anglicy żart primaaprilisowy nazywają *send on a fool's errand;* Szkoci *gowk* – kukułka; niemiecka nazwa to *in den April schicken*, a francuska *un poisson d'avri* – kwietniowa ryba, ponieważ jeden z żartów robionych w tym dniu polegał na wysłaniu głuptasa po świeżą rybę. Należało delikwentowi tylko przedtem wmówić, że zniesiono prawo zakazujące łowienia ryb w okresie tarła (obowiązujące od 20 marca). Szukanie więc w kwietniu ryb oznaczało kompletną głupotę. Do dziś 1 kwietnia francuskie dzieci ukradkiem przyczepiają przechodniom do ubrania papierowe rybki.

W XVI wieku ten przeniesiony z Zachodu zwyczaj upowszechnił się w Polsce.

U nas wprawdzie nie wysyłano po ryby, ale też:

Zabawa setna – pierwszego kwietnia
Do miasta wysłać Jasia głuptasia,
by kupił:
(...) kwadratowe koło, mleko gołębie,

239

zęby indycze lub łzy krokodyla (...)
Ot, krotochwila!

Oszukiwano się, przesyłając pisemnie różne zmyślone wiadomości, stąd stare przysłowie „Prima aprilis – nie czytaj, bo się omylisz". Wymyślano podstępy, słano dziwaczne prezenty lub tylko kartkę z napisem „Prima Aprilis", podsuwano gościom pierogi z trocinami czy kawę z gliny, by później okolicznościowym wierszykiem mile i grzecznie przeprosić za sprawione kłopoty. „Zwodzono się też ustnie, by naśmiać się z łatwowiernych: »Prima aprilis, nie wierz, bo się omylisz«".

Już w XVIII wieku zaczęto wydawać primaaprilisowe jednodniówki, a z rozwojem prasy i czytelnictwa jednym żartem można było już wodzić za nos wiele tysięcy ludzi. I tak jest do dzisiaj. Kawały primaaprilisowe ulegają zmianom, a dziennikarze i telewizyjni fachowcy prześcigają się w wymyślaniu na ten dzień wciąż nowych, sensacyjnych wiadomości, najbardziej prawdopodobnych łgarstw.

Aż trudno uwierzyć, że tak wesoło obchodzony dzisiaj dzień kiedyś należał do najbardziej ponurych w roku i uchodził za feralny, pechowy, a ludzkie zaufanie 1 kwietnia narażone było na przykre nadużycie. „W wielu krajach Europy i w Polsce przez wieki uważano, że 1 kwietnia był dobą szczególnej dokuczliwości sił nadprzyrodzonych. Duchy zmarłych miały tego dnia opuszczać groby i dochodząc swoich krzywd, mścić się na żywych, zsyłać na nich niespodziewane nieszczęścia lub co najmniej straszyć winowajców".

A wszystko podobno dlatego, że w tym dniu właśnie urodził się Judasz Iskariota. Stąd pewnie francuskie, niemieckie, polskie i holenderskie podania ludowe przedstawiają prima aprilis jako czas rozrachunku oszustów, zdrajców i wszelkich niegodziwców z ich własnym sumieniem, co najczęściej kończyło się samobójstwem przez powieszenie.

240

TROCHĘ ZIMY, TROCHĘ LATA,
❖ czyli kwietniowa przeplatanka kulinarna ❖

❖ PIECZONE ŻEBERKA ❖

Składniki:

1 kg wieprzowych żeberek, 50 g drylowanych suszonych śliwek i moreli,
1–2 łyżki rodzynek, 1–2 łyżki miodu, 4–5 ząbków czosnku,
3–4 łyżki sosu sojowego, pół łyżeczki mielonego pieprzu,
po ćwierć łyżeczki mielonego imbiru, cynamonu i anyżku, 1–2 łyżki oleju,
szklanka białego wytrawnego wina

Drobno posiekany czosnek ucieramy z solą, pieprzem, cynamonem, imbirem i anyżkiem, dokładnie mieszamy z łyżką miodu, olejem i sosem sojowym. Tak przygotowaną pastą nacieramy umyte i osuszone żeberka, owijamy w folię, wkładamy na kilka godzin do lodówki.

Morele i śliwki wkładamy do rondelka, zalewamy taką ilością przegotowanej wody, aby lekko przykryła owoce, gotujemy kilka minut. Wyjęte z folii żeberka układamy na wysmarowanej olejem blasze, wstawiamy do nagrzanego piekarnika, lekko skrapiamy wywarem z owoców i pieczemy ok. 25 minut, po czym przewracamy żeberka na drugą stronę, obkładamy ugotowanymi owocami, skrapiamy pozostałym wywarem i pieczemy dalsze 25 minut. Miękkie żeberka układamy na silnie ogrzanym półmisku, a sos przecieramy przez sito, wlewamy do rondelka, dodajemy miód, wino, rodzynki, zagotowujemy, lekko odparowujemy, doprawiamy ewentualnie solą i pieprzem. Pokrojone na porcje żeberka lekko skrapiamy sosem. Pozostały sos podajemy w sosjerce.

❖ SZNYCEL Z WĄTRÓBKĄ I PIECZARKAMI ❖

Składniki:

600 g cielęciny (udziec), 100 g cielęcej wątróbki, ćwierć szklanki mleka,
200 g małych pieczarek, łyżka soku z cytryny, ćwierć łyżeczki mielonych
nasion kolendry, 2 rozgniecione ząbki czosnku, sól, pieprz,
3 łyżki masła, 2 łyżki białego wytrawnego wina,
3 łyżki drobno posiekanej zielonej pietruszki

Wątróbkę obieramy z błon, układamy w salaterce, zalewamy mlekiem, zostawiamy na kilka minut, po czym wyjmujemy, osuszamy, kroimy na 4 plastry. Umy-

241

te i osuszone pieczarki kroimy w plasterki, lekko skrapiamy sokiem z cytryny, posypujemy kolendrą i posiekanym czosnkiem. Umyte i osuszone mięso kroimy na 4 plastry lekko zbijamy tłuczkiem. Na patelni topimy 2 łyżki masła, smażymy sznycle po 3 minuty z każdej strony, posypujemy solą i pieprzem. Usmażone przekładamy na ogrzany żaroodporny półmisek, a na patelni obsmażamy wątróbkę po 1 minucie z każdej strony, układamy na sznyclach. Na patelnię dodajemy pozostałe masło, wrzucamy pieczarki i mieszając, delikatnie smażymy na silnym ogniu, aż sos odparuje. Posypujemy solą i pieprzem. Pieczarkami obkładamy sznycle, wstawiamy na chwilę do nagrzanego piekarnika. Na patelnię wlewamy wino i mieszając, zagotowujemy. Sosem polewamy sznycle, posypujemy zieloną pietruszką. Podajemy z pieczonymi ziemniakami i pikantnym sosem majonezowym.

❖ ZRAZY KORONNE ❖

Składniki:

700 g wołowiny (I krzyżowa, zrazówka), pieprz, sól, 1 duża cebula,
6–8 suszonych grzybów, 2 kromki czerstwego razowego chleba,
2 łyżki smalcu

Farsz:

150 g cebuli, 2 łyżki masła, szklanka startego
czerstwego razowego chleba, 1 surowe jajko, sól, pieprz

Umyte grzyby namaczamy na noc w niewielkiej ilości przegotowanej wody, następnego dnia gotujemy, miękkie kroimy w paseczki.
Umyte i osuszone mięso kroimy w plastry w poprzek włókien, lekko rozbijamy tłuczkiem na cienkie płaty, posypujemy pieprzem. Drobniutko posiekaną cebulę szklimy na maśle, dokładnie mieszamy z pieprzem, solą i starym chlebem. Na przygotowane płaty mięsa nakładamy farsz, zwijamy zrazy, spinamy wykałaczkami lub obwiązujemy nitką, obsmażamy ze wszystkich stron na silnie rozgrzanym smalcu, przekładamy do rondla, a na pozostałym smalcu lekko zrumieniamy pokrojoną w cienkie plastry dużą cebulę i razem z grzybkami dodajemy do zrazów. 2 kromki czerstwego chleba ścieramy na tarce, posypujemy zrazy, polewamy wywarem z grzybów, przykrywamy i dusimy na niewielkim ogniu. Podajemy z ugotowaną na sypko kaszą.

❖ KOTLETY CYGAŃSKIE ❖

Składniki:

600 g cielęciny bez kości, po 100 g chudej szynki i słoniny, duża cebula,
po 1 niewielkiej marchewce i pietruszce, kawałek selera,
pół szklanki białego wytrawnego wina, pół szklanki bulionu,
sól, pieprz, łyżka smalcu, łyżka masła

Płaski rondel wykładamy paskami słoniny, (50 g), na nich układamy drobno posiekaną cebulę i starte na tarce jarzyny, zalewamy bulionem, doprowadzamy do wrzenia, a później dusimy kilka minut na niewielkim ogniu. Umyte i osuszone mięso kroimy na 4 kotlety, wygniatamy ręką. Po 50 g szynki i słoniny kroimy w cienkie paski. Przygotowane kotlety szpikujemy paskami szynki i słoniny, posypujemy solą, obsmażamy na silnie rozgrzanym smalcu, przekładamy do rondla z jarzynami, zalewamy winem i dusimy na niewielkim ogniu kilka minut. Pozostałą szynkę kroimy na 4 plastry, smażymy na stopionym maśle. Kotlety układamy na ogrzanym półmisku, a sos miksujemy i przecieramy przez sito, doprawiamy do smaku solą i pieprzem. Na każdym kotlecie układamy plaster szynki, lekko skrapiamy sosem, pozostały sos podajemy w sosjerce.

❖ MEDALIONY Z INDYKA W ORZECHACH ❖

Składniki:

600 g piersi z indyka, pół szklanki drobno posiekanych orzechów laskowych, 1 surowe jajko, 2 łyżki białego wytrawnego wina, po ćwierć łyżeczki mielonego białego pieprzu i startej gałki muszkatołowej, sól, 3 łyżki masła

Umyte i osuszone piersi z indyka kroimy na 4 plastry, wygniatamy ręka, formujemy owalne medaliony, nacieramy solą, pieprzem i gałką. Jajko dokładnie rozkłócamy z winem. Obtaczamy medaliony w jajku i posiekanych orzechach, smażymy na stopionym maśle z obu stron po 2 minuty. Podajemy z drążonymi lub zapiekanymi ziemniakami i gotowanymi jarzynkami (groszek, kalafior, brokuł).

❖ FASZEROWANE PSTRĄGI ❖

Składniki:

4 pstrągi, otarta skórka i sok z 1 cytryny, 2 łyżki masła, ¾ szklanki
śmietany, pół szklanki białego wytrawnego wina, 2 surowe żółtka,

243

200 g konserwowej szynki, 2 plastry ananasa z puszki,
1–2 konserwowe ogórki, 2 łodygi selera naciowego,
łyżka posiekanego szczypiorku, sól, pieprz, szczypta cukru

Sprawione, pozbawione głów i płetw pstrągi myjemy, osuszamy, nacieramy solą
i pieprzem, skrapiamy sokiem z cytryny, owijamy w folię, wkładamy na godzinę
do lodówki. Do miksera wlewamy śmietanę, wrzucamy żółtka i drobno pokrojone
obrane łodygi selera naciowego, plastry ananasa, ogórki i szynkę, miksujemy na
gładką masę, doprawiając do smaku solą, pieprzem, otartą skórką z cytryny
i szczyptą cukru. Mieszamy ze szczypiorkiem, nadziewamy pstrągi, spinamy wykałaczkami, układamy na wysmarowanym masłem żaroodpornym półmisku,
skrapiamy winem, wstawiamy do nagrzanego piekarnika na ok. 15–20 minut;
obkładamy pozostałym farszem i zapiekamy jeszcze 2–3 minuty.

❖ ZIOŁOWE FILETY Z MORSZCZUKA ❖

Składniki:

800 g filetów z morszczuka, łyżka soku z cytryny, 5–6 ząbków czosnku,
5–6 łyżek posiekanych listków szałwii, sól, szczypta pieprzu, 3 łyżki masła,
łyżka oleju, łyżka tartej bułki

Drobniutko posiekany czosnek ucieramy z olejem, posiekaną szałwią i tartą bułką. Filety z morszczuka skrapiamy sokiem z cytryny, posypujemy solą, pieprzem, zostawiamy na godzinę w chłodnym miejscu. Przykrytą pastę ziołową
wstawiamy do lodówki na godzinę. Schłodzoną pastą nacieramy dokładnie rybne filety. Żaroodporny półmisek smarujemy grubo masłem, układamy filety,
przykrywamy pozostałą pastą, polewamy stopionym masłem, przykrywamy
folią aluminiową, wstawiamy do nagrzanego piekarnika, zapiekamy ok. 15 minut, po czym zdejmujemy folię i zapiekamy jeszcze ok. 10–12 minut.

❖ BROKUŁY ZAPIEKANE Z ORZECHAMI ❖

Składniki:

1 kg brokułów, pół szklanki posiekanych orzechów włoskich,
2 szklanki bulionu z drobiu, szklanka gęstej śmietany, 150 g startego sera
gouda, 3 łyżki masła, łyżka mąki, sól, pieprz, łyżeczka cukru,
2 łyżki soku i ćwierć łyżeczki otartej skórki z cytryny,
ćwierć łyżeczki startej gałki muszkatołowej

Zagotowujemy bulion, wrzucamy różyczki brokułów, gotujemy 3–5 minut, wyjmujemy łyżką cedzakową, a do wrzącego bulionu wkładamy pokrojone łodygi brokułów. Gotujemy ok. 15 minut. Odlewamy szklankę wywaru, w którym się gotowały brokuły, pozostały miksujemy z ugotowanymi łodygami, sokiem i otartą skórką z cytryny, solą, pieprzem i cukrem na gładki krem. W rondlu topimy 2 łyżki masła, dodajemy mąkę, robimy białą zasmażkę, rozprowadzamy przestudzonym wywarem i gotujemy na małym ogniu, mieszając, aż sos zgęstnieje, doprawiamy do smaku solą, pieprzem i gałką muszkatołową, wlewamy śmietanę. Zdejmujemy z ognia, mieszamy z połową sera i purée z łodyg. Żaroodporny półmisek smarujemy masłem, posypujemy częścią posiekanych orzechów, wkładamy połowę masy brokułowej, na niej układamy zblanszowane różyczki brokułów, posypujemy orzechami, przykrywamy pozostałą masą, posypujemy serem i orzechami, wstawiamy do nagrzanego piekarnika, zapiekamy ok. 30–40 minut.

❖ GOŁĄBKI W LIŚCIACH CHRZANU ❖

Składniki:

Liście chrzanu (8–12); 400 g mielonego mięsa z drobiu, 1 winne jabłko, łyżeczka tartego chrzanu, pół łyżeczki miodu, 2–3 łyżki posiekanych orzechów włoskich, sól, pieprz, 1 jajko, 2 łyżki masła, pół szklanki bulionu

W rondlu topimy łyżkę masła, dodajemy starte na grubej jarzynowej tarce jabłko, miód i posiekane orzechy, chwilę smażymy, mieszając, zdejmujemy z ognia, studzimy, mieszamy dokładnie z mielonym mięsem, solą, pieprzem, tartym chrzanem i jajkiem, dokładnie wyrabiamy masę. (Jeśli za rzadka, dodajemy tartej bułki lub posiekanych orzechów). Liście chrzanu wrzucamy na 3–4 minuty na wrzątek, odcedzamy, przelewamy zimną wodą, usuwamy twardy nerw. Na każdym liściu układamy porcję farszu, zawijamy, ciasno układamy w wysmarowanym masłem żaroodpornym naczyniu, skrapiamy bulionem, przykrywamy, wstawiamy do nagrzanego piekarnika, pieczemy ok. 40 minut. Podajemy z bułką jako gorącą przekąskę lub z ryżem i surówkami jako danie obiadowe.

❖ FASZEROWANA KAPUSTA PEKIŃSKA ❖

Składniki:

Duża główka kapusty pekińskiej (ok. 1 kg), szklanka posiekanych orzechów włoskich, 3 winne jabłka, łyżka soku z cytryny, łyżeczka miodu,

245

2 namoczone w mleku bułki, 2 surowe jajka, 3 łyżki drobno posiekanej
zielonej pietruszki, sól, szczypta pieprzu,
łyżeczka otartego majeranku

Bułki namaczamy w mleku, odciskamy i mieszamy z posiekanymi orzechami i zieloną pietruszką. Jabłka ścieramy na tarce, skrapiamy sokiem z cytryny, mieszamy
z miodem i szczyptą majeranku, łączymy z bułką i orzechami, dodajemy surowe
żółtka, sól i pieprz, dokładnie wyrabiamy masę. Zagotowujemy osoloną wodę z łyżeczką masła i majerankiem, wkładamy umytą kapustę i gotujemy 3–4 minuty,
odcedzamy, przelewamy zimną wodą. Ubijamy na sztywno pianę z białek,
mieszamy delikatnie ale dokładnie z przygotowanym farszem. 2–3 duże liście kapusty odcinamy. Farsz nakładamy między liście kapusty, przewiązujemy nitką.
Płaski rondel smarujemy masłem, wykładamy pokrojonymi w paski dużymi liśćmi
kapusty, na nich układamy faszerowaną kapustę, polewamy stopionym masłem,
wstawiamy do lekko nagrzanego piekarnika i pieczemy ok. 15 minut, po czym ga-
simy piekarnik i zostawiamy w nim potrawę na 10 minut.

MAJOWE ŚWIĘTO

Trzeba kochać po majowemu,
jak najgłupiej i jak najprościej,
cierpieć, ginąć nie wiedzieć czemu,
Nie dla Ciebie, lecz dla miłości (...)

(J. Tuwim *Trudy majowe*)

Na obchody tego radosnego święta, przekształconego później w święto pracy, złożyło się wiele różnych starych tradycji. Niegdyś 1 maja był początkiem pasterskiego sezonu; przez wsie wędrowały więc korowody pasterzy wypędzających po raz pierwszy bydło na świeżą trawę, w przeddzień odbywały się wielkie ceremonie oczyszczające. Najważniejszą było rytualne rozpalanie wielkiego ogniska przez Celtów zwanego *tein-eigin* czyli „ogień w potrzebie" (ogień rozniecało dziewięciu prawych i uczciwych mężczyzn). Innym ważnym elementem majowego święta było dzielenie się specjalnie przygotowanym ciastem, którego jeden kawałek miał wyjątkowe znaczenie – ten kto go otrzymał, na cały rok zostawał Starcem Beltaine – a mógł nim zostać nawet bardzo młody człowiek (warto porównać z wyborem „króla pasterzy"). Podczas ceremonii oczyszcze-

247

nia skakano przez ogień; ognisko płonęło do wschodu słońca, kiedy
to kąpielą w rosie i zbieraniem majowych traw, kwiatów i gałązek
kończono obchody Beltaine.

W tradycji niemieckiej to Noc Walpurgi – sabat czarownic odby-
wający się na górze Brocken. Nazwa święta pochodzi od imienia an-
gielskiej zakonnicy żyjącej w VIII wieku, która pomagała świętemu
Bonifacemu w nawróceniu Germanów na chrześcijaństwo. Święto
nawiązywało do wcześniejszej pogańskiej tradycji, zgodnie z którą
dzień ten był dla mężczyzn początkiem pracy na roli, dlatego też
w przeddzień czarownice ustalały z szatanem sezonowy plan dzia-
łań, a potem oddawały się tańcom, hulankom i rozpuście.

I dziś, tak jak przed wiekami, wieczorem 30 kwietnia, w wigilię
celtyckiego święta Beltaine i nordyckiej Nocy Walpurgi, płonie coraz
więcej ogni. Bo jest to najsłynniejsza noc w historii europejskiej magii, opisana zarówno w *Fauście* Goethego, jak i w *Mistrzu i Małgorza-
cie* Bułhakowa, czy *Ulissesie* Jamesa Joyce'a. Pogańskie ceremonie
Nocy Walpurgi i Beltaine dotyczyły ochrony przed czarami i cza-
rownicami.

Natomiast Łukasz Gołębiowski w swoich *Grach i zabawach* pisał:
„Maj, majówki czyli przechadzki majowe. Miesiąc to wiosny rozwi-
niętej nadobnie; możnaż się dziwić, że wesołości poświęcony? U starożytnych ludów była Maja bogini, cześć jej oddawano pierwszego
dnia tego miesiąca i dotąd przyzwania jej i tańce wiejskie zachowały się u Greków. Zdaje się, że i nam poniekąd była znana. Słowianie
przy pieśni i tańcach na murawie zwykli witać wiosnę".

Kim więc była sławna Maja, której kult ma związek z nazwą miesiąca?

Według mitologii greckiej to najstarsza i najpiękniejsza z Plejad,
córka Atlasa i Plejony. Żyła samotnie w górach Arkadii do momentu, aż stała się kochanką samego Zeusa i urodziła mu syna Herme-
sa. Władca odwiedzał ją tylko głęboka nocą, z obawy przed za-
zdrosną małżonką Herą. W mitologii rzymskiej Maja (*Maiesta*) to
staroitalska bogini natury i źródeł, rozrostu w przyrodzie, matka
Ziemi uważana przez niektórych za żonę Wulkana. W dniu 1 maja kapłan Wulkana (*flamen volcanalis*) składał jej w ofierze prośną
świnię.

248

Także w religii Celtów wśród różnych bóstw kobiecych poczesne miejsce zajmuje bogini Maia. Ponieważ celtyckie święta kobiece obchodzono wiosną, Maia była odpowiednikiem słowiańskiej Wiosny – „Wiosna jako bogini mądrości świata i budzącej się do nowego życia przyrody była dziewicą piękną, umajoną zielenią, obsypaną kwiatami, które po jej śladach wyrastały obficie. Symbolem jej i ptaszkiem jej poświęconym był nadworny pieśniarz i nieodstępny towarzysz skowronek (...) Na cześć tej milutkiej boginki obchodzono majówki" (*Mitologia słowiańska*).

W Polsce w pierwszomajowy wieczór, a później i w następne sobotnie majowe wieczory, we wsiach nad Bugiem i Narwią rozlegały się „konopielki", pieśni dziewcząt marzących o zamążpójściu.

Przedziwne wymieszanie tradycji sprawiło, że później dziewczęta urządzały sobie pod przydrożnymi krzyżami śpiewające wieczory – śpiewały o wiankach, ogniach, młodzieńcach, a jeszcze później pod tymi samymi krzyżami i pod kapliczkami Matki Boskiej zaczęto odprawiać tzw. święte wieczory, kiedy to śpiewano religijne pieśni.

Niestety, znikły majowe panieńskie śpiewy, tak jak znikły majowe zabawy mężatek na łące na świeżym powietrzu, gdzie panie „tworzyły kółko, pląsając słodko nuciły lubej wiosny pochwały". Te polskie kobiece zabawy i wiosenne obrzędy, np. wybór królowej maja, stanowią pewną analogię do celtyckich zabaw kobiecych.

„W Pińszczyźnie i innych stronach Litwy, za mojej pomnę młodości, że w dniu 1 tego miesiąca, na błoniu gdzie się lud zbiera do zabawy, drzewo zielone zakopywano, w różnofarbne wstążki ubrane. Przybywały mężatki, dziewczęta, chłopcy i ludność cała, na czele mając hożą dziewicę, która tę boginię wyobrażała, wieniec zielony zdobił jej skronie, gałązki brzozowe aż do stóp ją okrywały. Śpiewano piosenki, w których często się powtarzało „O Maja! Maja!" i tańcowano wkoło drzewa. Pospolicie tę uroczystość obchodzą teraz na zielone święta" (Ł. Gołębiowski).

Do dzisiaj wśród górali żywieckich pozostała już tylko rytualna forma, traktowana jako okazja do zabawy, choć nie pozbawiona posmaku wierzeń różnego pochodzenia. Mojka – to stary sposób wyrażania uczuć; umajone drzewko postawione 1 maja przed domem ukochanej dziewczyny było okazją do publicznego wyrażenia uzna-

249

nia. Ale jeśli dziewczyna lub jej rodzice obrazili chłopaka, Mojka wykorzystywana była do okazania złości, pretensji, a nawet pogardy. Chłopcy zamiast mojki stawiali jej wtedy na dachu dziada – odrażającą kukłę słomianą odzianą w stare łachy, którego oglądała cała wieś (podobną rolę pełniły wielkanocne przywoływki). Czasami dziewczyny, aby sprowokować ustawienie mojki przed ich domem, już na tydzień przed pierwszomajowym świętem urządzały zabawę.

Chłopcy już w połowie kwietnia, w tajemnicy, przynosili z lasu smukłe, młode, świerkowe lub jodłowe drzewko i w ukryciu przygotowywali mojkę. „Obdzierają korę z drzewka, pień malują w pasy białe i czerwone lub owijają bibułką, a na wierzchu umocowują małą ale zgrabną choinkę. Choinkę zdobią kolorowymi wstążkami, kwiatkami z bibuły". Nocą z 30 kwietnia na 1 maja przed domem wybranej dziewczyny chłopak stawiał mojkę, „tak żeby gdy dzień nastanie wszyscy we wsi widzieli, a wijące się na wietrze kolorowe wstążki dodawały jej życia. Dziewczyna niby nie wie, kto mojkę postawił, ale w dowód przyjęcia tego wyznania zaprasza wieczorem kilku chłopców i dziewczęta na tańce, muzykę i poczęstunek"(Ronowicz *Folklor górali żywieckich*).

Ale ten odarty z kory, często pomalowany pień wysokiego drzewa (najczęściej brzozy lub świerka), zwany drzewkiem majowym, w wielu kulturach jest symbolem majowego święta. A taniec wokół niego – o czym niewielu ludzi pamięta – jest pozostałością rytuałów płodnościowych z czasów najdawniejszych. Dzień 1 maja, uznawany dziś za święto pracy, pierwotnie był świętem odrodzenia i odnowy, hołdem złożonym przyrodzie. W czasach, kiedy jedną z najważniejszych trosk człowieka była urodzajność pól, przyrodę usiłowano obłaskawiać ofiarami, uciekano się też do różnych odmian magii. Wiele ludów składało w ofierze nawet najcenniejsze dobra. Fenicjanie rzucali własne dzieci w rozżarzone pyski posągów wyobrażających boga pól, o czym ze zgrozą wspomina Biblia.

Działaniem magicznym w tym dniu było strojenie wszystkiego kwiatami i liśćmi, co miało skłonić nagą ziemię do ponownego zazieleniania się. W niektórych okolicach uosobieniem płodności stawała 250 się specjalnie obierana królowa maja, później ten zwyczaj przeniesiono na Zielone Świątki.

W legendach wielu krajów noc poprzedzająca 1 maja jest nocą czarownic.

A jeśli czarownice, to i wróżby – a wiele z nich dotyczyło przyszłości. Stąd być może wzięła się ulubiona przez młodzież gra wiosenna, w XVII wieku zwana trawką, a dzisiaj grą w „zielone".

Wespazjan Kochowski, siedemnastowieczny poeta w *Lirykach polskich* tak pisał o niej:

> *Maj zielony nam nastaje,*
> *Zielenią się sady, gaje,*
> *Wiosna zimie gnuśnej łaje*
> *A „Zielone" w rękę daje (...)*
> *Ta gra tem się prawem chlubi,*
> *Komu zwiędnie, kto je zgubi,*
> *Lub go zbędzie inszym kształtem,*
> *opłaca zakład ryczałtem.*

W zielone grywały także młode pary, traktując tę zabawę jako pretekst do płatania sobie rozmaitych figli. Andrzej Morsztyn założył się np. z panną, że jeśli przegra, sprawi jej prezent, a jeśli wygra, to ona musi mu dać „trzykroć gęby". I to był ten „ryczałt".

Gra w zielone znana była w Polsce od XVII wieku, a może i wcześniej i najprawdopodobniej powstała po to, aby umożliwić kontaktowanie się młodym parom. „Ta gra już nie chwilowa, ale trwalsza, zaczyna się właściwie od drugiego dnia Wielkiejnocy, a ciągnie się do świętego Michała. Dwie osoby umawiają się, że przez cały tego czasu przeciąg zawsze zielone przy sobie mieć będą. Dziś ta gra dziewczyńska praktykowana od pokazania się pierwszej zieleni" – pisał Łukasz Gołębiowski. W moich szkolnych czasach bawiłyśmy się, zaskakując przyjaciółkę lub kolegę:

– Grasz w zielone?

– Gram!

– Masz zielone?

– Mam.

A w starszych klasach powszechnie wróżyłyśmy sobie – najlepiej z listków akacji, obrywając po kolei: „kocha, lubi, szanuje, nie chce,

251

nie dba...". Oczywiście najlepiej, jeśli wróżba kończyła się „na ślubnym kobiercu".

Dziś, jeśli ktoś jeszcze gra w zielne, to raczej tylko dzieci, a zielone kojarzy się w Polsce nie z majem, ale z... piwem i z dniem świętego Patryka.

Maj długo podtrzymywał różne wesołe tradycje. Jeszcze na początku XX wieku do powszechnego obyczaju należały szkolne wy-
jazdy na majówkę. Wszystkie szkoły pustoszały; „skoro świt biły
bębny i całe klasy pod wodzą nauczycieli wyruszały na wieś, do lasu, na łąkę. Tam wyciągano kosze z przygotowanym przez mamy je-
dzeniem; tam rozpoczynano gonitwy, gry, śpiewano. Upojne zabawy kończyły się o zmierzchu".

Ale nie tylko uczniów maj wyciągał z murów szkół. W Warszawie
na przykład słynne były majówki na Bielanach, gdzie wyruszano całymi rodzinami:

Szosą, wodą, dryndą, statkiem i pieszo
Warszawianie szeregiem na Bielany już śpieszą
Na zielonej murawie, w słynnym z dawna ich lasku
Jakby w drugiej Warszawie pełno krzyku i wrzasku
Woła trzeźwy, pijany: Niechaj żyją Bielany.

(Wiersz z 1847 roku)

Hałas, tańce karuzele,
szewcy, krawcy, marmuzele,
piwo, ścisk, urżniętych wiele (...)
Na huśtawce: on, mężczyzna
Ona w górę! Śmiech, bielizna!
Pod kasztanem walc i polka...

(„Mucha", 1888 roku)

Aż przyszedł rok 1890 – robotnicy wnieśli do majowych zabaw
bunt, demonstracje, sztandary. Najpierw w Warszawie, potem
252 w Krakowie ruszyły pierwszomajowe pochody; w następnych latach
pojawiły się też w innych polskich miastach.

Obojętnie, czy bierzemy dziś w nich udział, czy nie, myślę, że warto pamiętać o korzeniach majowego święta i wybierając się na majówkę, zabrać koszyk smakołyków lub grill:

❖ LESZCZ Z PIETRUSZKĄ ❖

Składniki:

2 leszcze (po ok. 1 kg), łyżka masła, 2 duże cebule,
4–6 łyżek posiekanej zielonej pietruszki, sól, pieprz,
2 łyżki soku z cytryny, 2 łyżki oliwy

Obraną cebulę drobniutko siekamy. Łyżkę posiekanej cebuli mieszamy z solą, pieprzem, łyżką drobniutko posiekanej zielonej pietruszki, sokiem z cytryny i oliwą. Sprawione, umyte i osuszone leszcze nacieramy wewnątrz i z zewnątrz przygotowaną pastą. Dwa spore kawałki folii aluminiowej smarujemy masłem; każdą z nich wykładamy warstwą wymieszanej z zieloną pietruszką cebuli, na niej układamy rybę, folie ciasno zwijamy, układamy na grillu. Pieczemy powoli ok. 20–25 minut, delikatnie przewracając w czasie pieczenia. Kilka minut przed końcem pieczenia folię otwieramy.

❖ ORIENTALNY ŁOSOŚ ❖

Składniki:

4 dość grube plastry łososia, łyżeczka mielonych nasion kolendry,
po pół łyżeczki mielonego imbiru, startej gałki muszkatołowej,
mielonego berberysu, otartej skórki z cytryny, sok z 1 cytryny,
4–5 ząbków czosnku, 2 łyżki oliwy, 2 łyżki masła, 3 cebule,
3 łyżki drobniutko posiekanej zielonej kolendry,
4 kawałki folii aluminiowej

Drobniutko posiekany czosnek ucieramy z solą, mieloną kolendrą, imbirem, gałką, otartą skórką z cytryny, mielonym berberysem, łyżką oliwy i łyżką soku z cytryny. Tak przygotowaną pastą nacieramy plastry łososia, układamy na talerzu przykrywamy, zostawiamy w lodówce (najlepiej na noc). Każdy kawałek folii aluminiowej smarujemy grubo masłem, układamy rybę, szczelnie zawijamy, pieczemy na grillu. Drobniutko posiekaną cebulę skrapiamy sokiem z cytryny i oliwą, mieszamy z drobniutko posiekaną pietruszką. Upieczoną rybę podajemy z pieczywem i przygotowaną pastą cebulową.

253

❖ CUKINIA Z ZIOŁAMI ❖

Składniki:

4 małe młode cukinie, łyżka soku z cytryny, sól, 4 łyżki oliwy,
po łyżce posiekanych zielonych listków (lub po łyżeczce suszonych) bazylii,
tymianku, lebiodki lub oregano, 4 łyżki tartego parmezanu,
2 łyżki drobniutko posiekanych orzechów włoskich

Cukinie myjemy, suszymy, skrapiamy sokiem z cytryny, zostawiamy na kilka minut. Zioła ucieramy z oliwą i solą. Każdy kawałek dokładnie smarujemy przygotowaną oliwą, układamy na folii aluminiowej, pieczemy na ruszcie, skrapiając przygotowanym sosem ziołowym. Pod koniec pieczenia posypujemy parmezanem wymieszanym z orzechami. Pieczemy aż do rozpuszczenia sera. Podajemy jako gorącą przekąskę.

❖ CIELĘCE SZASZŁYKI ❖

Składniki:

400 g zadniej cielęciny (lub cielęcego schabu), 2 łyżki drobno posiekanych
orzechów laskowych,1–2 ząbki posiekanego czosnku, po 2 łyżki oleju
sojowego, soku z cytryny i gorącej wody, łyżeczka zmielonych ziarenek
kolendry, po ćwierć łyżeczki mielonego imbiru, białego pieprzu,
szczypta pieprzu cayenne lub ostrej papryki, sól

Dokładnie mieszamy olej, sok z cytryny, wodę z orzechami, kolendrą, imbirem, czosnkiem, pieprzem i papryką. Umyte mięso kroimy w równą kostkę, układamy w salaterce, zalewamy sosem, dokładnie mieszamy, przykrywamy, zostawiamy na noc w lodówce. Następnego dnia nadziewamy na rożenki, pieczemy na grillu, skrapiając marynatą. Pod koniec solimy.

❖ SZASZŁYKI WEGETARIAŃSKIE ❖

Składniki:

300 g tofu – sojowego sera, 1 duża zielona papryka, 100 g pieczarek, łyżka
soku z cytryny, pęczek cebulki dymki, 2 łyżki oliwy dokładnie wymieszanej
z 1 łyżką zielonych listków lub łyżeczką suszonego tymianku, sól

254 Z przeciętej papryki usuwamy gniazda nasienne, cebule kroimy w grube plastry, paprykę i tofu na równe kawałki, małe pieczarki zostawiamy w całości, duże prze-

krawamy na pół, skrapiamy sokiem z cytryny. Na szpadki nadziewamy na przemian tofu, paprykę, cebule, pieczarki.

Przygotowane szaszłyki smarujemy oliwą, pieczemy na grillu 10–15 minut, obracając i smarując oliwą. Przed podaniem lekko solimy.

Jeśli chcemy piec na grillu mięsa lub drób, przedtem należy je zamarynować. Wiadomo przecież, że podstawą smacznych potraw z grilla są przede wszystkim marynaty.

❖ MARYNATA POMARAŃCZOWO-SEZAMOWA ❖

Składniki:

3 łyżki soku z pomarańczy, po łyżce sosu sojowego i płynnego miodu
(lipowego lub akacjowego), 1½ łyżki konfitury z pomarańczy, łyżeczka
oleju sezamowego, łyżka posiekanego świeżego imbiru lub łyżeczka
suszonego mielonego, 2 łyżki ziaren sezamu, ćwierć łyżeczki otartej skórki
z cytryny, sól, pieprz

Wszystkie składniki dokładnie mieszamy. Smarujemy mięso, zostawiamy na noc w lodówce. Podczas pieczenia na grillu mięso smarujemy marynatą.

❖ MARYNATA BAZYLIOWA DO KURCZAKA ❖

Składniki:

Pół szklanki oliwy z oliwek, sok i otarta skórka z cytryny,
szklanka posiekanych drobno świeżych listków bazylii

Składniki dokładnie mieszamy. Przygotowanego kurczaka pociętego na porcje smarujemy marynatą, zostawiamy na noc w lodówce.

❖ MARYNATA KOPERKOWA DO RYB ❖

Składniki:

Pół szklanki oliwy z oliwek, 5–6 łyżek octu winnego, pół szklanki
posiekanego koperku, łyżka ostrej musztardy,
2–3 utarte z solą ząbki czosnku

Składniki dokładnie mieszamy. Smarujemy ryby, zostawiamy na noc w lodówce.   255

ZIELONE ŚWIĄTKI

Zielone Święta – ze względu na porę roku, to jedno z najpiękniejszych świąt.

Przyniesiemy tataraku z jeziora,
żeby dom ustroić na Zielone świątki w porę.
Postawimy białe brzózki
Obok bramy koło drózki
I u drzwi do dwora.
Umaimy Basi i Marysi pralnię
Ustroimy Jance i Jankowi jadalnię
Postawimy jaśmin w sieni,
żeby się w ciemności bielił
okazale
A jak zejdzie wczesnym rankiem Duch Święty
Znajdzie wszystko ogarnięte, sprzątnięte,
Znajdzie wszędzie – umajone,
Będzie bardzo ucieszony
Duch Święty.

(K. Iłłakowiczówna *Zielone świątki*)

Tak jak dawniej, tak i dziś w całej Polsce rozpoczynają się obchody tego święta od majenia domów i kościołów gałązkami drzew". W wilię Zielonych Świątek wtykaja w izbie do szpar, koło okien i w stajni gałązki jesionowe. W te dwa święta izby nie zamiatają, rozrzuciwszy po nich sasyny (tataraku, tatarczuchu). Drzwi i okna ozdabiają gałęźmi z drzew liściastych, mniemają bowiem, że mają moc odwracania nawałnic, gradów i piorunów, używają szczególnie czarnej olszy, która jest także środkiem wypędzającym krety" – pisał Janota w roku 1878, a Zygmunt Gloger dodawał: „Podłogi i ziemie posypują zielonym tatarakiem, świerczyną i kwiatami – majowy zapach tej zieleni rozchodzi się wszędzie, przepełniając kościoły, mieszkania i podwórka".

Zielone świątki, *Pentecostes*, wiosenne ruchome święto kościelne, pamiątka Zesłania Ducha Świętego i założenia pierwszej gminy chrześcijańskiej w Jerozolimie, należą do najstarszych świąt chrześcijańskich, ale dopiero od IV wieku obchodzone są siedem tygodni po Zmartwychwstaniu Pańskim. W Czechach i na Sycylii w pierwszy dzień Zielonych Świątek podczas nabożeństwa wypuszczano białego gołębia. W Polsce, na Węgrzech i w Niemczech tego dnia majono bramy i drzwi domów.

Choć to święto ruchome, zawsze przypada ono w pełnym rozkwicie wiosny i dlatego zapewne połączyło się ze świątecznym dniem rolników i pasterzy radośnie witających odradzającą się przyrodę. Zielone Świątki zastąpiły pogańskie starosłowiańskie „nowe latko". Dawną obrzędowość ludową Zielonych Świątek kształtowało przeświadczenie, że nadchodzące lato trzeba godnie przywitać i przez rozmaite praktyki o charakterze magicznym zaskarbić sobie przychylność sił natury.

Od czasów pogańskich w tym dniu wszechobecna była zieleń – zielone wieńce zdobiły głowy dziewcząt, wieńce z liści brzozy, dębu, klonu nakładano na szyje koni i rogi bydła, a wianuszki z chabrów opasywały szyje gęsi i kaczek.

Wybór liści nie był przypadkowy – symbolizowały one pewne cechy – delikatna brzoza wzbudzała przyjaźń i sympatię, dąb zapewniał siłę i długie życie, a klon – zdrowie. Wierzono, że cechy te przechodzą z liści na zwierzęta.

257

„Wiele... starożytnych lechickich zwyczajów składających się niegdyś na uroczystości wiosenne rozpoczynające »nowe latko« przyłączył naród do święta kościelnego obchodzonego w tej samej porze roku. Wszystkie kościoły, chaty, domy i podwórza »majono« drzewami brzozy, jesionu lub świerku ustawionemi i zatykanemi przy ołtarzach, gankach, wrotach, sieniach i wejściach" – pisał Gloger.

Od początków swego istnienia było to święto radości, nadchodzącego lata, które należało godnie powitać i przez rozmaite praktyki magiczne zaskarbić sobie przychylność sił natury. Na leśnych polanach rozpalano ognie, tańczono na łąkach i urządzano rozmaite igrzyska ze śpiewami, młodzież łączyła się w pary; zabawy bywały niezwykle wesołe, niekiedy wręcz rozpasane. „Obrządki takowe i niektóre ich zbytki – narzekał Jan Długosz – lubo od pięciuset lat, jak wiadomo Polacy wiarę chrześcijańską przejęli, aż do dzisiejszych czasów powtarzają corocznie w dni Zielonych Świątek, przypominając bałwochwalstwo, igrzyskiem zwanem w ich języku „stado", ponieważ na nie gromady zbierają się ludzi, podzieleni na stada czyli rzesze szaleńców i rozkoszników".

Jeszcze w średniowieczu kościół zwalczał te zabawy jako uporczywe pozostałości pogańskie, pozwalając tylko na „majenie obejść zielenią", nadając tej prasłowiańskiej magicznej praktyce wywoływania bujnej wegetacji nowe wytłumaczenie – otwieranie zielonych bram „dla Ducha Świętego, aby zechciał nawiedzić dom dla oświecenie serc i umysłów mieszkańców". Ale przeciw tym tłumnym, gorszącym zabawom występował nie tylko Kościół. W 1468 roku sam król Kazimierz Jagiellończyk zakazał urządzania w tych dniach zgromadzeń na Łysej Górze.

Pomimo zakazów Kościoła majowe zabawy nie znikały, tylko wciąż się rozwijały. Co najmniej do XIX wieku w niektórych regionach utrzymywała się, przypominająca sobótki, tradycja palenia ogni; obiegano pola z pochodniami, wierząc, że padające na zielone zboże iskry zapewnią obfity plon, urządzano też wyścigi z pochodniami. W XVIII wieku to wiejskie święto rolników i pasterzy stało się niezwykle modne w miastach, których mieszkańcy urządzali majówki – wycieczki na łono natury. I do dzisiaj Zielone Świątki, choć

258

są jednym z trzech najważniejszych świąt w obrzędowym roku kościelnym, w Polsce mają raczej charakter świecki.

Dziś z owych hucznych uroczystości święta wiosny pozostał zwyczaj strojenia zielenią domów, ustawiania w kątach pęków tataraku, w niektórych regionach święci się w tym dniu pola.

Zielone Świątki powszechnie uchodziły za święto pasterzy, którzy odbywali tego dnia pochody, bawili się, ucztowali, a wieczorami biegali z zapalonymi pochodniami po polach, co miało zapewnić dobry urodzaj, a potem urządzali na pastwiskach ogniska – sobótki.

W Małopolsce i na Śląsku w dniu tym palono ogniska, przez które najpierw skakała młodzież, a następnie przepędzano przez nie bydło, aby się dobrze chowało. Dawniej, jeśli ogniska paliło się w Zielone Świątki, nie paliło się ich już na świętego Jana, i odwrotnie. Chociaż ognie paliło się też z okazji świętych Piotra i Pawła; są bowiem obrzędy, które mają wiele wspólnych elementów i w naszej tradycji wzajemnie się uzupełniają.

Do dzisiaj niewiele zachowało się z prastarych lechickich zwyczajów i obrzędów wiosennych obchodzonych w tym dniu, a było ich wiele i właściwie każdy region miał swoje.

Prastarym zielonoświatkowym obrzędem, jaki w niektórych stronach przetrwał do końca XIX wieku, było wołowe wesele urządzane przez pasterzy:

„...w drugi dzień Zielonych Świąt jest zwyczaj starożytny, że gromada chłopców pędzi wołu, na którym przywiązany bałwan wypchany słomą, w siermiędze, czapce i butach. Wół bieży przez wieś, a wszyscy obecni wołają Roduś, Roduś. Co znaczy to słowo i jaki powód tej zabawy, najdawniejsi wieśniacy nie umieją wytłumaczyć" (Ł. Gołębiowski).

Zdaniem niektórych Roduś jest zdrobnieniem imienia wschodniosłowiańskiego bóstwa decydującego o losach ludzi – Rodu. Roduś wędrował przez wieś, pasterze trzaskali z biczów, zatrzymywali się przy każdej chałupie, śpiewając lub deklamując:

259

Przywiedliśmy wam Rodusia!
Niechaj wam się wszystko darzy,
Wyjdźcie do nas gospodarze

a wywołani gospodarze przyłączali się do wędrujących i przez wieś maszerowała coraz liczniejsza drużyna. Każda taka wędrówka kończyła się w karczmie, naturalnie biesiadą i tańcami.

Na Śląsku znany był zwyczaj zwany Rochwistem, opisany przez Łukasza Gołębiowskiego w *Domach i dworach*:

„O półtorej mili od Wrocławia, w Lastkowicach i innych wsiach polskich jest zwyczaj, że parobcy, którzy konie pasą, ze świtem pierwszego święta Zielonych Świątek wyjeżdżają na gonitwy. Metą bywa drąg na górze ustawiony (...) kto najpierwszy u mety, ten królem jest, kto ostatni, zostaje Rochwistem. Młodzież wraca do domu, króla mając na czele. Rochwist służy mu za błazna, wiozą go na wózku o dwóch kołach, umajonym, do każdej gospody we wsi, proszą o mały podarek na ucztę wieczorną. Rochwist figle rozmaite stroi (...) by rozśmieszyć króla, towarzyszów i gospodarza. Podobneż gonitwy znajdują się u Serbów od czasów pogańskich. (...) Może nam ślad zwyczaju tego zachowały opisy sławnej gonitwy konnej do słupa po śmierci Leszka IV, a wybór następcy do tronu, po której Leszek V za nasypanie ćwieczków po drodze, rozszarpany końmi, a pieszo biegający jego ścieżką Leszek VI był królem obrany (...) Niektórzy ten zwyczaj wywodzą z Niemiec, bo i tam używany; słusznie atoli wnosić można, że Rochwist szląski był razem z polskim, jak niegdyś prowincja ta należała do Polski. Teraz tako w Niemczech, jak i w polskich wsiach na Śląsku zaczyna coraz bardziej zanikać ten obyczaj".

Na Śląsku Rochwist, a na Kujawach w czasie Zielonych Świątek panował król pasterzy. Królem zostawał ten, który najwcześniej przypędził bydło na umówione miejsce: „jeśli pasterz – królem zostaje; jeśli pasterka – otrzymuje dostojność królowej; kto przypędził bydło jako ostatni, ten – kiedy inni się wesoło bawili – sam przez trzy dni pilnowaniem i pasieniem bydła zajmować się musiał. Królowi przynoszono w prezencie kwiaty i pióra, królowej wstążki i pierścienie, a potem zabawa, potem obiad, potem świątecznie odziani, trzaskają z biczów, śpiewają, odbywa się pochód króla i królowej, spieszą do karczmy na zabawę... trzy dni trwającą".

Inny znany zielonoświątkowy zwyczaj to obchodzenie pól z królewną; na Podlasiu praktykowany jeszcze na początku XX wieku. Drugiego dnia Zielonych Świątek dziewczęta szły w pole, rozpalały ognisko i siedząc przy nim, plotły wianki z ruty, chabrów i brzozowych lub klonowych gałązek. Później wybierały ze swego grona królewnę; najczęściej była to najmłodsza dziewczyna. Królewna, ubrana w białą lub niebieską sukienkę, obwieszona koralami, przepasana wstążką, z koroną, czyli wieńcem z kwiatów na głowie, z przyczepionym lnianym welonem, otoczona gronem dziewcząt trzykrotnie okrążała ognisko, a następnie cały pochód obchodził pola, śpiewając:

Gdzie królewna chodzi,
tam pszeniczka rodzi;
gdzie królewna nie chodzi,
tam pszeniczka nie rodzi.

Obejście pól miało zapewnić urodzaj. Później orszak dziewcząt z królewną na czele obchodził wszystkie domy we wsi i w każdym z nich był podejmowany poczęstunkiem albo obdarzany pierogami, serem lub mięsem. Dziewczęcy obchód też kończył się w karczmie, gdzie byli już uczestnicy wołowego wesela i zabawa trwała do białego rana.

Ta stara zabawa stanowiła zapewne początek chrześcijańskich zielonoświątkowych procesji w celu uproszenie Boga o dobre urodzaje i uroczystego poświęcenia pól. Brała w tym udział cała wieś, która wraz z księdzem obchodziła granice wsi, a ksiądz modlił się i kropił pola świeconą wodą.

Rusałki z kolei to zwyczaj znany na wschodzie Polski. W drugim dniu Zielonych Świątek cała wieś wybierała się do lasu, a dziewczęta, czasami także młode mężatki, plotły wianki z brzozowych gałęzi. A każda tyle wianków, ile miała bliskich osób. Dziewczęta w czasie wicia wianków śpiewały z towarzyszeniem grających na skrzypcach młodzieńców. „Zwinąwszy wianki skaczą koło drzew,

261

klaszcząc rękami i śpiewając (...) Od zielonych świątek do następnej niedzieli chłopi nie grodzą płotów, brony nie robią, w mniemaniu, że gniewałyby się o to rusałki, a zemsta ich sprawuje, że bydlęta rodzą się z głowami lub nogami krzywymi".

Wśród obrzędowości zielonoświątkowej nie brakowało zabiegów matrymonialnych. To, co w innych regionach kraju urządzano 1 maja, na Śląsku odbywało się w trochę zmienionej formie w czasie Zielonych Świątek. „Przed domami, gdzie były panny na wydaniu, kawalerowie w nocy poprzedzającej dzień świąteczny stawiali wysoką tykę, zakończoną bukietem kwiatów – niespodziankę dla dziewczyny, oznakę zainteresowania i powód dumy wobec sąsiadów. Zdarzało się, że odtrącony zalotnik umieszczał na tyce miotłę, z którą łączono obraźliwe skojarzenia, dlatego ojciec lub brat czuwał tej nocy, by nie pozwolić niefortunnemu konkurentowi na dokonanie tego rodzaju zemsty". To dopiero była mowa symboli, sposób poinformowania całego świata o uczuciach. Dziś, w dużo prostszej formie przejęły to walentynki.

Natomiast dla wszystkich przeznaczony był „maj", czyli okazały pień sosnowy wkopany przed karczmą, przystrojony u szczytu zielenią i wstążkami. Zawieszano na nim skradzione dziewczętom drobiazgi – wstążki, chusteczki. Na wierzchołku wieszano również butelki z wódką. Wspinali się więc młodzieńcy po zawieszone na szczycie trofea i potem z triumfem żądali od dziewcząt wykupu. Wszystkiemu towarzyszyły żarty i naturalnie ten zdobyty napitek. Całe Zielone Świątki upływały na takich kawalerskich harcach.

„Maj", w innych regionach zwany gaj, gaik, maik, nowe latko, turzyce – był zwyczajem szeroko znanym, choć podobnie nazywano też obchód na powitanie lata. Odbywał się zazwyczaj w Zielone Świątki, czasami we wtorek po Wielkiejnocy lub 1 maja.

Obchód znany w obrzędowości ludowej wielu krajów, w Polsce polega na tym „że zwykle dziewczęta stroją gałąź sosnową lub całą choinkę we wstążki, kwiaty, świecidełka, dzwonki, czasami przywiązują na wierzchu lalkę, mającą oznaczać królowę wiosny, i ob-

chodzą ze śpiewem po wsiach i dworach, winszując wszędzie docze-
kania nowego latka" (Z. Gloger). Na Śląsku, chodząc z maikiem, śpiewano:

Wynieśliśmy mór ze wsi,
latorość niesiemy do wsi.

Ale Zielone Świątki nie były tylko wiejskimi zabawami, bardzo
szybko stały się modne w miastach, gdzie obchodzono je niegdyś
bardzo uroczyście.

W Warszawie spędzano głównie na Bielanach, gdzie pod kościołem
kamedułów z dawien dawna urządzano odpust i gdzie zwożono
całe fury tataraku, kwiatów, gałęzi wierzbiny i brzozy i każdy
uczestnik majówki musiał taką zieleń kupić! Obyczaj świętowania
na Bielanach powstał dzięki Władysławowi IV, który w 1639 roku
nadał zakonowi kamedułów położoną wśród lasów Górę Pólkowską.
Od tego czasu zarówno on, jak i jego następcy, bardzo chętnie tam
odpoczywali. Odpust bielański szczególnie uroczyście obchodzono
za Sasów. W 1766 roku przybył na Bielany z całą świtą król Stanisław August Poniatowski i z jego polecenia odbyła się tam wówczas
wielka feta i...tak to się zaczęło. Co roku w niedzielę po nabożeństwie tłumy warszawiaków ruszały na majówkę, z tym, że „osoby
niższych stanów bawiły się na Bielanach już od rana (...) Lepsze to-
warzystwo pojawiało się dopiero koło szóstej po południu".

Pośród drzew rozstawiano wiele namiotów z bufetami, porządku
pilnowało wojsko, a tłumy warszawiaków objadały się przywieziony-
mi w koszach wiktuałami – tak jeszcze kilkadziesiąt lat temu wyglądały okolice bielańskiego lasku w czasie Zielonych Świątek. Po II wojnie tradycja warszawskich zielonoświątkowych odpustów zanikła.

Swoje Bielany mieli także Krakusi. W pierwszej połowie XIX wieku utrwaliła się tradycja zielonoświątkowej zabawy: „górale przy-
grywali na kobzie, a lud tańczył ochoczo oberka (...) widok sobótek,
na krakowskich Bielanach, które rozpalano w okolicy, dodawał ma-
lowniczości zabawie".

W Gdańsku zaś zielonoświątkowe zabawy przybrały charakter zawodów wojskowych z wyborem „majowego grafa". Odbywały się

263

więc zawody łucznicze i szermiercze, parady wojskowe, a wszystko kończyło się korowodami i ucztami wydawanymi na koszt tegoż „majowego grafa".

Kiedy w latach II Rzeczypospolitej kształtowała się idea święta ludowego, nie zapomniano o dawnych zwyczajach. Kongres Stronnictwa Chłopskiego w 1927 roku uchwalił, że „dniem święta Stronnictwa Chłopskiego jest pierwszy dzień Zielonych Świąt, który wszyscy członkowie (...) powinni obchodzić w sposób uroczysty, przez wywieszanie sztandarów stronnictwa, ozdabianie domów zielenią, pochody, wiece". Od 1931 roku Zielone Świątki są świętem zjednoczonego ruchu ludowego – do starych zwyczajów doszły nowe – wiece, demonstracje, mowy. Obchody święta ludowego są w części oficjalnej uroczystością społeczno-religijną – dniem festiwali, występów zespołów tanecznych, chórów.

W polskim kalendarzu Zielone Święta trwały 2 dni; aż do roku 1957, kiedy to zlikwidowany został drugi dzień Świąt.

Tak znaczące święto nie mogło się obejść bez ludowych wróżb przepowiadających najbliższą przyszłość: „Gdy deszcz na Zielone Świątki, da Bóg wielkie sprzątki" (dobry zbiór siana), ale też: „Deszcz w Zielone Świątki jeśli pada, wielką biedę zapowiada" – to przysłowie dotyczyło zbioru zbóż, bo co dobre dla siana, niedobre dla zboża.

Wierzono, że dzień ten sprzyja czarom. Czarownice miały o świcie zbierać rosę z traw, a następnie wykorzystywać ją do rozmaitych zabiegów magicznych, aby więc uchronić bydło przed czarami, okręcano mu rogi ziołami, gałązkami. Ale tylko wybranymi. Najczęściej używano gałązek brzozowych – symbolu szczęścia, melancholii i zdrowia – które występowały zarówno w palmach wielkanocnych, jak i w zielonoświątkowym majeniu. Wiosenny czas brzozy kończy się w Boże Ciało, gdy młodymi drzewkami i brzozowymi bukietami zdobi się ołtarze i przydrożne kapliczki. Do domu należy przynieść z procesji kilka brzozowych gałązek lub choćby listków.

Dawniej brzozy używano również na przełomie roku – brzozowymi rózgami wyganiano duchy starego roku nad kołyską nowego. Do 153 roku naszej ery u Rzymian nowy rok rozpoczynał się 1 marca; wtedy to brzozowymi gałązkami rozpalano nowy ogień. Rózgom brzozowym przypisywano właściwości wypędzania duchów, m.in. ducha nieposłuszeństwa i uporu, dlatego tak często używano ich niegdyś w szkołach. Dziś spotykamy je w rosyjskich łaźniach, fińskich saunach i łaźniach tureckich, gdzie chłoszcze się nimi dla „oczyszczenia krwi". Witkami brzozowymi wykładano też łóżka i posłania, bowiem ułatwiały wypoczynek i zapewniały spokojny sen. Dzisiaj wiadomo, że brzoza posiada właściwości odpromieniowania pomieszczeń, bo emituje korzystne dla człowieka promienie ujemne.

W tym dniu musiało być wszędzie zielono, wszędzie musiał pachnieć tatarak, wydzielający specyficzny, balsamiczny zapach, a wyścielanie nim podłóg i podwórek miało „oczyścić płuca" i „odstraszyć muchy".

Tatarak od czasów starożytnych używany był do okadzania – przypisuje mu się działanie magiczne, np. Indianie Ameryki Północnej, gdy są zmęczeni, wąchają sporządzony z niego proszek. Ludowe nazwy tej rośliny to tatarczuch, tatarskie ziele, ajer, bluszcz, kalmus, lepich, łącz, łobzie, szuwar. Przynajmniej trzy z nich swój początek biorą w XIV wieku, kiedy to aromatyczne ziele przywędrowało do polski wraz z najazdami tatarskimi. Dawniej, kiedy chleb pieczono w domu, liście tataraku używane były jako podkładka przy jego wypieku.

A jeśli o tataraku mowa, to maj jest najlepszym okresem, aby przygotować:

❖ LIKIER Z TATARAKU ❖

Składniki:

50 g kłączy tataraku, 50 goździków, 500 g cukru,
2 młode zielone listki tataraku, 3 szklanki wody,
1 litr spirytusu

Kłącza tataraku najlepiej kopać w maju lub w pierwszych dniach czerwca. Wykopane oskrobujemy, dokładnie myjemy, osuszamy na ściereczce, kroimy.

Dokładnie wyszorowane i drobniutko pokrojone kłącza i listki tataraku i goździki wrzucamy do słoja, zalewamy spirytusem, szczelnie zamykamy i zostawiamy na 10 dni, codziennie potrząsając słojem. Zagotowujemy syrop z wody i cukru, od-szumowujemy, zestawiamy z ognia, powoli wlewamy przecedzony macerat, do-kładnie mieszamy. Przykrywamy, zostawiamy na noc. Następnego dnia przefiltro-wujemy, rozlewamy do butelek, korkujemy i wynosimy w ciemne, chłodne miejsce na 3–4 miesiące.

❖ KALMUSÓWKA (ajerówka) ❖

Składniki:

50 g świeżego lub 20 g ususzonego korzenia tataraku, łyżka otartej skórki
z pomarańczy, kilka ziarenek kardamonu i pokruszona laska cynamonu,
3 litry 45% wódki, 100 g koniaku

Wszystkie przyprawy wsypujemy do słoja, zalewamy wódką, zakrywamy i zosta-wiamy na 8–10 dni w ciepłym miejscu. Codziennie potrząsamy słojem, po czym zlewamy, filtrujemy, mieszamy z koniakiem, rozlewamy do butelek i zostawiamy na kilka miesięcy.

Do tak przyrządzonej nalewki nasze prababki podawały na przekąskę konfiturę ze smażonych w miodzie kłączy tataraku.

❖ SUCHA KONFITURA Z TATARAKU ❖

Składniki:

500 g kłączy obranych i pokrojonych w plasterki,
1 kg cukru, 1 l przegotowanej wody

Pokrojone kłącza wrzucamy na wrzątek, gotujemy 2–3 minuty, odcedzamy. Po-wtarzamy to 2–3 krotnie, za każdym razem w świeżej wodzie, odcedzamy, prze-lewamy zimną wodą. Zagotowujemy syrop z cukru i wody, gorącym syropem za-lewamy zblanszowane kłącza. Doprowadzamy do wrzenia, zdejmujemy z ognia, zostawiamy do następnego dnia. W ten sposób gotujemy tatarak przez trzy dni. Czwartego dnia gotujemy tak długo, aż syrop zacznie się krystalizować. Zdejmu-jemy z ognia, gdy przestygnie – wyjmujemy, układamy na folii aluminiowej, wsta-wiamy do średnio nagrzanego piekarnika i obsuszamy.

❖ ORYGINALNE CZEKOLADKI ❖

Składniki:

500 g kłączy, 2 szklanki cukru, szklanka wody, 2 łyżki soku z cytryny,
tabliczka gorzkiej czekolady

Zagotowujemy gęsty syrop, dodajemy sok z cytryny. Oczyszczone dokładnie z korzeni i obrane ze skórki kłącze myjemy, wrzucamy na kilka minut do wrzątku, odcedzamy, przelewamy zimną wodą, po czym kroimy w plasterki i wrzucamy do gotującego się syropu. Gotujemy, stale mieszając, aż syrop zacznie krzepnąć na brzegach rondla. Zdejmujemy z ognia, zostawiamy w syropie do ostygnięcia, wyjmujemy, osuszamy. W rondelku rozpuszczamy czekoladę, zanurzamy w niej kandyzowane kłącza tataraku, układamy na folii do zastygnięcia czekolady.

Są to niezwykle oryginalne, zdrowe, wykwintne i pikantne w smaku słodycze, polecane, tak jak i sucha konfitura, szczególnie dzieciom i osobom starszym (ich dobroczynny wpływ na przewód pokarmowy jest powszechnie znany).

❖ UDKA Z KURCZAKA PO FRANCUSKU ❖

Składniki:

4 udka z kurczaka, 100 g masła, 1½ łyżki mielonego kłącza tataraku,
2 cebule, 200 g pieczarek, 1–2 ząbki czosnku, kieliszek koniaku, szklanka
czerwonego wytrawnego wina, łyżeczka suszonego tymianku,
sól, pieprz, łyżka soku z cytryny

Umyte i osuszone udka nacieramy solą, pieprzem, tymiankiem, skrapiamy sokiem z cytryny, zostawiamy na pół godziny. Umyte i osuszone pieczarki i cebule kroimy w plastry. W rondlu topimy łyżkę masła, wrzucamy cebule i pieczarki, smażymy kilka minut, mieszając. Na patelni topimy dwie łyżki masła, kurze udka obsmażamy ze wszystkich stron, a gdy się mocno zrumienią, zdejmujemy z ognia, polewamy koniakiem, zapalamy, przekładamy do rondla z pieczarkami. Wlewamy wino, dodajemy roztarty czosnek i dusimy pod przykryciem na niewielkim ogniu ok. 30 minut. Pozostałe masło dokładnie ucieramy ze sproszkowanym kłączem tataraku, dodajemy do mięsa i chwilę razem dusimy, ew. doprawiamy do smaku solą. Podajemy z kluskami lub ryżem ugotowanym na sypko.

267

BOŻE CIAŁO – NAJWSPANIALSZA UROCZYSTOŚĆ

Pod baldachimem z gorącej mgły i złota
(na wysokich drążkach niosą go anieli)
Słoneczna monstrancja rzęsiście migota.
Złociście się weseli.
Płatki, kwiatki, bławatki lecą u drózek
Dzwonią świerszcze dzwonkami dźwięcznej kapeli,
Monstrancja świetlista, promienista w górze
Złociście się weseli.
A w dole chwieją się, chwieją aż do ziemi
Kłosy zbożne, pobożne, kornie, nieśmiało,
W chrzęście nie słyszą, jak w nich cicho tajemnie
Rośnie chleb – Boże Ciało.

(T. Makowiecki *Na dzień Bożego Ciała*)

Boże Ciało, święto Ciała i Krwi Chrystusa, to kolejne święto ruchome; przypada ono na jedenasty dzień po Zielonych Świątkach. Uroczystości tego dnia, a także następnych osiem dni (oktawa) to najwspanialsze ze wszystkich wspaniałości kościelnych, obchodzone uroczyście w całej Polsce – zarówno w miastach, jak i na wsi.

268

„Obchodzona pod kopułą samego nieba, obsypana deszczem kwiatów i to w najpiękniejszej porze roku, zawsze zachwyca swoją półnieziemską poezją – a w owych czasach zachwycała tym silniej, że była jeszcze nowością. Niedawno zatwierdzona przez Stolicę Apostolską, dopiero od lat kilku wprowadzona do Polski, budziła nie tylko nabożeństwo, ale i gorącą ciekawość (...) Bo jeśli i dziś jeszcze najzacniejsze domy dobijają się o zaszczyt stawiania ołtarzy, cóż to się musiało dziać wówczas" (Deotyma *Boże Ciało za Piastów*).

Święto ustanowione zostało 11 sierpnia 1264 roku przez papieża Urbana IV, a zatwierdzone w 1314 roku przez Klemensa V, który nadał mu jednocześnie nazwę. Miało przybliżyć wiernym różne aspekty obecności Chrystusa w eucharystii.

Protestantyzm nie uznawał kultu eucharystii i zdaniem Lutra Boże Ciało to „najbardziej szkodliwe święto całego roku".

W Polsce po raz pierwszy obchodzono je w diecezji krakowskiej w 1320 roku, a już od połowy XV wieku znane było w całym kraju. Pierwszy źródłowy opis procesji Bożego Ciała pochodzi z Płocka i dotyczy uroczystości obchodzonych w katedrze w XIV wieku. Już pod koniec XVI wieku barwne, rozbrzmiewające śpiewem procesje liczyły po kilka tysięcy osób (ok. 10 000 osób w Wilnie).

❖ OŁTARZE i PROCESJE ❖

W święto Bożego Ciała buduje się cztery ołtarze ustawione pod gołym niebem, ubierane zielonymi drzewkami, najczęściej brzózkami i kwiatami, dekoruje ulice i domy i we wszystkich wsiach i miastach odbywa się uroczysta procesja. Prowadzony przez mężczyzn ksiądz, niesie pod baldachimem monstrancję, w powietrzu unosi się zapach kadzidła, dzieci posypują drogę płatkami kwiatów, a przy każdym ołtarzu odśpiewywana jest wyznaczona ewangelia i odmawiane modlitwy.

Procesje, ale już tylko wokół kościoła, odbywały się także w czasie całej oktawy Bożego Ciała. Przez długi tydzień obchodów biły więc dzwony, grały trąbki, rozbrzmiewały śpiewy. Dawniej w miastach podczas procesji przy ołtarzach odgrywano sceny, w których wystę-

269

powały postacie biblijne, wygłaszano wiersze, śpiewano pieśni adoracyjne. Trudno dzisiaj uzasadnić kolejność wszystkich elementów inscenizacji i grup biorących udział w uroczystym pochodzie.

Na ukształtowanie odprawianych w tym dniu procesji na pewno znaczny wpływ wywarło naśladowanie uroczystych pochodów i wjazdów królów i magnatów, urządzanych z okazji rozmaitych ważnych wydarzeń politycznych i państwowych. Księża, a zwłaszcza jezuici, umiejętnie przystosowali formy owych triumfalnych pochodów do potrzeb Kościoła.

W dawnej Rzeczypospolitej w procesjach brały udział wszystkie stany i bractwa, wojsko i cechy, a w stolicy sam król ze wszystkimi dostojnikami.

W przywileju z 1658 roku Jan Kazimierz nakazywał np. konfraterni kupieckiej, aby „wszyscy ogółem bracia sami (...) i ich faktorowie albo słudzy starsi (...) w szaty przystojne i poczciwe przybrani niech się zejdą (...) z muszkietami albo rusznicami, z szablami polskimi albo niemieckimi, pospołu z chorągwią Bractwa pospolitą, z bębnami, trębaczami, także jeżeli można z muzyką przystojną (...) porządnie na procesji i na każdym akcie niech będą. Najświętszy Sakrament Chrystusa Pana w procesji niesiony niech poprzedzają, i to trzeźwi, skromni i pokorni" (J. S. Bystroń).

Cyprian Kamil Norwid tak w 1842 roku opisał Boże Ciało w Krakowie:

„Zatrzymali się przed ołtarzem ustrojonym w zieloność, kotły ustały, zewsząd cisza, a pięćdziesiąt chorągwi kościelnych i cechowych, na podobieństwo masztów, pochyla się ku ziemi i lud jak fala niżej, a całe miasto głuche, bowiem ze wszystkich ulic spłynęli na rynek i umilkli. Dziwne jest nad głowami kilkunastu tysięcy ludzi słyszeć przelotne śpiewy jaskółek lub szmer topoli zieleniejących w rynku. Z równąż powagą cała odbyła się procesja, przed każdym ołtarzem przyklęknięto i powtórzono cichość – po czym znów śpiewy, kotły i głośne nabożeństwo".

270

Bardzo często w dziejach Polski religijnym treściom procesji towarzyszyły akcenty polityczne; tak było np. w czerwcu 1661 roku, po zwycięstwie pod Połonką i Cudnowem, kiedy to w warszawskiej procesji triumfalnie kroczyli hetmani Stanisław Rewera Potocki, Jerzy Lubomirski i Paweł Sapieha, „prowadząc więźnie i znaki moskiewskie".

W okresie rozbiorów procesje dawały okazje do ujawniania postaw patriotycznych: „nabożeństwa uroczyste zaczęły coraz bardziej nabierać cech manifestacji patriotycznych, nieśli raz pierwszy baldachim obywatele w świetnych strojach narodowych i przy karabelach. Tegoż roku ogromnie zaintrygowało pojawienie się na jednej z procesji dwunastu dziewic w bieli, osłoniętych gęstymi welonami i niosących świece (...) ten efekt teatralny tak w stylu epoki, uważany był też za rodzaj demonstracji patriotycznej" (M. Estreicherówna *Życie towarzyskie i obyczajowe Krakowa w latach 1848–1863*). Także przez wszystkie lata PRL-u udział w procesji Bożego Ciała miał charakter religijno-narodowy i był wyrazem patriotycznej postawy.

Na uroczystym obiedzie w tym dniu nie powinno zabraknąć czerwcowych przysmaków – szparagów i truskawek lub rabarbaru.

❖ WIANKI ❖

Ze świętem Bożego Ciała na przestrzeni wieków związały się różne wierzenia i zwyczaje, oparte na przekonaniu o sile magicznej święconych w tym dniu i zdobiących ołtarze wianków, kwiatów, gałązek. „W tym samym czasie święcą wianki w kościele wraz z ewangeliami spisanymi na 4 oddzielnych kartkach zwiniętych w ruloniki, które gospodarze zakopują w 4 rogach gruntu, w przekonaniu, że przez rok cały grad pola nie nawiedzi".

Do wicia wianków do dziś używa się wielu ziół i traw, bo jak mówi stare przysłowie: „Każde ziele mówi: święć mnie".

W skład wianków wchodziły przede wszystkim zioła o znaczeniu leczniczym i gałązki drzew chroniących od piorunów. Wśród ziół najważniejsza była bylica boże drzewko – ziele o czarodziejskiej mocy. To samo ziele odgrywa ważną rolę w sobótkowych wiankach w noc świętojańską.

271

W święconych wianuszkach nie mogło zabraknąć macierzanki, mięty, rozmarynu, wrotycza, rozchodnika, lubczyku, ostrężyny, podbiału, niezapominajek, rosiczek, kopytników, bławatków (chabrów), rumianków, stokrotek i wielu innych ziół i traw.

Fioletoworóżowa macierzanka zwana macierduszką, miododajny liliowo kwitnący tymianek, żółte gwiazdki rozchodnika, biało--czerwona stokrotka polna, biało kwitnący rozmaryn – wszystkie te zioła już w starożytności używane były do składania ofiar. W ludowej polskiej tradycji obecne były we wszystkich najważniejszych dla człowieka chwilach – przy porodzie, ślubie, śmierci. Wykorzystywano też czarodziejską moc wianków: wianuszek macierzanki dekorował becik w czasie chrztu, leśny rozmaryn – symbol miłości, wierności i nieśmiertelności – wraz z dzikim rozchodnikiem i nieśmiertelnikiem zdobił wianuszki u ślubnej sukni. Wianuszki z wielu ziół były przede wszystkim symbolem miłości; zakochana dziewczyna z drobnych liliowych, różowych i białych kwiatków wiła wianek swojemu wybrankowi i zakładała go na przegub jego lewej ręki, niczym zaręczynową bransoletę. Jeżeli chłopak był wierny, wracał z nim na Sobótki, nie tracąc nadziei, że w tę noc wszystko może się zdarzyć.

Małe wianuszki, wielkości dłoni, związane czerwoną wstążeczką, po poświęceniu wisiały jeszcze przez cała oktawę w kościele, a po ośmiu dniach każdy zabierał swój do domu. Wierzono, że wisząc w kościele, wianki nabierały mocy. Tak jak wielkanocnym palmom, przypisywano im cudowne właściwości i wykorzystywano je we wszystkich dziedzinach życia gospodarczego, przechowując starannie przez cały rok. Zioła wykorzystane do bukietów i wianków stosowane były później jako lekarstwo przeciwko wszelkim dolegliwościom; nie tylko uzdrawiały ludzi, ale chroniły też bydło od zarazy, a dym ze spalonych wianków odpędzał ponoć chmury gradowe.

Poświęconej macierzanki używano do okadzania krów podczas cielenia, lubczyk leczył ból gardła, dzięki rozchodnikowi ustępowały wszystkie choroby, a gałązki leszczyny były niezawodnym środkiem od piorunów i grzmotów.

272

Zawieszano je nad oknami, nad drzwiami u wrót stodół, stajen i obór, by zapobiegały burzom, piorunom, gradom. Wkładano pod fundamenty nowo budowanych domów, zakopywano w rogach pola wśród zagonów kapusty i konopi jako ochronę przed szkodnikami. Wyjeżdżając po raz pierwszy w pole, wkładano wianek pod pierwszą skibę, aby „Bóg błogosławił zasiewom", kładziono je w stodole pod pierwszy przywieziony snop zboża, a palonymi okadzano dzieżę do wyrabiania chleba.

Miały też wianki znaczenie lecznicze – wierzono, że uśmierzają wszelkie bóle, służą jako lekarstwo i zapobiegają chorobom, nie tylko ludzi, ale i bydła; palonymi święconymi ziołami okadzano dobytek, kiedy po raz pierwszy wypuszczano go na wiosnę na łąkę, uważając, że jest to niezwykle skuteczny zabieg przeciwko chorobie i wszelkim nieszczęściom.

Obok wianków do wszelkiego rodzaju zabiegów leczniczych i gospodarskich wykorzystywane były gałązki z ołtarzy; te najczęściej kładziono pod strzechy, aby chroniły dom i zabudowania gospodarskie przed pożarem, lub wtykano na granicach pola, aby chroniły zasiewy przed chorobą i szkodnikami.

❖ ZAKAZY, PRZEPOWIEDNIE, WRÓŻBY ❖

Boże Ciało, poza swoją religijną wymową, w ludowej tradycji było ważną datą w kalendarzu prac rolniczych, a także czasem przeróżnych praktyk magicznych. Podobnie jak 1 maja czy Zielone Świątki, tak i święto Bożego Ciała oraz jego oktawa uważane były za okres wzmożonej działalności czarownic. Kiedyś tych osiem dni wolnych było od prac polowych. Ale nie tylko ten zakaz obowiązywał. W tym okresie kobiety nie prały bielizny kijankami, aby nie ściągać do wsi grzmotów i piorunów; w „oktaby" nie należało też sadzić kapusty, bo nie wyrośnie dorodna, i przestrzegano:

W Boże Ciało z Boską chwałą
słowo nam się chlebem stało,

nie tnij zboza ni kapusty,
bo odnajdziesz w niej rdzeń pusty.

Z tym okresem wiążą się też przysłowia dotyczące pogody. Przepowiednie jednak bardzo różniły się od siebie, choćby tylko z tego powodu, że to ruchome święto wypada jedenastego dnia po Zielonych Świątkach, a więc raz w maju, innym razem w czerwcu. Nie dziwią więc sprzeczności; raz nakazywano sianie zbóż w tym okresie, innym zaś radzono:„Na Boże Ciało siej proso śmiało". „O Bożym Ciele siej tatarkę śmiele".

Od momentu, kiedy Jakub Panteleon z Troyes, czyli papież Urban IV, w 1264 roku ustanowił święto Bożego Ciała, dziś oficjalnie obchodzone jako uroczystość Najświętszego Ciała i Krwi Chrystusa, jego niezmiennym symbolem jest chleb.

Chleb w kulturze ludowej był powszechnie szanowany jako pierwsze i najświętsze pożywienie, toteż powstało wiele tradycją uświęconych zwyczajów dotyczących obchodzenia się z tym darem bożym.

Nie wolno go było jeść z nakrytą głową, dotykać nieumytą ręką, nie wolno było chlebem się bawić ani lepić z niego figurek. Dawniej nawet najmniejszych okruszków nie wyrzucano, tylko je spalano; produkowano więc specjalne szufelki i szczoteczki do zmiatania okruchów ze stołu.

Bochenka chleba nie powinno się kłaść spodem do góry, rzucać nim po wyjęciu z pieca ani stukać w niego nożem.

Grzechem było upuszczenie chleba, a jeśli zdarzyło się to niechcący, podnoszono go natychmiast i całowano trzykrotnie.

Zwyczaj całowania chleba został zachowany już chyba tylko przy witaniu nowożeńców lub gości „chlebem i solą". Coraz popularniejsze jest dziś pieczenie weselnych lub świątecznych chlebów ozdobnych.

❖ KONIK ZWIERZYNIECKI ❖

W pierwszej połowie XVIII wieku procesje w Boże Ciało i jego oktawę były niezwykle widowiskowe, z orkiestrami i występami arty-

stycznymi różnych bractw, ponieważ każde święto miało być niezwykłe i nawiązywać do tradycji przodków.

Z uroczystością Bożego Ciała łączą się różnego rodzaju zabawy,
a najsłynniejszą z nich jest krakowski konik zwierzyniecki, zwany
też lajkonikiem.

Chodzenie z lajkonikiem po ulicach Krakowa w Boże Ciało zapo-
czątkowało podobno w 1738 roku bractwo krakowskich włóczków
(flisaków trudniących się głównie spławem drewna i zboża),
a wszystko na pamiątkę obrony Krakowa przed Tatarami: „Jak wieść
powszechna niesie... około r. 1281, gdy Leszek Czarny panował, Tatarzy po trzeci raz grasując w Polsce, aż pod sam Kraków podsunęli się,
który już za Bolesława Wstydliwego dwakroć mieczem i ogniem pu-
stoszyli. Właśnie podczas procesji Bożego Ciała dano znać do miasta, że znaczny oddział tej hordy popełnia gwałty i rabunki na przed-
mieściach Zwierzyńca. Chwilowa trwoga ogarnęła umysły ludu...
Wtem jeden z pomiędzy Włóczków zwierzynieckich, zagrzany od-
wagą bohatera porywa za chorągiew, której dotąd jest godłem orzeł
biały... obudza powszechny zapał i na czele uzbrojonego ludu pośpie-
sza na Zwierzyniec. W kilka godzin zasłano trupami nieprzyjaciół
nabrzeża Wisły, która się krwią zarumieniła; a waleczny dowódca
przystrojony od ludu w ubiór zabitego naczelnika pohańców,
z triumfem prowadzony do miasta, witany był z okrzykami radości..." (Ł. Gołębiowski).

Włóczkowie, wspierani finansowo przez siostry norbertanki, wystąpili w owej historycznej procesji nie tylko z doskonałą orkiestrą
i salwami z muszkietów, ale też wesołymi, niewinnymi igraszkami,
a ponieważ nie mieli własnego dobosza na koniu, zastąpili go drewnianym koniem, a bębny nieśli idący przed nim włóczkowie. Końska
kukła i bębniści wystąpili przybrani na modłę wschodnią, bo po zwycięstwie pod Wiedniem – jak wieść niesie – zapanowała moda na
przebogate tureckie materiały.

Z każdym rokiem włóczkowie wyglądali coraz okazalej, igraszki
lajkonika w procesjach stawały się coraz śmielsze i odciągały uwagę
wiernych od nabożeństwa.

W 1787 roku biskup krakowski przykazał „bractwom i cechom
brać udział w procesji bez strojów dziwacznych lub nadto świato-

275

wych albo do śmiechu pobudzających, aby były podług myśli i ustaw Kościoła Bożego, zagrzewając do cnót chrześcijańskich i pobożności".

W taki oto sposób skończył się udział lajkonika w procesji Bożego Ciała, ale ponieważ zabawa bardzo się krakowianom spodobała, niezależny wesoły pochód występował odtąd na ulicach Krakowa w oktawę Bożego Ciała. „Z klasztoru Norbertanek na Zwierzyńcu wyrusza późnym popołudniem oddział mężczyzn wystrojonych w barwne wschodnie szaty i spiczaste czapki z półksiężycem, uzbrojonych w dzidy. Na czele owej hordy maszerującej w dwuszeregu idzie chorąży... centralną postacią pochodu nie jest jednak on, tylko lajkonik, egzotyczny jeździec na białym drewnianym koniu, dzierżący w dłoni buzdygan. Za Tatarami podąża kapela, lajkonik wyprawia różne figle, ale prawdziwe harce zaczynają się dopiero na Rynku Głównym, nacieranie na zgromadzonych, imitowana walka z mieszczanami, łapanie w jasyr...".

Wielu etnografów doszukiwało się w tym obchodzie resztek dawnego kultu pogańskiego; datowano jego początek na XIII wiek – okres tatarskich napadów lub jako pozostałość średniowiecznych misteriów i zabaw cechowych. Wiązano go też z wielkanocnym oprowadzaniem koniarza w kwietną niedzielę. Ale niektórzy do dzisiaj uważają, że konik zwierzyniecki został wymyślony około 1829 roku przez redaktora „Pszczółki Krakowskiej" Konstantego Majeranowskiego, niezbyt dokładnie traktującego prawdy historyczne (przeczą temu wszakże zapisy klasztorne sióstr norbertanek, które już w XVIII wieku wymieniają „dobosza z konikiem", a w archiwum miasta Krakowa z 1814 roku jest wzmianka o oprowadzaniu konika jako obchodach urządzanych przez włóczków „od kilku wieków").

Istnieje też pogląd, że krakowska zabawa urządzana jest na wzór podobnych zwyczajów francuskich, bo warto przypomnieć, że krakowski konik Zwierzyniecki nie jest zjawiskiem odosobnionym. Podobne obchody odbywają się w środkowej Francji, w Prowansji, w zachodniej i wschodniej Europie, a także w Azji i Ameryce.

Jakiekolwiek byłoby pochodzenie tego sławnego zwyczaju, to:
„W oktawę Bożego Ciała w Krakowie, po ukończeniu procesji, wjeżdża od strony Zwierzyńca, człowiek po tatarsku ubrany w zawoju i żółtych butach, z wielką buławą w ręku; niby na posuwistym rumaku, lecz w rzeczy samej pieszo i na drewnianym koniu, wspaniale przystrojonym, przy odgłosie muzyki trąb i kotłów. Rzuca się w to miejsce, gdzie jest największa gromada ludzi, a z tego powstaje ścisk, wrzawa i śmiechy" pisał Gołębiowski.

A na świąteczny obiad w tym dniu dobrze jest przygotować potrawy z „czerwcowych przebojów" – szparagów i truskawek:

❖ TRUSKAWKOWA SAŁATKA Z SELEREM ❖

Składniki:

2–3 łodygi selera, 250 g truskawek, po 150 g szynki konserwowej
i żółtego sera (cheddar, edamski), 2–3 łyżki posiekanych
orzechów laskowych, sól, pieprz

Sos:

mały kubeczek naturalnego jogurtu, 2–3 łyżki gęstego majonezu,
łyżka soku z cytryny, łyżeczka ostrej musztardy, sól, pieprz,
szczypta cukru, 2 łyżki posiekanego koperku

Dokładnie mieszamy wszystkie składniki sosu, lekko schładzamy.
Łodygi selera obieramy, myjemy, osuszamy i kroimy w cienkie plasterki. Ser i szynkę kroimy w kostkę. Z truskawek usuwamy szypułki, owoce przekrawamy na pół (większe na ćwiartki). Łączymy składniki sałatki, lekko posypujemy solą i pieprzem, polewamy schłodzonym sosem, mieszamy, posypujemy posiekanymi orzechami.

❖ SZPARAGI Z ŁOSOSIEM ❖

Składniki:

Pęczek białych szparagów (ok. 400 g), łyżeczka masła,
łyżeczka cukru, łyżka soli, łyżka soku z cytryny,
100 g wędzonego łososia pokrojonego na cienkie plastry (4–8 plastrów),
8 jajeczek przepiórczych, 8 kaparów lub 4 czarne oliwki,
4 liście sałaty, kilka gałązek koperku,
2 cienkie plasterki cytryny

277

Sos:

> 1½ łyżki gęstej śmietany, 2 łyżki startego żółtego sera, łyżka soku i ćwierć
> łyżeczki otartej skórki z cytryny, sól, pieprz, po szczypcie startej gałki
> muszkatołowej i cukru

Bardzo dokładnie mieszamy składniki sosu, przykrywamy, wstawiamy na godzinę do lodówki. Gotujemy na twardo jajeczka przepiórcze. Gotujemy osoloną wodę z sokiem z cytryny, masłem i cukrem. Szparagi obieramy ze skórki, związujemy, wkładamy do wrzątku, gotujemy, odcedzamy, studzimy, dzielimy na 4 porcje. Każdą porcję szparagów owijamy plastrem łososia. Na dużym półmisku układamy liście sałaty, polewamy sosem, następnie układamy przygotowane szparagi, dekorujemy połówkami jajeczek przepiórczych, kaparami lub plasterkami oliwek, połówkami plasterków cytryny i gałązkami koperku. Podajemy z pieczywem jako przekąskę.

❖ GORĄCA PRZYSTAWKA ❖

Składniki:

> 2 pęczki białych szparagów, łyżeczka masła, łyżeczka cukru, łyżka soli,
> łyżka soku z cytryny, 200 g małych pieczarek, 100 g mrożonych krewetek
> (lub 8–10 paluszków krabowych), 3 łyżki masła, 3 łyżki startego parmezanu,
> sól, pieprz, 1–2 łyżki drobno posiekanej zielonej pietruszki

Zagotowujemy osoloną wodę z masłem, cukrem i sokiem z cytryny. Na wrzątek wkładamy obrane szparagi, gotujemy 12–15 minut, odcedzamy, kroimy na 4–5 cm kawałki. Umyte i osuszone pieczarki kroimy w plasterki. Na patelni topimy łyżkę masła, wrzucamy pieczarki, smażymy, mieszając od czasu do czasu, pod koniec smażenia lekko posypujemy solą i pieprzem. Mrożone krewetki wrzucamy na 1 minutę na osolony wrzątek, odcedzamy. W żaroodpornym naczyniu topimy łyżkę masła, wrzucamy krewetki, pieczarki i pokrojone szparagi. Mieszamy, posypujemy parmezanem i pozostałym masłem, dusimy razem ok. 4–5 minut. Przed podaniem posypujemy posiekaną zieloną pietruszką.

❖ ZUPA KREM ❖

Składniki:

278

> 500 g białych i 250 g zielonych szparagów, 2–3 różyczki brokuła,
> 1–2 różyczki kalafiora, 2–3 łyżki zielonego groszku, 5 szklanek bulionu

z kury, szklanka gęstej śmietany, 1 surowe żółtko, sól, pieprz, po szczypcie
cukru i startej gałki muszkatołowej, łyżeczka soku i ćwierć łyżeczki otartej
skórki z cytryny, łyżka masła, 2 łyżki posiekanego koperku

Z obranych i umytych szparagów odcinamy główki. Białe szparagi wkładamy do
garnka, zalewamy 4 szklankami gorącego bulionu, gotujemy 15 minut, dodajemy
pozbawione łebków zielone szparagi i gotujemy razem następne 15 minut.
Zdejmujemy z ognia, dodajemy pieprz, cukier, gałkę, otartą skórkę i sok z cytryny,
miksujemy. W rondelku topimy masło, wkładamy różyczki brokuła i kalafiora,
delikatnie mieszamy, dodajemy zielony groszek i łebki szparagów, wlewamy
szklankę gorącego bulionu i dusimy na małym ogniu pod przykryciem 4–5 minut.
Łączymy ze zmiksowaną zupą, doprowadzamy do wrzenia, wlewamy rozkłóconą
z surowym żółtkiem śmietanę i mieszając, chwilę podgrzewamy (nie gotujemy).
Przed podaniem posypujemy posiekanym koperkiem i ew. doprawiamy do smaku.

❖ FILETY Z INDYKA Z OWOCOWYM SOSEM ❖

Składniki:

4 filety z piersi indyka, łyżka soku z cytryny, po pół łyżeczki mielonego
pieprzu białego i imbiru, sól, 1–2 łyżki oliwy,
2 łyżki masła, 100 g truskawek, 1 niewielka pomarańcza,
kilka listków melisy lub mięty

Sos:

szklanka białego wytrawnego wina, 150 g truskawek,
sok i otarta skórka z 1 pomarańczy, łyżka miodu,
szczypta pieprzu cayenne, łyżka rodzynek,
po 2 łyżki posiekanych orzechów włoskich i płatków migdałowych

Dokładnie mieszamy oliwę z sokiem z cytryny, imbirem i pieprzem. Umyte i osuszone filety z indyka lekko rozbijamy tłuczkiem, smarujemy przygotowaną zaprawą, układamy jeden na drugim, przykrywamy, zostawiamy na noc w lodówce.
Umyte rodzynki wkładamy do miseczki, zalewamy 2 łyżkami wina, zostawiamy
na kilka minut. Zagotowujemy wino z miodem, dodajemy rodzynki, umyte i pokrojone na plasterki truskawki, sok i otartą skórkę z cytryny, dokładnie mieszamy,
doprowadzamy do wrzenia, dodajemy migdały i orzechy i mieszając od czasu do
czasu, gotujemy na niewielkim ogniu ok. pół godziny, aż sos zgęstnieje,
doprawiamy pieprzem cayenne. Na patelni topimy masło, smażymy z obu stron

279

zamarynowane filety, układamy na żaroodpornym półmisku, polewamy sosem, wstawiamy na kilka minut do nagrzanego piekarnika. Przed podaniem dekorujemy plasterkami pomarańczy, truskawkami i listkami melisy. Podajemy z ryżem lub francuskimi kluseczkami.

✦ MUS TRUSKAWKOWY ✦

Składniki:

750 g truskawek, 4 białka, pół szklanki cukru, 5 łyżeczek żelatyny, sok z ½ cytryny, 6–8 truskawek do przybrania

Żelatynę namaczamy w 4 łyżkach zimnej wody i gdy napęcznieje, podgrzewamy na parze do całkowitego rozpuszczenia. Truskawki miksujemy. $\frac{1}{3}$ odlewamy do sosjerki, a do reszty dodajemy cukier (1 łyżkę odłożyć), sok cytrynowy i żelatynę. Lekko podgrzewamy, aby żelatyna dobrze się połączyła z truskawkami. Oziębiamy. Białka ubijamy z pozostałym cukrem na sztywną pianę i delikatnie mieszamy z musem truskawkowym. Mus nakładamy do małych miseczek i wstawiamy na noc do lodówki. Następnego dnia wykładamy na talerzyki, przybieramy truskawkami i pozostawionym musem.

ŚWIĘTOJAŃSKIE WIANKI

SOBÓTKA, czyli WIANKI ŚWIĘTOJAŃSKIE

„Każdy naród, który chce życie własne rozwijać, ma obowiązek w swoich zabawach, rozrywkach i widowiskach podnosić i odtwarzać obrazy obyczajowe ze swej przeszłości i zachowywać piękne zwyczaje ojczyste, do których należy u nas sobótka" (Z. Gloger).

Sobótka – 21 czerwca, najkrótsza noc w roku, to czas magiczny. W dawnych wiekach w tę noc palono na wzgórzach ogromne ogniska, aby uczcić zenit mocy Słońca. Wiele obrzędów odprawianych w tym dniu ma swoje korzenie w starożytnej Grecji.

Raz w roku, podczas najdłuższego dnia, starożytni Grecy obchodzili święto zwane *hydrophorie* – święto noszenia wody. W ten dzień kobiety oczyszczały wodę w źródłach, ozdabiając je wieńcami i wrzucając wieńce do rzeki. Po zachodzie słońca natomiast wszyscy zbierali kości i śmieci, rzucali je na ogromny stos i spalali, śpiewając wesołe piosenki. Niektórzy etnografowie stąd właśnie wywodzą nasze ognie i wianki świętojańskie.

Według *Mitologii słowiańskiej* sobótki, na Rusi zwane kupałą, to pozostałość po uroczystościach na cześć bogini Soboty. „Sobota, lekarka niebieska, bogini ziół uzdrawiających. Na cześć jej palono ognie, rzucając w nie pęki ziół aromatycznych. Przez gorejący ten stos prze-

283

pędzano trzody, aby im nie szkodziła zaraza. Młodzież obojej płci, opasana bylicą, tworzyła koło, tańcząc, śpiewając wkoło stosu, poczem pojedyńcze pary, parobczak z dziewczyną skakali przez ogień (...) Bogini Sobota miała gontynę [świątynię] na górze Sobótce, którą Niemcy przezwali Zoptenberg. Ostatni dzień tygodnia nazwany został na jej cześć".

Łukasz Gołębiowski zaś w oparciu o stare świadectwa wywodzi to święto od pogańskiego „stada", pisząc: „Słowianie w swym tańcu mieli zapewne coś uroczystego i religijnego, kiedy się zbierało »Boże stado«, kiedy z dziewiczej góry zstępowały młodociane, przyszłe mężów oblubienice, z miejsc swoich mołojcy hoże, zamężne niewiasty i żonaci, starce i dzieci, klaszcząc w ręce i wykrzykując Łado, Łado! wśród pląsów i śpiewów postępowali ku horodyszczom, gdzie się odbywały ofiary, obrządki i biesiady wspólne". A Józef Ignacy Kraszewski opisuje stado mniej romantycznie: „Szał czasem opanowywał te gromady, i dziksze z nich szły jak stada w las, porywając gwałtownie dziewczęta; zwano też te szały stadem; rodzina jednak każda pilnowała swoich i stała na czatach, aby do stada nie dopuścić i od porwania bronić".

Noc kupały lub kupalnocka – tak nazywano tę noc na Rusi i na wschodnich obszarach Polski. Jedni wywodzili nazwę od Kupały, starosłowiańskiego bóstwa, a inni po prostu od obrzędowego kąpania się w tę noc. Ale od zamierzchłych czasów, kiedy jeszcze nie nazywała się nocą świętojańską, bo Jan Chrzciciel nawet się nie narodził, była to noc wyjątkowa, pełna zabaw, śpiewów, śmiechów, ale i.... rozpasania. Tę najkrótszą noc w roku w dalszym ciągu wiązano z oczyszczeniem przez wodę i ogień; główną więc atrakcją sobótki było rozpalanie ognisk, przy których zbierała się cała ludność wioski czy miasteczka. Tam właśnie odbywały się rozmaite popisy – śpiewano stare pieśni ludowe, wygłaszano wiersze i zagadki, panował radosny nastrój, rozbrzmiewały dowcipy, żarty, śmiechy, młodzież demonstrowała swą zręczność; całą noc grali muzykanci.

Po wprowadzeniu chrześcijaństwa Kościół, doceniając potęgę tradycji w wierzeniach i obrzędach, postanowili włączyć kupalnockę do kościelnego kalendarza, a patronem uczynić świętego Jana Chrzciciela, licząc, że nadanie chrześcijańskiej treści staremu świętu okiełzna pogańskie rozpasanie. Zmiana patrona nie zmieniła jednak istoty święta związanego z wyobrażeniami i praktykami zabobonnymi. Młodzi ludzie nadal odprawiali misteria i zabawy „biesom jeno miłe, a Panu Bogu obmierzłe".

> *Wszyscy na rozpust jako wyuzdani*
> *Idą bylicą wpoły przepasani.*
> *Świerkowe drzewa zapalone trzeszczą,*
> *Dudy z bąkami jak co złego wrzeszczą;*
> *Dziewki muzyce po szelągu dali,*
> *Azeby skoczniej w bęben przybijali.*
> *Włodarz jako wódz przed wszystkimi chodzi,*
> *On sam przodkuje, on sam rej zawodzi.*
> *Za nim jak pszczoły drużyna się roi,*
> *A na murawie beczka piwa stoi.*
> *Co który umie każdy pokazuje,*
> *Ten skacze wierzchem, płomienie strychuje,*
> *Ów pożar pali, drudzy huczą, skaczą,*
> *Aż ich dzień zdybie, to wzdy się obaczą*

pisał przeciwnik święta, siedemnastowieczny poeta Kasper Twardowski.

Kościół, kiedy nie udało mu się zmienić pogańskiego charakteru święta, niechętnie patrzył na ten zwyczaj i starał się całkowicie go wykorzenić. Kapłani zaczęli je zwalczać, wydając odpowiednie zakazy, apelując do uczuć religijnych i urządzając procesje ze świecami. Potępiali obrzędy w kazaniach, nie dawali rozgrzeszenia przy spowiedzi i grozili ogniem piekielnym każdemu, kto dołożył ręki do rozpalania pogańskich ognisk.

Najwcześniejszy ze znanych dotychczas zakaz urządzania sobótki, utrwalony w dokumentach, znajduje się w czternastowiecznym zbiorze przepisów synodalnych biskupa warmińskiego Henryka III. Biskup ten nie był jedynym wysokim rangą duszpasterzem walczącym z urządzaniem sobótek. W 1468 roku opat benedyktyńskiego klasztoru świętokrzyskiego nakłonił króla Kazimierza Jagiellończyka, aby ten wydał zakaz urządzania pogańskich uroczystości na Łysej Górze. I król taki zakaz wydał.

285

W XVIII wieku przez całą niemal Europę przetoczyła się długa wojna z przesądami, sięgającymi często dalekiej starożytności, które głęboko wniknęły w codzienne życie. Walczono m.in. z wiarą w czary, czarowników i czarownice. Ze świętem sobótki wiąże się wiele podań, baśni i przysłów: o sabatach czarownic, o ich podróżach na miotłach, kiedy to natarłszy się magiczną maścią ulatują kominem na spotkanie na górze i cały czas powtarzają „Płot, nie płot, wieś nie wieś, biesie nieś", o ich ucztach i zabawach.

Czarownice, wiedźmy czy też „mądre" szczególnie upatrzyły sobie noc świętojańską, aby rzucać uroki na bydło i kraść krowom mleko:

> *W wiliję świętego Jana*
> *Doiłam mleko ze zwona,*
> *Ale tylko jeden kopiec,*
> *Bo mi nie chciało więcej ciec.*

„Wiara w czarownice jest po dziś dzień – pisano w roku 1864 – nader silną. Czarownice jeżdżą co czwartek na Łysą Górę, wysmarowawszy się wprzódy jakąś maścią. Łysa Góra atoli nie jest jedna w Polsce; każda okolica ma zwykle swoją łysą górę, gdzie się czarownice zbierają (...) jeżdżą podobno na czarnej świni (...) oprócz tego na miotle czynią powietrzne wycieczki".

Tak więc nie tylko Kościół, ale i szlachta, i magnaci zwalczali sobótkę jako pogański zwyczaj. Sprzeczali się też o nią pisarze i poeci, publikując na jej temat swoje utwory. Kalwin Mikołaj Rej w *Postyllii Pańskiej* wybrzydzał:

„Dzień świętego Jana bylicą się opasać a całą noc około ognia skakać, i toć też niemałe uczynki miłosierne. A tam nawiętsze czary, błędy na ten czas się dzieją".

Najbardziej zaciekłymi wrogami sobótek byli polscy ewangelicy, potępiający to pogańskie święto. W tym wypadku okazali się jeszcze bardziej bezwzględni od katolików. „Gdzie obcego rodu zagnieździły się i przemogły Lutry, tam sobótek odprawiać nie wolno było" – pisał Marcin z Urzędowa.

Ale byli też obrońcy tego słowiańskiego pogańskiego święta, a należał do nich m.in. Jan Kochanowski.

Swoją „Pieśnią świętojańską o sobótce" zwrócił współczesnym uwagę na piękno tego obrzędu, a jednocześnie wprowadził do polskiej poezji pierwiastek ludowy, co w XVI wieku było wprost niezwykłe:

Gdy słońce Raka zagrzewa,
A słowik więcej nie śpiewa,
Sobótkę, jako czas niesie,
Zapalono w Czarnym lesie.
Tam goście, tam i domowi,
Sypali się ku ogniowi;
Bąki zaraz troje grały,
A sady się sprzeciwiały.
Siedli wszyscy na murawie;
Potym wstało sześć par prawie
Dziewek, jednako ubranych
I belicą przepasanych.
Wszytki śpiewać nauczone,
W tańcu także niezganione: (…)
Tak to matki nam podały,
Samy także z drugich miały,
Że na dzień świętego Jana
Zawzdy Sobótka palana. (…)
A teraz ten wieczór sławny,
Święćmy, jako zwyczaj dawny,
Niecąc ogień do świtania,
Nie bez pieśni, nie bez grania.

Wśród osób jawnie występujących w obronie tych pogańskich obchodów był także siedemnastowieczny poeta Jan Gawiński, który apelował:

Jan święty Chrzciciel przyszedł. Więc palą sobótki.
A wkoło niej śpiewając, skaczą wiejskie młódki.

Nie znoście tych zwyczajów! Co nas z wieków doszło
I wiekiem się ustało, trzeba by w wiek poszło.

Wielowiekowa kampania skończyła się połowicznym zwycięstwem. Jeszcze pod koniec XIX stulecia noc świętojańska płonęła sobótkowymi ogniskami, rozbrzmiewała muzyką i śpiewem; później sobótka wprawdzie przetrwała, lecz stopniowo zanikały niektóre związane z nią obrzędy. Zarzucono zbieranie ziół, zapomniano o bylicy i czyszczeniu studni, znikły obrzędowe pieśni, a cały wielki pogański obyczaj zepchnięty został do roli pospolitej rozrywki pozbawionej artystycznej i kulturalnej wymowy.

✦ SOBÓTKA W INNYCH KRAJACH ✦

Sobótka znana jest od wieków we wszystkich krajach Europy i wszędzie była nocą zabaw, wróżb i magicznych zaklęć.

Czesi, tak jak i my, przepasywali się wieńcami z bylicy i skakali przez ognisko, co miało obronić ich przed duchami, żyjącymi wiedźmami i wszelkim nieszczęściem. Według starych czeskich wierzeń wystudzony i rozsypany na dachu popiół z ogniska chronił zabudowania przed pożarem, zasuszony wianek z bylicy stanowić miał niezawodny lek dla bydła, a dym ze świętego ogniska, jeśli dobrze się wgryzł w oczy, zaostrzał wzrok.

W Rosji skakano przez ogień „we troje", bo skacząca para niosła na ramionach figurę Kupały; musieli ją dobrze trzymać, bo jeśli spadła w ogień, wróżyło to koniec miłości.

Na Węgrzech obecność na „sobótkowych ogniach" była obowiązkowa. Uważano, że kto nie przyjdzie na sobótkową zabawę, „będzie miał dużo ostu w jęczmieniu i chwastów w owsie", i wierzyli, że ogień świętego Jana chroni bydło przed wiedźmami.

Serbowie po skończonych sobótkowych zabawach zapalali od dogasającego ogniska pochodnie z kory brzozowej i obchodzili z nimi zagrody dla wykurzenia złych duchów i wszelkich uroków.

288 W Grecji nie skakano przez ogień parami. Najpierw z okrzykiem „Pozostawiam za sobą moje grzechy" skakały dziewczęta, a dopiero

za nimi mogli skakać młodzieńcy. (Skakanie koło ognia i przez ogień w dobie przesilenia letniego jest jednym z najstarszych nabożeństw, radosnym obrzędem ku czci słońca, „białego boga").

Tak jak w Rosji z figurą Kupały, tak na greckiej wyspie Lesbos skakano przez ogień z kamieniem na głowie, „aby głowa była twarda, mądra i zdrowa jak kamień", a kto skakał bez kamienia, uważany był za głupka.

W Szwecji wigilia świętego Jana była jednocześnie świętem ognia i wody, więc ogniska palono nad brzegami jezior i rzek, co sprawiało, że woda nabierała właściwości leczniczych. Szczególnie „krostawi i parchaci" po zanurzeniu się w niej wychodzili gładcy jak piskorze.

A w Danii i Norwegii palono ogniska na rozstajnych drogach, bo to tu – jak wierzono – spotykały się czarownice i wiedźmy z diabłami.

W całej niemalże Europie, wraz z obrzędem sobótkowym utrzymywała się wiara w istnienie legendarnego kwiatu paproci. Ten, któremu udałoby się go zerwać, miał zapewnione szczęście i wszelkie powodzenie w życiu. Przekonanie o magicznej mocy kwiatu paproci utrzymywało się długo. „Przybądź do mnie, dam ci kwiat paproci, zerwany w borze, o nocnej porze" – mówiły słowa przedwojennej polskiej piosenki. Cudownego kwiatu szukali w noc świętojańską tylko mężczyźni. W Polsce bardzo wielu młodzieńców próbowało znaleźć ten magiczny kwiat, wierząc, że ten, kto go znajdzie, posiądzie wszystkie ukryte w ziemi skarby. Ale kwiatu i związanych z nim skarbów zazdrośnie strzegły niewidzialne moce, czarty, wyjące groźnie straszydła, robiące wszystko, aby śmiałków nie dopuścić. I jak dotąd żadnemu się to nie udało.

Legendy o rozkwitającym ognistą gwiazdą kwiecie paproci przetrwały do dziś w podaniach i bajkach wielu krajów i niewiele się od siebie różnią.

W czeskich i niemieckich, tak jak w polskich, szczęśliwy zdobywca kwiatu paproci powinien szukać skarbów w ciemnym borze; we francuskich – biec z tym kwiatkiem jak z pochodnią na najwyższe wzgórze w okolicy, by tam, rozgarniając ziemię gołymi rękami, odkryć żyłę złota lub drogie kamienie promieniujące niebieskawym światłem. W rosyjskich klechdach młodzieniec, zerwawszy gorejący kwiat paproci, rzucić go powinien jak najwyżej w powietrze i tam, gdzie spadnie w postaci złotej gwiazdy, szukać skarbów.

❖ ZWYCZAJE POLSKIE ❖

Na wsi polskiej sobótka, wianki, noc świętojańska, kupalnocka – obchodzone były „nieco po chrześcijańsku, trochę po ludowemu", a wszystko miało swoje proporcje i znaczenie.

Marcin z Urzędowa zapisał w drugiej połowie XVI wieku w swoim zielniku: „U nas w wilją św. Jana niewiasty ognie paliły, tańcowały, śpiewały, djabłu cześć i modłę czyniąc; tego obyczaju pogańskiego do tych czasów w Polszcze nie chcą opuszczać, ofiarowanie z bylicy czyniąc, wieszając po domach i opasując się nią, czynią sobótki, paląc ognie, krzesząc je deskami, aby była prawie świętość djabelska, śpiewając pieśni, tańcując".

„U Mazurów nadnarwiańskich w wigilję świętego Jana, po zachodzie słońca, gospodynie i dziewczęta zebrane na łące nad strumieniem, rozpaliwszy kupalnockę, patrzyły, czy zebrały się wszystkie; gdyby której nie było, tę uważano za czarownicę. Następnie biesiadowały, tańczyły przed ogniem i z każdego gatunku przyniesionych pęków ziół rzucały po gałązce w ogień, wierząc, że dym z tych ziół zabezpieczy je od złego; resztę zabierały do domów, aby pozatykać w strzechy chat, obór i stodół. Około północy, mocniejszy rozniecíwszy ogień, pozostałe napoje weń wlewały, a jedna z dziewcząt wieniec, uwity z bylicy i ziół innych, rzucała na wodę strumienia, przyczem wszystkie zawodziły prześliczną starodawną pieśń: Oj czego płaczesz, moja dziewczyno?" (Gloger).

Powszechnie wierzono, że osobom biorącym udział w sobótkowych zabawach, tańcach i skokach przez ogień nic złego stać się nie może aż do następnego świętego Jana. Ale też, że:

Kto na sobótce nie będzie,
Główka go boleć wciąż będzie.

Na Pomorzu palenie ogni rozpoczynano o zmierzchu. Starannie przygotowywano wielki stos z drewna, ale z podpaleniem czekano na sygnał bazuna. Dopiero wtedy podpalano go gałęzią jałowca. Gdy stos wybuchał płomieniem, wznoszono okrzyki i rozpoczynał się taniec dziewcząt opasanych bylicą; a gdy stos się dopalał i ogień się zmniejszył, rozpoczynano skoki, koniecznie parami.

Para, której udało się przeskoczyć, mogła bezkarnie zniknąć na całą sobótkową noc. Gorejące drzazgi z ogniska – na szczęście, z życzeniami pomyślności – zanoszono do domów tym, którzy nie mogli spotkać się przy ogniu.

Według starych rybackich zwyczajów „święty ogień" często puszczano na wodę. Na Kaszubach dla tego rytuału poświęcano starą łódź. „Ogień krzesiwem rozpalał najstarszy rybak", korzystał z pomocy asysty składającej się z ośmiu młodzieńców. „Ci z płonącą już drzazgą czasem dużą żagiew przenosili do drucianego kosza, który potem mocowano wysoko na maszcie. Łódź spychano na wodę, aby ogniem rozjaśniała głębiny jeziora". Świętojański ogień był także palony nad brzegami rzek, jezior, na morskich płyciznach. Tam palono beczki napełnione smołą lub smolnymi szczapami. Płonącą beczkę mocowano na wysokim drągu wbitym na brzegu. Ustawienie go było zaszczytem, robili to zawsze najlepsi z szyprów.

Łemkowie w dzień świętego Jana, święto pasterzy, zbierali zioła i palili ogniska. Wokół nich śpiewano specjalne pieśni i odczyniano czary, co miało chronić bydło i pola przed złym urokiem. Do końca XIX wieku obrzędy związane z rozpoczęciem astronomicznego lata były tu bardzo żywe, teraz jednak należą do rzadkości. „Wtedy obrzęd ten traktowano i obchodzono dosłownie. Z czasem jednak przekształcił się w formę towarzyskiej zabawy – mówi dr Andrzej Karczmarzewski z Muzeum w Rzeszowie.

Palenie sobótek było świętem wody i ognia, większe jednak znaczenie przywiązywano do ognia. W poprzedzający go dzień i w samego świętego Jana na rzeszowszczyźnie opalano sobótki. Młodzież zapalała pochodnie lub kiczki (kiszki) słomiane na kijach i biegała po miedzach między zbożami. „Podobno wyglądało to bardzo ciekawie, gdyż młodzi ludzie z »kiszkami« z dachów słomianych, osadzonych na kijach biegali wokół pól. Wierzono, że uchroni to pole od tzw. śnieci, czyli choroby zbożowej".

Powszechnie też na drogach i nad rzekami rozpalano wielkie ogniska. Mieszkańcy rozrzucali świeże zioła, które dymiąc, miały okadzać pola i okolice.

Z symboliką roślinną wiązało się również puszczanie wianków. Tradycja ta wywodzi się ze zwyczaju rzucania ziół i kwiatów do wody, co było swego rodzaju ofiarą.

Do sobótkowych zwyczajów należało też zbieranie ziół do przystrajania domów. Od wieków najbardziej poszukiwanym obrzędowym świętojańskim zielem była w Polsce, podobnie jak w innych krajach, bylica. Na Mazowszu, na Podlasiu i w Krakowskiem przyozdabiano nią bramy i wejścia do budynków, wierząc, że ma ona właściwości „odbierania jadu złym oczom, napojonym zawiścią, zdejmowania zadanych już uroków i leczenia chorób powstałych z nasłania diabelskiego". W Sandomierskiem dodawano do bylicy gałęzie bzu, znanego także ze swych magicznych mocy odpędzania upiorów. Splatano też wianki z bylicy i zanoszono je do święcenia, wierzono bowiem, że posiadają cudowną moc. Dlatego później przechowywano je przez cały rok. Chroniły przed piorunami, kładziono je pod fundamenty stawianych domów i pod pierwszy wzniesiony strop.

„Na Jana Chrzciciela już kwiecia wiela". Najczęściej po południu wybierano się do lasu i na łąki po zioła – (na kielecczyźnie i na Podhalu zrywano je bardzo rano, „przed piersem ptoskiem", w innych regionach wieczorem). Zbierano dziurawiec, bylicę, koniczynę, krwawnik, miętę, rumianek i kwiat dzikiego bzu. Zioła zerwane w dzień świętego Jana miały czarodziejską moc i najsilniejsze właściwości lecznicze; suszono je, a następnie używano jako leki przeciwko wszelkim chorobom ludzi i zwierząt.

292 Dzień 24 czerwca w rolniczym kalendarzu rozpoczyna pierwsze sianokosy: „Na świętego Jana zabierz się do siana", chociaż niektórzy

uważali, że „Już przed Janem warto zająć się sianem", żeby „Na świętego Jana pierwsze kopy siana", bo „Gdy święty Jan łąkę kosi, byle baba deszcz uprosi".

Na północnych i wschodnich obszarach naszego kraju w wigilię świętego Jana, o zmierzchu, po dokładnym wygaszeniu wszelkich palenisk w całej wsi, krzesano nowy ogień. W tym celu wbijano w ziemię dębowy kół, nakładano nań ściśle dopasowaną dębową tarczę i szybko nią obracano (robili to młodzi ludzie na zmianę), aby wykrzesać iskry. Gdy kołek wreszcie zajął się płomieniem, zapalano od niego głownie i roznoszono po wsi nowy ogień.

Świętojański okres uważany był też za najlepszy czas na przeprowadzki do nowego domu.

Czyszczenie w tym dniu wszystkich studni, aby woda w nich była czysta, to zapewne pozostałość po greckim święcie. „Gdy Jan ochrzci wszystkie wody, już nie zrobią nikomu szkody". Był to więc także pierwszy dzień bezpiecznych kąpieli, bo kiedy „Wlał do wód święty Jan święconej wody dzban", opuściły ja wszystkie żyjące tam wcześniej demony.

❖ SOBÓTKOWE WRÓŻBY ❖

Jutro w święty Janek, puścim w wodę wianek. Tę noc szczególnie upodobały sobie dziewczęta – był to bowiem czas odprawiania wróżb miłosnych. Śpiewając:

> *Hej Jana, Jana będziemy chwalić,*
> *co by pozwolił sobótki palić.*
> *Hej narwę ja ci kęs majeranku*
> *Cobyś nie uciekł precz mój kochanku*

wiły wianki, rzucały je do ognia albo puszczały na wodę, a wszystko po to, aby dowiedzieć się, kiedy wyjdą za mąż.

Na wschodzie Polski na wianki czatowali młodzieńcy w czółnach i natychmiast skakali, aby je wyłowić. Wyłowienie wianka wróżyło

293

dziewczynie szybkie zamążpójście. Żeby wzmocnić siłę zaklęcia, rzucając wianek w ogień, dziewczęta wołały: „Niech no opuści i tu się spali, to wszystko zło, co mnie boli".

Wianki wito z posiadających cudowną moc ziół; by wróżba się spełniła, musiało być ich siedem, ale jednak największą moc miał wianek uwity aż z dziewięciu. I tak oprócz majeranku w wianku świętojańskim powinny się znaleźć: bazylia, czarnuszka, marzanka wonna, macierzanka, lubczyk, cząber, arcydzięgiel i hyzop.

Do wróżb wykorzystywano właściwie wszystkie rośliny. Niezwykle ważną rolę w sprawach miłosnych odgrywał cząber. Jeśli dziewczyna chciała się dowiedzieć, czy małżeństwo dojdzie do skutku, musiała wykopać, i to razem z ziemią, dwa krzaczki cząbru i ustawić je w mieszkaniu w niewielkiej odległości jeden od drugiego. Ten po lewej stronie (jeśli stanęło się do niego twarzą) wyobrażał dziewczynę, po prawej – chłopca. Jeśli gałązki po jakimś czasie połączyły się z sobą, małżeństwo było pewne.

W tę niezwykłą noc nawet szczypiorek mógł wróżyć małżeństwo. Dziewczyna musiała tylko oznaczyć kolorowymi nitkami kilka wyrastających pędów, nadając im imiona swoich adoratorów. Najbardziej kochał oczywiście ten chłopak, „który" w ciągu nocy urósł najbardziej.

Ze szczypiorku wróżyły sobie też mężatki, pragnące poznać najbliższy los. Wybierały one dwa pędy – jeden miał oznaczać szczęście, drugi nieszczęście. Czego należało się spodziewać, mówił ten, który w ciągu nocy mocniej wyskoczył w górę.

Rolę znakomitego wróża spełniał też liguster, krzew wykorzystywany na żywopłoty, dorastający do czterech metrów i w czerwcu pokrywający się pachnącymi kwiatkami. Aby jednak wróżba była ważna, krzew musiał być siedmioletni. Ten, kto chciał się dowiedzieć, czy jego najgorętsze pragnienia spełnią się, szedł między godziną 11 a 12 w nocy do krzewu i starał się z zamkniętymi oczami dosięgnąć kwiatów. Jeśli zdołał urwać trzy, była to zapowiedź szczęścia i powodzenia.

Wszyscy czekający na miłość, ale nie znający jeszcze obiektu swoich uczuć, musieli w tajemnicy i w całkowitym milczeniu narwać różnych kwiatów polnych i ułożyć z nich girlandę, tzw. równiankę,

294

potem nalać wody do naczynia, otoczyć je równianką i nic nie mówiąc, patrzeć w wodę; o północy na dnie ukazywała się twarz ukochanej osoby.

W tym też czasie w wielu krajach rozpoczynano dawniej przygotowywanie świętojańskich napojów.

Ciekawy jest francuski przepis pochodzący z *Gospodarza paryskiego*, na nalewkę, która „daje odpocząć wątrobie i wzmacnia wnętrzności". Jest to napój przypominającej nieco ratafię, ale bezalkoholowy.

Przygotowanie należy rozpocząć w dniu świętego Jana, następnie dorzucać owoce w miarę ich pojawiania się aż do świętego Andrzeja, czyli 30 listopada. Wśród rozlicznych przypraw korzennych dodawanych do tej nalewki widnieje pół uncji (15 gramów) szafranu, bo „szafran podnosi na duchu, zachęca do radości".

W Polsce natomiast przygotowywano pobudzający apetyt i uśmierzający bóle:

❖ ŚWIĘTOJAŃSKI LIKIER ❖

Składniki:

Po 50 g ususzonych ziół: dziurawca, mięty pieprzowej i rumianku,
½ l spirytusu, szklanka miodu, szklanka czystej wódki,
pół szklanki przegotowanej wody (najlepiej źródlanej)

Zioła wrzucamy do słoja, zalewamy spirytusem, szczelnie przykrywamy, zostawiamy w ciepłym miejscu na 10–12 dni. Zlewamy, przecedzamy przez gęste sito lub gazę. Dokładnie mieszamy z płynnym miodem, wódką i wodą. Zostawiamy szczelnie przykryte na następne 10 dni, po czym ponownie przecedzamy.

Noc kupały to także dobry moment na... romantyczną przygodę. Dobrze jest tę najkrótszą noc w roku spędzić we dwoje i zjeść romantyczną kolację pod gołym niebem.

Wieczorny posiłek powinien składać się z potraw o magicznych, afrodyzjakalnych właściwościach – mniej ważne jest, czy to będą zimne przekąski, czy gorące dania.

295

Najłatwiej jest przygotować:

❖ PÓŁMISEK AFRODYZJAKALNY ❖

Powinny się na nim znaleźć ułożone na liściach sałaty plasterki wędzonego łososia lub kawałki wędzonego węgorza w towarzystwie zimnego pieczonego combra zajęczego lub płatów pieczonej wołowiny udekorowanej jajeczkami przepiórczymi i szparagów z majonezem paprykowym.

Znakomitym dodatkiem do mięs z półmiska będzie:

❖ SOS KUPAŁY ❖

Składniki:

Kieliszek czerwonego wytrawnego wina, 2 łyżki miodu,
łyżka sosu sojowego, łyżka posiekanych orzechów włoskich,
łyżeczka drobno posiekanego świeżego imbiru,
po ćwierć łyżeczki mielonego białego pieprzu
i mielonych nasion kolendry

Wszystkie składniki sosu dokładnie mieszamy, doprawiamy do smaku szczyptą soli i ew. łyżeczką soku z cytryny, dekorujemy listkami świeżej kolendry.

❖ SAŁATKA MIŁOSNA ❖

Składniki:

2 niewielkie białe cebule, 3 łyżki octu winnego, 1–2 ziarenka pieprzu
i angielskiego ziela, 3–4 twarde mięsiste pomidory,
strąk ostrej papryki lub papryka chili,
kilka gałązek zielonej kolendry, sól, pieprz, olej

Zagotowujemy szklankę wody z octem, pieprzem i zielem. Cebule obieramy, kroimy w cienkie plasterki, układamy w misce, zalewamy gorącą wodą z octem, zostawiamy na 15–20 minut, odcedzamy, studzimy. Pomidory sparzamy wrzątkiem, obieramy ze skórki, kroimy na ćwiartki. Paprykę myjemy, kroimy w paski. W salaterce układamy pomidory, paprykę i cebulę, posypujemy solą i pieprzem, skrapiamy olejem. Przed podaniem dekorujemy gałązkami kolendry.

❖ SAŁATKA Z AWOKADO ❖

Składniki:

1 duże awokado, 3–4 łodygi selera naciowego, 1 winne jabłko, łyżka soku
z cytryny, pół szklanki płatków migdałowych, pół szklanki rodzynek
(sułtanek), szklanka mocnej herbaty, sól, 3–4 łyżki majonezu, sól, pieprz

Umyte rodzynki zalewamy mocnym naparem herbaty i zostawiamy na pół godziny. Odcedzamy. Obrane awokado i jabłko kroimy w kostkę, skrapiamy sokiem z cytryny. Łodygi selera naciowego obieramy, kroimy w cienkie plasterki. Płatki migdałowe uprażamy na gorącej patelni. Wszystkie składniki sałatki łączymy i mieszamy z majonezem. Doprawiamy do smaku solą i pieprzem.

❖ NADZIEWANE PSTRĄGI ❖

Składniki:

2 średnie pstrągi, sok z 1 cytryny, sól, pieprz, kilka gałązek zielonej
pietruszki, kieliszek białego wytrawnego wina, 2 łyżki masła,
100 g chudej szynki, 1 niewielki kiszony ogórek, 1–2 łodygi selera, plaster
ananasa z puszki, łyżka posiekanego szczypiorku, surowe żółtko,
pół szklanki śmietany, sól, pieprz

Sprawione, pozbawione głów i płetw pstrągi myjemy, osuszamy, nacieramy solą i pieprzem, skrapiamy sokiem z cytryny. Zostawiamy na pół godziny w chłodnym miejscu.
Łodygi selera obieramy, kroimy w plasterki, szynkę, ananasa i obrany ogórek kroimy w kostkę. Wrzucamy do miksera, dodajemy 2 łyżki białego wina i posiekany szczypiorek, miksujemy. Pod koniec dodajemy żółtko i śmietanę. Tak przygotowanym gęstym kremem nadziewamy pstrągi, spinamy wykałaczkami. Formę do pieczenia smarujemy masłem, układamy ryby, skrapiamy winem, wstawiamy do nagrzanego piekarnika (lub układamy na grillu), pieczemy 15 minut. Smarujemy pozostałym kremem i pieczemy jeszcze na bardzo małym ogniu 5–7 minut. Przed podaniem posypujemy posiekaną pietruszką.

Święto MATKI BOSKIEJ ZIELNEJ

Kwiaty z pól okolicznych uszczknięte i zioła,
Przenajmilsze ofiary pracowitej wioski
Przyniosły swe zapachy do wnętrza kościoła,
Przyniosły przed oblicze dobre Matki Boskiej
W górze jako głos starczy, organ przepowiada,
W dole z piersi ludu płynie pieśń kościelna,
U stóp Twych, jasna Pani, wieś swe dary składa,
O pól rządczyni mądra, o królowo zielna.
Przed ołtarzem ksiądz szepcze łacińskie wyrazy,
Woń kwiatów coraz zywiej nad głowy się wznasza:
Ochraniaj nas od klęski, chorób i zarazy,
Królowo ziół przedziwna, pól rządczyni nasza!
Rozśpiewały się usty, organ wciąż przewodzi,
Ten w piersi się uderza, ten znak krzyza czyni:
Obraniaj nas od wojny, ognia i powodzi.
O ziół królowo mozna, naszych pól rządczyni.

(W. Rolicz-Lieder *W Matkę Boską Zielną*)

298

Wniebowzięcie Najświętszej Marii Panny jest najstarszym świętem maryjnym w całym roku liturgicznym. Uroczystość obchodzona była w Konstantynopolu już od V wieku (w kościele wschodnim święto nosi nazwę Zaśnięcie Najświętszej Marii Panny), a w Rzymie od VII wieku.

„Wniebowzięcie NMP ze wszystkich świąt ku czci Bogarodzicy to uroczystość najdawniejsza, bo sięgająca pierwszych wieków chrześcijaństwa i zawsze solennie obchodzona. Z obchodem tym kościelnym, który rozmaite dawniej nosił nazwy jak: Śmierci, Odpocznienia, Zaśnienia i wreszcie Wniebowzięcia, łączy się w kraju naszym starodawny zwyczaj święcenia ziół polnych, które dziewczęta wiejskie, nazbierawszy dnia poprzedniego, przynoszą do świątyń, aby je kapłan przed wielkim ołtarzem poświęcił" (Gloger *Rok polski*).

Święto przypadające 15 sierpnia – dawniej obchodzono jako dzień Matki Bożej Dożynkowej, bo zgodnie z rolniczym kalendarzem „Na Wniebowzięcie pokończone żęcie" – zawiera wiele treści teologicznych, kulturowych i obyczajowych. W swojej religijnej wymowie – dogmat o Wniebowzięciu ogłosił w 1950 roku Pius XII – „jest dniem triumfu Niepokalanej i ukoronowaniem wszystkich Jej godności".

Natomiast obrzędowość ludowa wiąże ten dzień ze święceniem płodów rolnych i ziół, będących symbolami bogactwa przyrody, stąd druga popularna nazwa tego święta – uroczystość Matki Boskiej Zielnej. Wnętrza kościołów ozdabia się wiankami z ziół i kwiatów, bukietami, kompozycjami roślinnymi z warzyw, owoców i runa leśnego.

Po co te wiązki i wianki
z mięty, wrotyczu, rumianku?
Niesiemy je na znak hołdu
Maryi Pannie przed ołtarz.
Hyzop, lawenda, jałowiec?
Wszak to potrzebne chorobie?
Mamy je, chcemy dziewannę
Ucieszyć Maryję Pannę
Niechaj to księża poświęcą
Dzisiaj w ten dzień Wniebowzięcia.
A tę pszenicę i jęczmień

299

Czy także mamy poświęcić?
Proso tez i mak, i żyto
Na coraz większą obfitość.
Na cóż bób i rzodkiew zda się
w niebie, na rajskim popasie?
Maryi z żyta korona,
nam — chleb zeń upieczony.
Niechaj je księża święcą
Dzisiaj, w ten dzień Wniebowzięcia

(K. Iłłakowiczówna *Msza maryjna na Matkę Boską Zielną*)

„Jest to więc po oktawie Bożego Ciała drugi dzień w roku przeznaczony do święcenia ziół i kwiatów polnych. Na Mazowszu i Podlasiu niosą do kościoła, święcić w dzień Matki Boskiej Zielnej: boże drzewko, hyzop, lawendę, dziewannę, rumian i kilka innych ziół leczniczych. W Krakowskiem niosą do poświęcenia dwanaście roślin: 1. Włoski Najświętszej Panienki, 2. Obieżyświat (żółto kwitnący), 3. Trojeść, 4. Żabie Skrzeki, 5. Boże drzewko 6. Rotyć, 7. Lubczyk. 8. Leszczyna z orzechem, 9. Żyto, 10. Konopie, 11. Len, 12. Miętę. Zioła powyższe w dniu tym poświęcone, można tam widzieć w każdej niemal chacie wetknięte za siestrzan czyli tram.

Wedle staropolskiego obyczaju, zmarłemu do trumny podkładają ich garstkę pod głowę. W innych stronach oprócz ziół polnych, wśród których bywa zawsze i bylica, zanosi lud do poświęcenia w kościele różne zboża, a mianowicie: len, proso, makówki, żyto, pszenicę, jęczmień i owies, każdego choć po kilka dorodnych kłosów. Z tych to kłosów błogosławionych przed ołtarzem, wykruszają potem ziarna do pierwszego siewu" (Z. Gloger).

Przed świętem kobiety i dziewczęta wiły „brogi" – duże wieńce, jako podziękowanie za tegoroczne zbiory.

Brogi przygotowywano z ostatnich kłosów zżynanych uroczyście na zakończenie żniw. Te garście koszonego zboża miały swoje nazwy: przepiórka, fonka, dziad, stary, bękart, baba, broda, pępek, koza, bęks. Takie same nazwy nosiły stare polskie zabawy związane właśnie ze ścinaniem ostatnich kłosów. Brogi czasami były tak duże,

300

że wieziono je do kościoła na drabiniastym wozie, a święcono razem z mniejszymi wieńcami i bukietami ziela na uroczystej sumie.

Zbożom przypisywano niezwykłe znaczenie i w obrzędowych poczynaniach odgrywały one doniosłą rolę. W zbożu – „najszlachetniejszym owocu pól" – wszystko jest symbolem życia, dostatku i plonów, od nasienia, po kłosy.

Wianki wito więc zazwyczaj z czterech zbóż: pszeniczny, żytni, jęczmienny i owsiany, ale też mieszane z ziół, kłosów i owoców, ozdobione kwiatami – nagietkami, makami i chabrami oraz trawami.

Wiele nazw roślin używanych do wianków świadczy o wielkiej sakralizacji otaczającego rolników świata. Tak więc w wianki wplatano : „koszyczki Najświętszej Marii Panny", czyli werbenę pospolitą, „łzy Matki Boskiej" – groszek i „warkoczyki Najświętszej Panienki" – dziewannę drobnokwiatową, a także „złote włosy Matki Boskiej", „len Panny Marii" czy „pantofelki Matki Boskiej".

„Człowiek w głębi duszy przechowywał ślad odwiecznego respektu dla przyrody; okazywał to roślinom w czasie świąt, ceremonii, uroczystości. Uznawał bowiem, że zaświaty symbolizują człowiekowi swe zamiary. Ich odczytanie zależy od znajomości ich języka, a poznanie go daje człowiekowi szansę obrony i przeciwdziałania. Rośliny należały do »tamtego« świata. A więc podczas świętowania trzeba się było nimi posłużyć".

I tak to „posługiwano się" roślinami podczas obrzędów Wielkiejnocy, Zielonych Świąt, Bożego Ciała, Sobótki, no i naturalnie Matki Boskiej Zielnej.

Symboliczne znaczenie miały pęki rozmaitych polnych kwiatów i ziół, wśród których były: bylica, mirt, rozmaryn, hyzop, wrotycz, dziewanna, ruta, rumianek, dziurawiec, mak, koniczyna, borówka, barwinek, mięta, lebiodka, dzięgiel.

Przy każdej okazji święcono robione z nich bukiety, wieńce, wianki. Pojawiały się wszędzie tam, gdzie rytuały apelowały do zaświatów o przychylność, urodzaj i powodzenie. Do najważniejszych zapewne należała bylica – „matka ziół" – przydrożny chwast, któremu przypisywano zadziwiające właściwości. W tradycji magii leczniczej jest ona zielem życia, w czarnej magii zaś stosowano ją jako truciznę, ziele przynoszące szaleństwo i śmierć. Uważano ją za roślinę księżycową, której spalanie mogło odegnać zły los, stąd zapewne jej obecność we wszystkich świątecznych wiankach – przede wszystkim sobótkowych. Anglosasi wymieniają ją wśród „dziewięciu świętych ziół" danych światu przez boga Wodana, a w Polsce należy do magicznych ziół chroniących od „potworów, uroków, nieszczęść i chorób".

W podobny sposób traktowano mirt – symbolizował on w polskiej kulturze dziewictwo i młodość, płodność i szczęście, życie, ale i śmierć, jednocześnie odrodzenie i oczyszczenie. Już starożytni Grecy i Rzymianie uważali mirt za symbol dziewiczego wdzięku i dlatego poświęcali go bogini piękności i miłości Afrodycie (Wenus). Święty Hieronim uważał mirt za symbol woni Chrystusa, a Święty Grzegorz za symbol cnoty, wstrzemięźliwości i opanowania, a także współczucia wobec niedoli bliźniego.

Hyzop od starożytności był cenioną rośliną rytualną i leczniczą. Arabowie i Żydzi uważali go za roślinę świętą i używali do rytualnych oczyszczeń. To niezwykle wonne ziele często służyło za kropidło. Symbolika hyzopu nawiązuje do podwójnej jego funkcji – wykorzystywania do rytualnego pokropienia, które oczyszcza ludzi z grzechów, i stosowania go jako lekarstwo do oczyszczania płuc.

Wrotycz – w Polsce zwany jest także piżmą lub piżmowym zielem. Jego łacińska nazwa *Tanacetum vulgare* wywodzi się od greckiego słowa oznaczającego nieśmiertelność. Przez wieki wierzono, że wrotycz wzmacnia siły i pomaga zachować zdrowie, a silne antyseptyczne właściwości mogą uratować przed śmiercią. Jego delikatne listki doskonale nadają się do dekorowania potraw. W wielu krajach jest to tradycyjna roślina wielkanocna, używana do wypieku wielkanocnych ciasteczek wrotyczowych lub przygotowywania wielkanocnych deserów, mających przypominać gorzkie zioła zjadane na święto Paschy. W elżbietańskiej Anglii szczególnie ulubioną tradycyjną potrawą wielkanocną, spożywaną na zakończenie wielkiego postu, były *tansy* – jajka zmieszane z listkami wrotycza.

Ruta – roślina obrzędowa, magiczna, lecznicza, ciesząca się sławą wszech leku, stanowiła też amulet przeciw czarom. W polskiej obrzędowości ludowej była symbolem niewinności i dziewictwa. Powiedzenie „panna rutkę sieje" znaczyło, że nie wychodzi za mąż, a wianki ślubne wito najczęściej z ruty, barwinka i rozmarynu.

Dziurawiec zwyczajny był powszechnie uważany za ziele święte i lek uniwersalny. Wierzono, że wypędza złe duchy. Zwano go też „Dzwonkami Jana Chrzciciela" lub „zielem świętego Jana".

Koniczyna – w chrześcijaństwie jej potrójny listek stał się symbolem Trójcy Świętej. Druidzi uważali ją za świętą roślinę czarodziejską; w starożytności była to ważna roślina lecznicza ze względu na „niezniszczalną siłę żywotną – siłę życia".

Wonny i uzdrawiający kwiat dziewanny był symbolem a zarazem kwiatem poświęconym starosłowiańskiej bogini dziewic, Dziewannie, będącej uosobieniem władzy ducha nad ciałem.

Barwinek pospolity zwano „fiołkiem czarownika", a wyjątkowe cechy przypisywano makowi, który uznawany był za symbol nocy, zapomnienia, snu, ciszy; wyraźnie więc przypominał zaświaty.

„Matki Boskiej Zielnej każdy chodzi cielny" (czyli syty, najedzony), „Na Wniebowzięcie pokończone żęcie" – można było odpocząć, a przede wszystkim wyrazić to, co tak prosto napisał w 1693 roku Wespazjan Kochowski w *Psalmodii Polskiej*

> *Panie! Za to dziękować Ci trzeba,*
> *żeś gębie mojej dał dostatek chleba.*

Był więc dzień Matki Boskiej Zielnej dniem wielkich dziękczynnych pielgrzymek. Najczęściej pielgrzymowano do Częstochowy i Kalwarii Zebrzydowskiej.

Dawniej, przygotowując się do obchodów Matki Boskiej Zielnej, należało w dniu świętego Wawrzyńca, czyli 10 sierpnia, poświęcić masło i miód, którego potem dawano do skosztowania po łyżeczce każdemu z domowników, mówiąc:

> *Przez przyczynę świętego męczennika,*
> *Chroń Boże pszczółki od szkodnika.*

303

Po uroczystościach kościelnych następowały dożynki, organizowane przez dziedzica lub samych gospodarzy. Zbierano się przy stołach w ogrodzie, a na klepisku w stodole odbywały się tańce.

W tym dniu tyle jest ziół, że i obiad mógłby się składać z samych „ziołowych przysmaków":

❖ RABARBAROWE PURÉE ❖

Składniki:

500 g rabarbaru, łyżeczka drobno posiekanych liści wrotycza sól, pieprz, łyżeczka miodu, 2 łyżki masła, ćwierć szklanki lekkiego bulionu

Obrane łodygi rabarbaru drobno kroimy. W rondlu topimy masło, wrzucamy rabarbar i chwilę smażymy, mieszając. Skrapiamy bulionem i dusimy pod przykryciem kilkanaście minut. Dodajemy sól, pieprz do smaku, miód i posiekane listki wrotycza i dusimy pod przykryciem, aż do rozgotowania się rabarbaru, od czasu do czasu mieszając. Jest to oryginalny dodatek do pieczonych mięs.

❖ GORĄCA SAŁATKA ZIEMNIACZANA ❖

Składniki:

700 g ziemniaków, 1 duża cebula, 100 g surowego boczku, łyżeczka drobno posiekanych listków wrotycza, sól, pieprz, łyżka octu winnego

Wyszorowane ziemniaki gotujemy, obieramy, kroimy w plastry. Boczek kroimy w kostkę, wytapiamy na rozgrzanej patelni, zdejmujemy z ognia, wrzucamy pokrojoną w plasterki cebulę i ziemniaki, posypujemy solą i pieprzem, skrapiamy octem, posypujemy wrotyczem. Delikatnie mieszamy, układamy na ogrzanym półmisku. Podajemy jako dodatek do sznycli i mielonych kotletów.

❖ SAŁATKA Z GREJPFRUTA ❖

Składniki:

2 duże grejpfruty, 3–4 duże, twarde, mięsiste pomidory, 200 g mozzarelli, łyżka listków lebiodki, 10–12 zielonych wydrylowanych oliwek

Sos:

3 łyżki oliwy z oliwek, łyżka koniaku, łyżeczka drobniutko posiekanych listków lebiodki, sól, ćwierć łyżeczki pieprzu cayenne

Bardzo dokładnie mieszamy składniki sosu, lekko schładzamy. Pomidory sparzamy wrzątkiem, przelewamy zimną wodą, obieramy ze skórki, kroimy w plastry. Z obranych grejpfrutów zdejmujemy białą błonę, kroimy na plastry (wyciekający sok dołączamy do sosu), usuwamy pestki. Ser kroimy w cienkie plasterki. Na półmisku układamy na przemian plastry grejpfruta, pomidora i sera, skrapiamy sosem, dekorujemy plasterkami oliwek, przykrywamy folią, wstawiamy na 1–2 godziny do lodówki. Przed podaniem posypujemy listkami lebiodki. Można ją również podawać jako oryginalny, ciekawy w smaku dodatek do mięs, ryb i drobiu.

❖ SEROWY PRZYSMAK ❖

Składniki:

Po 50–100 g serów żółtych (np. ementalera, goudy, zamojskiego – razem 300 g, im więcej gatunków serów, tym ciekawszy smak sałatki), 5 twardych, mięsistych, niewielkich pomidorów, puszka koreczków helskich, 2 jajka na twardo, łyżka kaparów, 2 łyżki zielonych listków lebiodki

Sos:

3–4 łyżki oleju, 2 łyżki soku z cytryny, sól, pieprz, szczypta cukru, szczypta pieprzu cayenne, 2–3 liście zielonej sałaty

Składniki sosu dokładnie mieszamy, lekko schładzamy.
Sery ścieramy na grubej jarzynowej tarce lub kroimy w cienkie słupki, filety helskie w cienkie paseczki, białka jajek oraz sparzone wrzątkiem i obrane pomidory w kostkę (usuwamy pestki). Wszystkie pokrojone składniki łączymy, dodajemy kapary i listki lebiodki (część listków zostawiamy do przybrania), polewamy sosem, delikatnie mieszamy. Układamy w salaterce na liściach sałaty, posypujemy drobniutko posiekanymi żółtkami jajek, przybieramy listkami lebiodki. Przyrządzamy tuż przed podaniem.

❖ ZAPIEKANY MORSZCZUK ❖

Składniki:

700 g filetów z morszczuka, po strąku zielonej i czerwonej papryki, 2 łyżki zielonych listków lebiodki (lub 1½ łyżeczki suszonej), łyżka tartej bułki, 2 łyżki masła, łyżka soku z cytryny, łyżeczka ostrej musztardy, 2 łyżki oleju, ćwierć łyżeczki suszonej lebiodki, sól, pieprz

Musztardę dokładnie mieszamy z sokiem z cytryny, solą, pieprzem, lebiodką i olejem. Tak przygotowaną pastą nacieramy filety z morszczuka, przykrywamy folią, zostawiamy w lodówce na 1–2 godziny. Pozbawione gniazd nasiennych papryki myjemy, osuszamy, kroimy w drobną kostkę. Żaroodporny półmisek lekko smarujemy masłem, układamy przygotowane filety, posypujemy listkami lebiodki, pokrojoną papryką, tartą bułką, polewamy stopionym masłem. Wstawiamy do nagrzanego piekarnika i zapiekamy ok. 30–35 minut.

❖ FASZEROWANE POMIDORY ❖

Składniki:

4 duże mięsiste pomidory, po pół szklanki zielonych listków lebiodki
i startego żółtego sera, 2–3 ząbki czosnku, 2 łyżki masła, sól, pieprz

Z umytych pomidorów ścinamy czubki i ostrożnie wyjmujemy miąższ. Lekko wewnątrz solimy, odwracamy, aby ściekł nadmiar soku. Miąższ drobno siekamy, łączymy z roztartym z solą czosnkiem, łyżką masła, startym serem i posiekanymi listkami lebiodki. Doprawiamy do smaku solą i pieprzem, nadziewamy wydrążone pomidory, układamy na wysmarowanym masłem żaroodpornym półmisku. Polewamy stopionym masłem, wstawiamy do nagrzanego piekarnika i zapiekamy ok. 10–15 minut. Podajemy jako gorącą przekąskę lub jako dodatek do smażonych kotletów.

❖ FASZEROWANE CUKINIE ❖

Składniki:

4 młode cukinie, 300 g mielonego mięsa z drobiu, pół szklanki ugotowanego
na sypko ryżu, 1 spora czerwona cebula, 2 łyżki posiekanych zielonych
listków lebiodki lub łyżeczka suszonej, pół łyżeczki nasion kminku,
sól, pieprz, 2 łyżki przecieru pomidorowego, pół szklanki bulionu,
pół szklanki gęstej śmietany, łyżka soku z cytryny, szczypta cukru,
po łyżce masła i smalcu

Umyte cukinie przecinamy wzdłuż na pół, układamy na sicie, przelewamy wrzątkiem, a następnie zimną wodą, lekko wydrążamy. Drobno pokrojoną cebulę szklimy na smalcu, dodajemy mielone mięso, kminek, sól, pieprz i ryż i chwilę smażymy razem, mieszając. Zdejmujemy z ognia, mieszamy z lebiodką, wydrążony miąższ drobno siekamy i łączymy z mięsem. Tak przygotowanym farszem nadziewamy połówki cukinii, układamy w wysmarowanym masłem żaroodpornym naczyniu, skrapiamy bulionem, przykrywamy, wstawiamy do nagrzanego piekarnika i pieczemy ok. 20 minut. Przecier pomidorowy dokładnie mieszamy ze śmietaną, sokiem z cytryny, solą i cukrem, zalewamy cukinie i dusimy jeszcze kilka minut.

❖ COMBER BARANI PO WŁOSKU ❖

Składniki:

1½ kg baraniego combra, łyżka zielonych listków bylicy bożego drzewka,
4–5 listków szałwii, po łyżeczce roztartego suszonego rozmarynu
i mielonych jagód jałowca, łyżka soku z cytryny, 2 łodygi selera naciowego,
3 cebule, 6–8 ząbków czosnku, 2 szklanki czerwonego wytrawnego wina,
2 marchewki, 4 twarde mięsiste pomidory, sól, pieprz, 3 łyżki oliwy

Pozbawiony nadmiaru tłuszczu comber myjemy, osuszamy, mocno wygniatamy ręką. Drobno pokrojony czosnek ucieramy ze startą na tarce cebulą, jałowcem, rozmarynem, sokiem z cytryny, mieszamy z posiekanymi listkami szałwii i bylicy. Tak przygotowaną pastą nacieramy mięso, układamy w brytfannie, zalewamy winem i zostawiamy w lodówce na noc. Po wyjęciu z marynaty osuszamy, posypujemy solą i pieprzem, obsmażamy na silnie rozgrzanej oliwie, po czym dusimy ok. 40–50 minut pod przykryciem, lekko skrapiając marynatą. Obrane, umyte i pokrojone cebule, marchewki i łodygi selera dodajemy do mięsa, wlewamy pozostałe wino i dusimy razem ok. 30 minut. Odkrywamy, dodajemy obrane ze skórki, pokrojone na ćwiartki pomidory i pieczemy 5–6 minut. Podajemy najlepiej z makaronem lub ryżem.

❖ PIECZONA KACZKA ❖

Składniki:

Kaczka (ok. 1,8 kg), 2 wierzchołki kwitnących pędów bylicy – piołunu,
po pół łyżeczki zmielonych suszonych listków piołunu, bazylii, tymianku,
rozmarynu i miodu, sól, łyżka soku z cytryny, 2 łyżki stopionego masła,
ćwierć szklanki białego wytrawnego wina

Masło mieszamy z miodem, solą, sokiem z cytryny i suszonymi ziołami, nacieramy tym umytą i osuszoną kaczkę, owijamy folią i zostawiamy na 2–3 godziny w chłodnym miejscu. Odwijamy z folii, do środka wkładamy 2 pędy świeżego piołunu, układamy na blasze, wstawiamy do nagrzanego piekarnika, pieczemy ok. 1,5 *307* godziny, od czasu do czasu skrapiając winem lub wodą.

DWA PIERWSZE LISTOPADOWE DNI

Uroczystości związane z kultem zmarłych, przypadające na dwa pierwsze dni listopadowej słoty, zmuszają do refleksji nad istotą ludzkiego życia i nieuchronnością praw natury. Obecnie zwyczaj odwiedzania cmentarzy i palenia świec na grobach wykracza poza sferę przekonań religijnych. Święto Zmarłych, celebrowane głównie 1 listopada, nie ma dziś związku z przynależnością wyznaniową. Łączy w sobie wielowiekową obrzędowość pogańską z tradycją dwóch starych świąt kościelnych – przypadającego na 1 listopada dnia Wszystkich Świętych i następującego po nim dnia Zadusznego, ku pamięci wszystkich zmarłych. Uroczystość Wszystkich Świętych powstała z myślą o niezwykle licznej rzeszy anonimowych męczenników, których nie wspomniano ani w martyrologiach miejscowych, ani w kanonie mszy świętej. Po raz pierwszy czcią otoczył ich kościół w Antiochii w IV wieku, poświęcając im w roku liturgicznym pierwszą niedzielę po Zesłaniu Ducha Świętego. Do dzisiaj w tym terminie nabożeństwo za Wszystkich Świętych odprawia się jeszcze w kościele greckim.

U podstaw dzisiejszej uroczystości leży konsekracja Panteonu rzymskiego przekształconego w 607 roku w kościół i poświęconego

Najświętszej Marii Pannie i wszystkim męczennikom przez papieża Bonifacego IV.

Papież Grzegorz IV przeniósł w 835 roku obchody tego święta na 1 listopada, nakazując jego świętowanie wszystkim chrześcijanom.

Chrześcijański obrzęd Zaduszek powstał w 988 roku z inicjatywy opata Odilona z Cluny, który polecił, by w klasztorach odprawiano oficjum za zmarłych. Była to forma usankcjonowania przez Kościół praktykowanych od dawna pośród ludu odwiecznych zwyczajów pogańskich i zaduszkowych obrzędów i nadania im chrześcijańskiego charakteru. Wkrótce zwyczaj ten poczęto naśladować, a święto ostatecznie zatwierdził w 999 roku papież Sylwester II. W Polsce obchody kościelnych Zaduszek pojawiały się na przełomie XIV i XV wieku. Niezależnie od przemian, jakim w ciągu stuleci ulegały obrzędy związane ze świętem zmarłych, sens zaduszkowego obyczaju pozostał niezmienny – jest on świadectwem naszej pamięci o tych, którzy odeszli na zawsze. W ten dzień wspominamy bliskich, krewnych, znajomych, przyjaciół, i to bez względu na wyznawany światopogląd, snując jednocześnie refleksje nad przemijaniem.

Kult zmarłych właściwy był wszystkim kulturom i ludom, a jego ślady sięgają epoki paleolitu (25 tysięcy lat temu). Święto wywodzi się więc z odległych przedchrześcijańskich czasów. Bardzo długo kontynuowano prastare zwyczaje i formy obrzędowości. W Polsce jeszcze w XIX wieku, zgodnie ze starym obyczajem, rzucano na mogiły świeżo ułamane z drzew gałązki jako symbol dorzucania drewna podczas palenia zwłok w czasach pogańskich.

Do istoty zaduszkowych obrzędów od wieków należały dwa główne elementy – „karmienie dusz" i „palenie ogni". Sensem tych poczynań była głęboka wiara w istnienie duszy i życia pozagrobowego. Nieśmiertelność duszy stała się też dogmatem w religii chrześcijańskiej.

Na soborze w Lyonie, w 1274 roku, Kościół ogłosił dogmat o istnieniu czyśćca, w którym dusze odbywają pokutę za grzechy. W miarę rozwoju opowieści o losach duszy na tamtym świecie, o niebie i piekle, o mękach odtrąconych, wykształcił się cały system wierzeń i czynności magicznych, których podjęcie przez żyjących miało pomóc duszom zmarłych w bytowaniu w zaświatach.

Najdłużej zachował się zwyczaj „karmienia dusz". Bardzo mocno wiązał się on z przekonaniem, że w określone dni zmarli odwiedzają domy krewnych, błąkają się po polach i lasach, a w Dzień Zaduszny przychodzą do własnych grobów. Na Pomorzu głęboko zakorzeniona wiara nakazywała w noc z 1 na 2 listopada ustawiać na zewnętrznych parapetach domów ulubione potrawy dla zmarłych. W tym dniu na grobach urządzano uczty, dzieląc się jadłem ze zmarłymi. Zwyczaj ten, obecnie zachowany wśród Romów, niezwykle różnorodnie rozwijał się wśród Słowian. Klasycznym przykładem jest starosłowiańska Radunica – obrzęd polegający na składaniu na grobach sutych ofiar z jadła i napoju, oraz Dziady, opisane przez Mickiewicza : „pospólstwo więc święci Dziady tajemnie w kaplicach lub pustych domach niedaleko cmentarza. Zastawia się tam pospolicie uczta z rozmaitego jadła, trunków, owoców i wywołuje się dusze nieboszczyków... Dziady nasze mają to szczególnie, iż obrzędy pogańskie pomieszane są z wyobrażeniami religii chrześcijańskiej, zwłaszcza iż dzień zaduszny przypada około czasu tej uroczystości. Pospólstwo rozumie, iż potrawami, napojem i śpiewami przynosi ulgę duszom czyscowym".

Charakter zbliżony do tamtych uczt mają do dzisiaj panichidy – nabożeństwa żałobne w kościele obrządku greckiego i prawosławnego – modlitwy za zmarłych łączy się z ucztami na cmentarzach i z paleniem świateł.

Dbałość o zmarłych wynikała z głębokiej wiary, że dusza w tajemniczy sposób uczestniczy w tym, co się dzieje nad grobem i, zwłaszcza w Dzień Zmarłych, utrzymuje kontakt ze światem żywych. Dlatego drugim niezwykle ważnym elementem jest palenie ogni. Początkowo rozpalano je na rozstajnych drogach, aby służyły wędrującym duszom do ogrzania się i oświetlenia drogi. Około XV–XVI wieku zwyczaj rozpalania ognisk przeniesiono w pobliże grobów albo też rozniecano ogniska bezpośrednio na grobach. Wspomnieniem tego zwyczaju jest dziś właśnie zapalanie zniczy na grobach.

Kryje się za tym, wywodząca się jeszcze z czasów prehistorycznych, stara symbolika ognia i jego funkcji opiekuńczej i ożywiającej; w chrześcijaństwie ogień (światło) jest symbolem wiary.

Święto Zmarłych cieszy się w Polsce wyjątkową popularnością. Czy jednak mamy świadomość, że wypełniamy rytuał o wielowiekowej tradycji?

Warto zachować pamięć historii i znaczenia symboli, którymi się posługujemy, aby zapalenie świeczki na grobie kogoś bliskiego nie było tylko gestem przyzwyczajenia. A jeśli magia ognia działa rzeczywiście, powinniśmy zdawać sobie sprawę z tego, jaką rolę odgrywamy w tym obrzędzie.

Dzisiaj nikt już nie praktykuje tych zwyczajów, ale kiedyś na Zaduszki pieczono specjalne „zaduszne bułki" lub małe chlebki, zwane np. na lubelszczyźnie powałkami, a w ciechanowskim peretyczkami. Wszystkie miały kształt długiej bułki z odciśniętym pośrodku krzyżem. Każda gospodyni zanosiła na cmentarz tyle zadusznych bułek, ilu bliskich leżało na cmentarzu. Bardzo często pieczono też bułki przypisane do jednej zmarłej osoby, wówczas oprócz krzyża ozdabiano je charakterystycznymi, ulubionymi przez zmarłego wzorami. Przywożono też na cmentarze tzw. bułki puste, pieczone za dusze bezimienne, o których nikt nie pamiętał. Po poświęceniu rozdawano je cmentarnym żebrakom, a ci odmawiali za dusze „Wieczny odpoczynek" – po jednej modlitwie za każdy chlebek. W tych regionach Polski, gdzie zwyczaj był bardzo rozpowszechniony, pieczono bardzo małe bułeczki, tak aby każda dusza mogła otrzymać swoją.

W Polsce zwyczaj pieczenia zadusznego pieczywa dawno zanikł, ale np. w Hiszpanii na Wszystkich Świętych do dzisiaj piecze się katalońskie słodkie kulki *panellets* – z purée z batatów i mielonych migdałów, obtoczone przed smażeniem w pestkach pinii. W Barcelonie nadziewa się je suszonymi owocami, a do ciasta dodaje przyprawy korzenne, mielone kasztany lub kakao.

Natomiast na Zaduszki smaży się na oliwie *Huesistos de Santo* – „święte kości", malutkie płaskie ciasteczka z mielonych migdałów, cukru i miodu.

311

Zaduszne ciasteczka orzechowe pieczone są również w Szwajcarii. Tu noszą dosyć makabryczną nazwę *Totebeinli*, czyli kosteczki zmarłych.

❖ KOSTECZKI ZMARŁYCH ❖

Składniki:

125 g mielonych orzechów laskowych, 125 g grubo posiekanych orzechów laskowych, szklanka cukru, szklanka mąki, otarta skórka z 1 cytryny, pół łyżeczki mielonego cynamonu, 3 jajka

Masło ucieramy z cukrem na pianę, cały czas dodając po 1 jajku, łyżce mielonych orzechów i mąki. Potem dodajemy cynamon, otartą skórkę z cytryny. Doskonale wyrabiamy ciasto, dodajemy grubo posiekane orzechy. Ciasto rozwałkowujemy dość grubo, kroimy na 4–6 części, układamy na blasze i wstawiamy do lodówki, aby odpoczęło. Przenosimy do nagrzanego piekarnika (160°), pieczemy na jasnozłoty kolor, wyjmujemy, kroimy na niewielkie kawałki, ponownie wstawiamy na kilka minut do piekarnika i pieczemy na złotobrązowo.

❖ KACZKA PO POLSKU ❖

Składniki:

Kaczka (ok. 1½ kg), 150 g wątróbek z drobiu, 50 g pomarańczowego dżemu, 3 łyżki soku z cytryny, sól, pieprz, 2 łyżki masła, kieliszek białego wytrawnego wina, 4 łyżki posiekanych orzechów włoskich, łyżeczka otartej skórki z pomarańczy, 2 łyżki koniaku; 4 pomarańcze, 4 surowe żółtka, ćwierć łyżeczki cukru

Przygotowanie farszu: umyte i osuszone wątróbki drobno siekamy, ucieramy na gładką masę z łyżeczką masła, drobno posiekanymi orzechami, dżemem i otartą skórką z pomarańczy, koniakiem, solą i pieprzem.

Umytą i osuszoną kaczkę nacieramy solą, pieprzem, sokiem z cytryny, nadziewamy przygotowanym farszem, zaszywamy. Układamy na wysmarowanej masłem blasze, polewamy stopionym masłem, wstawiamy do mocno nagrzanego piekarnika i pieczemy na silnym ogniu do zrumienienia, po czym zmniejszamy płomień i pieczemy, skrapiając winem i sokiem z 1 pomarańczy, a później polewając wytworzonym sosem. Obrane pomarańcze kroimy w kostkę, usuwamy pestki. Miękką kaczkę dzielimy na porcje, układamy w żaroodpornym półmisku, wstawiamy na kilka minut do nagrzanego piekarnika, podgrzewamy. Sos spod kaczki przecieramy przez sito, wlewamy do rondelka, a gdy przestygnie, dokładnie mieszamy z surowymi żółtkami. Rondelek ustawiamy w garnku z gotującą się wodą. Sos ubijamy trzepaczką na parze (ok. 10 min), aż do zgęstnienia. Doprawiamy do smaku solą, pieprzem i cukrem, łączymy z pokrojonymi pomarańczami, podgrzewamy. Częścią sosu polewamy kaczkę, pozostały sos podajemy w sosjerce.

❖ KACZKA Z ORZECHAMI ❖

Składniki:

Kaczka, łyżeczka majeranku, sól,
ćwierć łyżeczki gałki muszkatołowej, łyżka masła

Farsz:

100 g zmielonych włoskich orzechów,
50 g rodzynków, wątróbka z kaczki (lub 50 g cielęcej),
3 jajka, 2 łyżki masła, ćwierć łyżeczki gałki muszkatołowej,
łyżka tartej bułki, ćwierć łyżeczki cukru, sól, 8 winnych jabłek,
8 goździków, łyżka posiekanych włoskich orzechów,
łyżka masła

Mieszamy sól z majerankiem i gałką muszkatołową, nacieramy tym kaczkę wewnątrz i z zewnątrz, zostawiamy na 2–3 godziny w chłodnym miejscu. Przygotowujemy farsz: ucieramy masło z żółtkami na jednolitą masę, dodajemy posiekaną wątróbkę i cały czas ucierając, dodajemy orzechy, gałkę, sól, cukier i rodzynki, na końcu ubitą z białek sztywną pianę i przesianą tartą bułkę. Delikatnie mieszamy. Przygotowanym farszem nadziewamy kaczkę i zaszywamy. Układamy na wysmarowanej tłuszczem blasze, obkładamy plasterkami masła, wstawiamy do nagrzanego piekarnika, pieczemy ok. 90 minut, często polewając masłem i skrapiając wodą. Z umytych jabłek wydrążamy gniazda nasienne. Masło ucieramy z orzechami i masą napełniamy wydrążone jabłka. W każde jabłko wbijamy goździk i obkładamy jabłkami kaczkę (ok. 40 minut pieczenia). Jeśli kaczka zbyt mocno się rumieni, przykrywamy tuszkę folią aluminiową lub nasmarowanym masłem pergaminem. Pieczemy ok. 60 minut razem z jabłkami. Podajemy na gorąco, obłożoną jabłkami. Sos spod kaczki podajemy w sosjerce.

❖ FASZEROWANA KACZKA ❖

Składniki:

Kaczka (ok. 2 kg), 2 spore selery naciowe, pół małego selera
bulwiastego, 6–8 pieczarek, 250 g mielonej wieprzowiny,
2 duże cebule, 4–6 ząbków czosnku, 2 surowe jajka,
pół szklanki sosu sojowego, 2 łyżki oleju, łyżka masła,
łyżka soku z cytryny, pół łyżeczki mielonego chili, sól,
2–3 łyżki białego wytrawnego wina

Dokładnie umytą i osuszoną kaczkę nacieramy wewnątrz i z zewnątrz solą i 2–3
łyżkami sosu sojowego, owijamy w folię, wkładamy na 1–2 godziny do lodówki.
Przygotowujemy farsz: Obraną bulwę selera wrzucamy na lekko osolony wrzątek,
gotujemy 8–10 minut, odcedzamy, przelewamy zimną wodą, osączamy, ścieramy
na tarce, skrapiamy sokiem z cytryny. Obrane z włókien selery naciowe kroimy
w cienkie plasterki. Pieczarki, czosnek i cebule drobniutko kroimy. W rondlu rozgrzewamy olej, wrzucamy cebulę i czosnek i chwilę smażymy, dodajemy mielone
mięso, pieczarki i selery. Smażymy, cały czas mieszając, 5–7 minut. Zdejmujemy
z ognia, dodajemy chili i pozostały sos sojowy, zostawiamy do wystygnięcia, wbijamy jajka, dokładnie mieszamy. Tak przygotowanym farszem nadziewamy kaczkę, zaszywamy lub spinamy wykałaczkami, układamy na wysmarowanej olejem
blasze, polewamy stopionym masłem i pieczemy w gorącym piekarniku, skrapiając winem, a później polewając wytworzonym sosem. Podajemy z ryżem lub makaronem.

❖ KACZKA FASZEROWANA PO POLSKU ❖

Składniki:

2 młode kaczki, 500 g makaronu domowego (lub nitek), 3 łyżki masła,
100 g suszonych grzybów, 50 g wędzonej szynki, 2 surowe jajka,
sól, po ćwierć łyżeczki białego pieprzu i mielonych goździków,
łyżeczka soku z cytryny, szklanka gęstej śmietany,
1 surowe żółtko

Umyte grzyby zalewamy letnią przegotowaną wodą, zostawiamy na noc. Następnego dnia gotujemy. Z oczyszczonych kaczek wyluzowujemy kości, myjemy,
osuszamy, nacieramy solą, pieprzem i mielonymi goździkami, skrapiamy sokiem
z cytryny, owijamy w folię, wkładamy na 2–3 godziny do lodówki. Połowę ugoto-

wanych grzybów drobniutko siekamy, przesmażamy na stopionym maśle (1 łyżka). Gotujemy makaron na wpół twardo, dokładnie odcedzamy, osuszamy, mieszamy z pokrojoną w kostkę szynką i surowymi jajkami, grzybkami, solą i pieprzem. Tak przygotowanym farszem nadziewamy kaczki, układamy
w posmarowanej masłem brytfannie, polewamy stopionym masłem, wstawiamy
do mocno nagrzanego piekarnika, pieczemy ok. 20–30 minut. Gdy kaczki się zrumienią, podlewamy smakiem z grzybów, przykrywamy i dusimy do miękkości.
Wyjmujemy, kroimy, układamy na żaroodpornym półmisku, wstawiamy do piekarnika, trzymamy w cieple. Pozostałe grzyby kroimy w cienkie paski. Śmietanę
dokładnie rozkłócamy z surowym żółtkiem. Sos spod duszenia lekko odparowujemy, dodajemy grzyby, wlewamy śmietanę, mieszamy, doprawiamy do smaku solą
i pieprzem, podgrzewamy.

HUBERTOWINY

DZIEŃ ŚWIĘTEGO HUBERTA –
najważniejsze święto myśliwych

W pierwszych tygodniach listopada nie pozwalali kiedyś o sobie zapomnieć trzej święci – Hubert, Marcin i Eustachy.

Hubert z pomocą Eustachego zajmował się myślistwem.

Święty Hubert, żyjący w latach 656–727, młody światowiec, zapalony myśliwy, syn księcia Akwitanii, był ochmistrzem na dworze Pepina z Heristalu, zwanego Grubym. Według starej legendy życie jego odmieniło się w Wielki Piątek 695 roku, kiedy podczas polowania ujrzał w krzakach jelenia z płonącym krzyżem między rogami; według historyków książę zmienił się po śmierci ukochanej żony Florybany. W jednej chwili wielki światowiec stał się pustelnikiem; według legendy ukrył się w lesie, według historyków wstąpił do klasztoru w Stabloo. W roku 708 został biskupem w Liège (Leodium); w sto lat po śmierci został kanonizowany, a jego święto kościół obchodzi 3 listopada.

Sezon łowiecki w całej Europie rozpoczyna się zimowym polowaniem na świętego Huberta. Ale myśliwskie święto w tym dniu zapoczątkowali myśliwi ardeńscy, którzy urządzali wielkie łowy na jelenie, po czym w dniu świętego Huberta uroczyście dziękowali Bogu za zabite zwierzęta i składali w darze klasztorom pierwszą i dziesiątą sztukę z upolowanej zwierzyny.

W Polsce kult świętego Huberta rozpoczął się za panowania Augusta II Mocnego, a obchody jego święta zwane są hubertowinami.

Niezwykle to ważne święto dla ogromnej rzeszy polskich myśliwych, bo zamiłowanie do myślistwa, jak pisał Wincenty Pol, „jest stare jak dzieje ludzkie i stawało się niekiedy powołaniem dla całych epok i dla całych warstw społeczeństwa", a Bogdan Dyakowski, potwierdzając to, dodawał: „zamiłowanie do łowów było u nas powszechne. Polowało rycerstwo i szlachta dla samej przyjemności łowów, polowały niższe stany, przeważnie dla zysku. Szczególnie słynęli jako zamiłowani myśliwi kochający się w zwalczaniu trudów łowieckich górale tatrzańscy oraz mieszkańcy puszcz, a zwłaszcza Kurpie".

Było myślistwo od najdawniejszych czasów szkołą dzielności i przytomności: „Jednoczyło najdzielniejszych mężów i najdzielniejszą młodzież, nie na kilka godzin, ale na wiele dni, a czasem i kilka tygodni: łatwo wystawić sobie można, ile się więc przydawać mogło nie tylko na zaprawienie dzielności, ale i na udzielenie się sobie braterskie, często w najważniejszych sprawach. Samo rozbieganie się w lasy, oddzielenie się od drugich, oddanie się otaczającej naturze i wchodzenie w niej myślą w siebie, urabiało duszę i wywoływało często świetne pomysły (...) Dla myśliwego knieja, step lub moczary są światem całym nie dlatego, bynajmniej, aby pragnął łupów i oczekiwał chwili, w której na widelcu ujrzy nie tylko zabitego, ale i upieczonego zwierza, lecz dlatego, że ocenia wybornie czary dzikiej natury i że napawa się pięknem, jakie umie dojrzeć na każdym kroku i o każdej porze" – pisał Kazimierz Wodzicki. Stąd też, jak twierdzą niektórzy, powstał polski wyraz myślistwo, nieznany w innych językach, a w polskim blisko spokrewniony z wyrazem myśli, oddający całą głęboką treść naszego polskiego łowiectwa.

Hubertowiny dawniej rozpoczynały się poranną mszą:

... do księdza plebana
Dać znać (...) żeby jutro z rana
Mszę miał w kaplicy leśnej; króciuchna oferta
Za myśliwych, msza zwykła świętego Huberta...

320

pisał Mickiewicz, a stawienie się na mszę i uczestnictwo w uroczystościach aż do wieczora było obowiązkiem, z którego mogły zwolnić myśliwego tylko nadzwyczajne, poważne losowe wypadki. Po
mszy odbywało się polowanie na grubą zwierzynę, a uroczystości
kończyła wielka biesiada – tzw. obiad świętego Huberta.

Kiedy swego czasu goły las nastaje,
Święty Hubert z lasu cały obiad daje.

Wincenty Pol w „Opowiadaniu łowczego" podaje taki myśliwski
obiad: „Obiad będzie dobry, ale musimy począć od wódki; wszystkiego będzie na cześć świętego Huberta po troje. Więc naprzód trzy myśliwskie wódki: topolówka z pączków, dębówka, także z pączków,
i jałowcówka, wszystko wódki trzyletnie, pięknie sklarowane i naj-
bezpieczniejsze w tym czasie. Do tych trzech wódek są trzy przyprawy: dziengiel miałko tłuczony, pieprz tłuczony grubo i świeże sadło
borsucze na ożywienie trzewiów, szczególniej dla starych myśliwych bardzo dobre. Kto go używa jak lekarstwa, pije je z wódką ja-
łowcówką, poczynając od św. Huberta aż do wigilii Bożego Narodzenia. Po wódce pójdą przekąski. Więc naprzód królewska wędlina –
ozory jelenie i języczki kozłów do chrzanu, na drugą przekąskę ma-
rynowane koźle dzikiej kozy, na trzecią serek utarty z głuszca prze-
kładany białymi truflami. My będziemy mieli jutro głuszca, który do
królewskiej przekąski należy, ale gdzie głuszca nie ma, można wziąć
inną leśną kurę, jarząbka lub cietrzewia (...) można też utrzeć serek
i z kuropatw, zawsze jednakowoż wypada przełożyć białemi truflami.

Po przekąskach będziemy mieli barszcz, jeden i drugi; dobrze
skromny zając pójdzie do barszczu, grubsze kości sam potłukłem,
aby się coś i szpiku obrało (...). Otóż po barszczu pójdzie na sztukę
mięsa dzik przerosły dobrze i dany prosto z pieca na głogowym smaku (...). Że na pierwsze przetrącenie mają być trzy dania, więc pójdzie przed sztuką mięsa głowizna z dzika i studzone nogi, potem
pójdą trzy pasztety: pierwszy z kaczek dzikich w dyni, drugi z małych ptaszków w kapuścianych liściach pieczony, trzeci z kwiczo-
łów w gniazdach z rzepy. Dalej pójdzie po kolei troje pieczystego:

najprzód jelenia pieczeń z grzybami, potem czomber sarni ze świeżymi rydzami, w końcu słonki, a do nich niby to garusik, niby marmulada, z dzikich jagód i owoców. Na tym basta. A dodać tylko trzeba trzy naturalne trunki: maliniak, dereniak i stary miód leśnej pszczoły.

Będą także na wety kandyzowane tarki, borówki w miodzie smażone, laskowe orzechy (...). Dosyć na tym, że święty Hubert daje cały obiad z lasu".

W tym miejscu pozwolę sobie przytoczyć jeszcze jedną radę nieocenionego myśliwego i znakomitego kucharza Jana Szyttlera:

„Niektórzy myśliwi są tak zapaleni na łowach, iż wyrzekają się pokarmu, spoczynku i goniąc przez dzień cały za zwierzyną, tracą siły, rujnują zdrowie, każde jednak powołanie powinno mieć swoje przyjemności, jeżeli ma przykrości i trudy. W myśliwskim stanie rozkoszą jest po pracy spoczynek, smaczna wieczerza i kielich... Dlatego też wspomnę jeszcze o rozgrzewającym i zdrowym truneczku.

Wziąć garnek polewany mocny półtora garncowy, włożyć weń pół funta fig, tyleż rodzynek, tyleż daktylów, migdałów na pół przebitych funt i kilkanaście gorzkich, łut cynamonu, kilka goździków, strączek wanilii, ze trzech cytryn same cedro zestrugać, ze trzech pomarańczy, miodu patoki lipcem zwanej kwartę, to wszystko zalać mocną wódką, oblepić i wstawić do pieca wypalonego, zamknąć na dzień cały; poczem na serwetę lub gęste sito przepuścić do wazy. Trunek ten będzie wyborny na toast »Niech żyją Myśliwi«".

❖ MYŚLIWSKIE PRZYSMAKI ❖

❖ ZAJĄC W ŚMIETANIE PO POLSKU ❖

Składniki:

Zając lub tylko comber i uda, 100 g słoniny, sól, 1 łyżka masła,
1 szklanka kwaśnej gęstej śmietany, 1 łyżeczka mąki

Marynata:

1 cytryna lub ćwierć szklanki octu, ćwierć szklanki czerwonego wina,
ćwierć szklanki wody, 1 cebula, 1 marchewka, 1 pietruszka,

ćwierć selera, 2 listki laurowe, po 5–7 ziarenek ziela angielskiego
i pieprzu, szczypta cukru

Jarzyny ugotowane w marynacie ścieramy na grubej tarce. Umytego zająca układamy w kamiennym garnku, obkładamy startymi jarzynami i cebulą, zalewamy przestudzoną marynatą i wynosimy na 2–3 dni w chłodne miejsce.
Po wyjęciu z marynaty osuszamy, nacieramy solą, układamy w rondlu, obkładamy masłem i dusimy przez pół godziny pod przykryciem, skrapiając od czasu do czasu przecedzoną marynatą. Po 30 minutach duszenia dodajemy jarzyny wyjęte z marynaty, podlewamy marynatą i dusimy na małym ogniu. Gdy zając miękki, wyjmujemy, dzielimy na porcje, układamy na żaroodpornym półmisku.
Powstały w czasie pieczenia sos przecieramy przez sito, dodajemy wymieszaną z mąką śmietanę. Zająca zalewamy sosem, wstawiamy na kilka minut do nagrzanego piekarnika.

❖ ZAJĄC W CZARNYM SOSIE ❖

Składniki:

Zając, sól, 1 marchewka, 1 pietruszka, 1 cebula, ćwierć selera,
1 łyżeczka mielonego jałowca, 1 szklanka czerwonego wina,
pół szklanki rosołu, 100 g wędzonego boczku lub szynki,
1 marchewka, pół selera, 2 łyżki masła

Podzielonego na części zająca myjemy, osuszamy, nacieramy solą i zostawiamy w chłodnym miejscu na 2–3 godziny. Następnie obsmażamy na maśle, wkładamy do rondla, obkładamy startymi na grubej tarce jarzynami i pokrojoną w plasterki cebulą, posypujemy jałowcem, podlewamy rosołem i dusimy ok. godziny, od czasu do czasu skrapiając winem. Wyjmujemy zająca, kroimy na porcje, sos miksujemy, przecieramy przez sito. Marchewkę i seler obieramy, myjemy, kroimy w słupki i krótko obgotowujemy w osolonej wodzie. Wędzony boczek kroimy w kostkę. Pokrojonego na porcje zająca, obgotowane warzywa i pokrojony boczek wkładamy do rondla, zalewamy przetartym sosem. Dusimy ok. 20 minut.

❖ ZAJĄC W ZIOŁACH ❖

Składniki:

Zając, 300 g wędzonego boczku, 8 ząbków czosnku, gałązka szałwii
i gałązka rozmarynu lub po ćwierć łyżeczki ziół suszonych,

323

1 cebula, 3 marchewki, 3 łyżki posiekanej zielonej pietruszki, sól,
1 łyżka masła, 2 szklanki zsiadłego mleka, sok i otarta skórka z 2 cytryn,
1 kieliszek czerwonego słodkiego wina, 1 łyżka masła, 1 łyżeczka mąki

Sprawionego i umytego zająca układamy w kamiennym garnku, zalewamy zsiadłym mlekiem, wynosimy na noc w chłodne miejsce. Opłukujemy, osuszamy, szpikujemy cienkimi plasterkami boczku i połową czosnku, nacieramy solą. Układamy w brytfannie, obkładamy pokrojoną w plasterki cebulą i marchewką, posypujemy posiekanymi ziołami, obkładamy plasterkami masła. Pieczemy w średnio nagrzanym piekarniku ok. 1,5 godziny, często polewając sosem z pieczenia i lekko skrapiając wodą. Upieczonego zająca kroimy na porcje, wyjmujemy kości.
Przygotowanie sosu: robimy zasmażkę z masła i mąki, rozprowadzamy winem i sokiem z cytryny, dodajemy otartą skórkę z cytryny i drobniutko roztarty czosnek. Żaroodporny półmisek smarujemy masłem, układamy mięso, posypujemy zieloną pietruszką oraz drobno posiekanym czosnkiem. Sos z pieczenia przecieramy przez sito i łączymy z sosem cytrynowym. Sosem zalewamy mięso, wstawiamy do nagrzanego piekarnika i zapiekamy ok. 20 minut.

❖ WYKWINTNE ZRAZY Z ZAJĄCA ❖

Składniki:

Zając, sól, 150 g masła, 250 g szpiku wołowego, 100 g surowego sadła,
250 g ozora wołowego, 1 kajzerka namoczona w mleku, 3 cebule,
1 łyżka posiekanej zielonej pietruszki, 100 g pieczarek, ćwierć łyżeczki gałki
muszkatołowej, 2 jajka, 1 szklanka białego wytrawnego wina,
100 g słoniny, kości z zająca, 2 marchewki, 1 pietruszka,
kawałek selera, 1 mały por, 100 g chudej szynki,
1 łyżeczka mąki, 1 bułka paryska na grzanki

Mięso oddzielamy od kości, usuwamy błony. Comber i uda zająca kroimy w plastry grubości 1,5 cm, lekko zbijamy tłuczkiem, posypujemy solą i pieprzem. W niewielkiej ilości wody gotujemy ozór wołowy. Miękki ozór wyjmujemy, przestudzamy, obieramy ze skóry, kroimy.
Okrawki mięsa z zająca, ugotowany ozór, szpik wołowy, sadło, 2 cebule i pieczarki przesmażone na maśle oraz odciśniętą z mleka bułkę dwukrotnie przepuszczamy przez maszynkę i przecieramy przez sito. Dodajemy zieloną pietruszkę, drobniutko pokrojoną słoninę, sól, pieprz, gałkę, jajka i pół szklanki wina.

Masę dokładnie wyrabiamy, przekładamy do okrągłej blaszanej formy wysmarowanej masłem, szczelnie przykrywamy i gotujemy na parze ok. 1,5 godziny.

W tym czasie przygotowujemy sos: drobno potłuczone kości zajęcze, pokrojone
cienko warzywa i 1 cebulę oraz szynkę przesmażamy na maśle, zalewamy wywarem z ozora, doprawiamy solą, pieprzem, dodajemy łyżkę posiekanej zielonej pietruszki i dusimy na niewielkim ogniu pod przykryciem ok. 30 minut. Przecieramy
przez sito. Robimy zasmażkę z masła i mąki, dodajemy do sosu i mieszając, trzymamy na małym ogniu, aż zgęstnieje (nie gotujemy).

Przygotowane zrazy smażymy z obu stron na silnym ogniu, przekładamy do rondla, zalewamy 3 łyżkami sosu i dusimy na małym ogniu ok. 20 minut. Przygotowujemy grzanki z bułki. Duży okrągły półmisek ogrzewamy, na środku układamy
upieczony farsz, dookoła farszu układamy na grzankach zrazy. Farsz polewamy
niewielką ilością sosu. Pozostały sos podajemy w sosjerce. Do tego zielona sałata
z sosem winegret.

❖ KIEŁBASA Z ZAJĄCA ❖

Składniki:

Comber i uda, 350 g słoniny, 2 cebule, 3 ząbki czosnku, po ćwierć łyżeczki
mielonego pieprzu, ziela angielskiego i goździków, 1 pokruszony listek
laurowy, otarta skórka z cytryny, 1 szklanka rosołu, 150 g tartej bułki,
3 jajka, pół łyżeczki majeranku, ćwierć łyżeczki imbiru, sól

Z rosołu, tartej bułki, majeranku i imbiru gotujemy gęstą papkę, studzimy. Obrane z błon mięso i 200 g słoniny bardzo drobno siekamy. Dodajemy starty czosnek, drobniutko posiekaną cebulę i korzenie. Solimy i mieszamy z rosołową papką.
Dodajemy jajka i bardzo dokładnie wyrabiamy. Z tak przygotowanej masy formujemy długi wałek. Podłużną, głęboką brytfannę wykładamy cienkimi plastrami słoniny i plasterkami cebuli, na tym układamy wałek z mięsa. Wstawiamy do
nagrzanego piekarnika i pieczemy, polewając niewielką ilością stopionego masła
i skrapiając wodą. Podajemy na zimno z ostrymi sosami.

❖ POLĘDWICA Z DZIKA W SOSIE MORELOWYM ❖

Składniki:

1½ kg polędwicy, sól, łyżka smalcu

Marynata:

1 szklanka czerwonego wina, sok z cytryny, 2 szklanki wody, 2 cebule,

6–8 suszonych śliwek, 1 listek laurowy, po 10 ziarenek ziela angielskiego
i pieprzu, 20 ziarenek jałowca, szczypta imbiru

Sos:

1 łyżka marmolady morelowej, pół łyżeczki cukru, kawałek cynamonu,
1 łyżka masła, 1 łyżeczka mąki

Składniki marynaty zagotowujemy. Umytą polędwicę (comber) układamy w kamiennym garnku, zalewamy gorącą marynatą, wynosimy w chłodne miejsce na 1–2 dni. Codziennie obracamy. Po wyjęciu z marynaty osuszamy, nacieramy solą, obsmażamy na gorącym tłuszczu, przekładamy do rondla, dodajemy wydrylowane śliwki (z marynaty) i cebule, skrapiamy przecedzoną marynatą i dusimy pod przykryciem ok. 2 godzin (często skrapiając marynatą). Gdy mięso jest już miękkie, wyjmujemy z sosu, układamy w żaroodpornym półmisku, skrapiamy stopionym masłem, wstawiamy do nagrzanego piekarnika na kilka minut.

Przygotowujemy zasmażkę z masła i mąki, rozprowadzamy odrobiną wody, dodajemy marmoladę morelową, cynamon, cukier, wlewamy resztę marynaty i mieszając, zagotowujemy. Łączymy z sosem spod pieczeni, przecieramy przez sito. Pokrojoną w ukośne plastry polędwicę zalewamy sosem. Resztę sosu podajemy w sosjerce.

❖ SZYNKA Z WARCHLAKA NA GORĄCO (z dzika) ❖

Składniki:

Szynka z warchlaka, 50 g masła, 1 łyżka soli, 1 łyżeczka saletry

Marynata:

1 szklanka octu, 1 szklanka wody, 3–4 listki laurowe, po 1 łyżeczce
estragonu i rozmarynu, 4–5 goździków, sok i otarta skórka z 1 cytryny

Sos:

50 g masła, 1 łyżeczka mąki, 1 wymoczony śledź, sok z 1 cytryny,
1 kieliszek wina, po szczypcie cukru, soli i pieprzu

Oczyszczoną, pozbawioną kości szynkę myjemy, osuszamy, nacieramy solą i saletrą, układamy w kamiennym garnku, zalewamy przestudzoną marynatą, wynosimy w chłodne miejsce na 1–2 dni. Następnie przekładamy szynkę do garnka, wlewamy szklankę wody i marynatę, gotujemy 2,5–3 godzin. Gdy miękka, wyjmujemy, układamy na posmarowanej tłuszczem blasze, polewamy stopionym masłem i wstawiamy na kilkanaście minut do nagrzanego piekarnika.

Robimy zasmażkę z masła i mąki, rozprowadzamy szklanką przecedzonego wywaru, dodajemy sok z cytryny i drobno posiekanego śledzia, doprawiamy do smaku solą, pieprzem, cukrem, wlewamy białe wino, mieszamy, podgrzewamy. Szynkę kroimy w ukośne plastry. Podajemy polaną przetartym przez sito sosem.

❖ ZRAZY Z JELENIA ZAWIJANE ❖

Składniki:

600 g combra, 2 szklanki mleka, 100 g suszonych śliwek,
100 g startego żółtego sera, 50 g wędzonego boczku, sól, pieprz,
ćwierć łyżeczki rozmarynu, 1 łyżka soku z cytryny,
pół szklanki gęstej śmietany, szczypta cukru, łyżeczka mąki,
2 łyżki tartego chrzanu, 1 kromka razowego suchego chleba,
tłuszcz do smażenia

Wyżyłowane mięso zalewamy mlekiem, wynosimy na noc w chłodne miejsce. Po osuszeniu kroimy w plastry, lekko zbijamy tłuczkiem. Śliwki namaczamy na noc, zagotowujemy, drylujemy, kroimy w paseczki. Mięso skrapiamy cytryną, posypujemy solą, pieprzem, rozmarynem. Układamy zrazy jeden na drugim, zostawiamy na godzinę w chłodnym miejscu. Boczek kroimy w drobną kostkę.
Na każdym płacie mięsa układamy pokrojone śliwki, boczek, posypujemy startym serem, zwijamy, obwiązujemy nitką, oprószamy mąką, obsmażamy na gorącym tłuszczu. Przekładamy do rondla, skrapiamy wodą, dusimy pod przykryciem. Pod koniec duszenia dodajemy chrzan, starty chleb, śmietanę, doprawiamy do smaku sokiem z cytryny i szczyptą cukru. Delikatnie mieszamy, dusimy jeszcze 15 minut.

❖ MEDALIONY Z JELENIA W SOSIE Z CZARNEGO BZU ❖

Składniki:

700 g combra z jelenia, łyżka soku z cytryny, sól, pieprz,
ćwierć kieliszka madery, łyżka koniaku, pół szklanki bulionu,
3 łyżki dżemu z czarnego bzu, łyżeczka miodu, 2 łyżki soku z czarnego
bzu, 2 łyżki masła, łyżeczka mąki ziemniaczanej

Umyte i osuszone mięso kroimy na 4 porcje, lekko rozbijamy tłuczkiem. Formujemy owalne kotlety, skrapiamy sokiem z cytryny i koniakiem, oprószamy pieprzem, zostawiamy na godzinę, po czym solimy, obsmażamy z obu stron na sto-

327

pionym maśle. Usmażone medaliony układamy na wysmarowanym masłem żaroodpornym półmisku, trzymamy w cieple, a na patelnię wlewamy bulion – zagotowujemy, dodajemy wymieszany z miodem i dżemem sok z czarnego bzu, podgrzewamy na małym ogniu, doprawiamy do smaku solą i pieprzem, wlewamy
wymieszane z mąką ziemniaczaną wino i mieszając, gotujemy na małym ogniu,
aż sos zgęstnieje. Medaliony polewamy, podgrzewamy. Podajemy z frytkami lub
ziemniaczano-orzechowymi krokietami.

NA ŚWIĘTEGO MARCINA
GĘŚ DO KOMINA

11 listopada – Dzień świętego Marcina, popularnie zwany marcinkami, to symbol zamierania życia w przyrodzie.

To na świętego Marcina śpiewano kiedyś na rannej mszy: *Paratus sum ad Adventum Domini* (gotów jestem na przyjście Pana), a na ołtarzu zapalano roratnice. Bo ten skromny biskup rzymski i patron pasterzy rozpoczynał dawniej adwent. Dziś to jedno z ostatnich świąt w polskim roku liturgicznym.

W dniu swego patrona pasterze definitywnie kończyli sezon – wprawdzie na ogół wcześniej spędzano bydło z łąk, ale Marcin był oficjalnym terminem zamknięcia wypasu. W tym dniu pastuch zjawiał się na podwórku gospodarza, uroczyście trzaskał batem, z domu wychodziła gospodyni z bochnem białego chleba, a gospodarz z mieszkiem pieniędzy. Pasterzowi płacono za cały sezon wypasu. Potem wszyscy pasterze szli na kartoflisko i piekli swój wielki przysmak, czyli kartofle po pastersku – „Upieczone w ognisku kartofle obierano, krojono na plastry i układano w wyłożonym plasterkami słoniny kociołku warstwami, przekładając plastrami boczku lub słoniny i plastrami cebuli i zapiekano tak długo, aż się tłuszcz wytopi".

329

Także rybacy na świętego Marcina zamykali sezon połowów; na Kaszubach kończył się sezon połowu węgorza. Szyper zbierał swoją „kompanię" w karczmie, gdzie solidarnie rozliczano się z zysków, a kiedy rozrachunki zostały zakończone, do mężczyzn dołączały kobiety – pito piwo i wino, raczono się świeżym łososiem i węgorzem i bawiono się do późnej nocy.

Słowa Mikołaja Reja: „Sklęśnie mieszek u wójta, nazajutrz po świętym Marcinie, kiedy z dworu idzie", odnosiły się do zwyczaju rozliczenia się z dworem, składania daniny z ptactwa domowego, zwierzyny i innych produktów. W tym dniu nikt nie pracował, za to walono w bębny, grzmiały trąby – bo zbliżali się poborcy, aby pobrać czynsze „stróżne, najemne, gajowe, arendne, karczemne, rybne, miodowe". Stąd stare powiedzenie: „Tak próżny jak worek wójta po świętym Marcinie".

Przed nadejściem adwentu trzeba było pozałatwiać wszystkie zaległe sprawy; popłacić długi, ugodzić się ze służbą na następny sezon. Termin marcinkowy był ostateczny; należało służbę zwolnić i lub pozostawić na następny rok. Przy okazji umawiania się ze służbą odchodzących częstowano „marcińskimi kluskami". Ten, którego nimi poczęstowano, wiedział bez słów, że nie odnowiono z nim kontraktu na następny rok.

A w miastach rozpoczynały się „marcinkowe kolędy biednych żaczków". Nauczyciel ludowej czy parafialnej szkoły, gdzie nauka była bezpłatna, zbierał uczniów i chodzili razem po domach, śpiewając specjalnie na te okazje ułożone pieśni o świętym Marcinie – patronie ubogich: „W święto Marcina znów dziesięcina", i bogaci mieszczanie na ogół nie skąpili datków.

„Zimowe zapasy z gęsinej okrasy" – na wsi i w mieście rozpoczynano robienie mięsnych zimowych zapasów. Marcinki to okres bicia gęsi. Część żywych lub zabitych (z dołączoną butelka gęsiej krwi) wywożono na sprzedaż, z pozostałych przygotowywano zapasy – solono, wędzono, przygotowywano półgęski. Na Pomorzu i Kaszubach króluje do dziś przygotowywana w tym dniu omasta, „produkt na okrasę bądź jako smarowidło do chleba": surową gęsią pierś razem z tłuszczem, mięso z nóżek i skrzydeł należy drobno posiekać, dokładnie wymieszać z posiekaną cebulą, cząbrem, solą i pieprzem. Jednolitą masę ułożyć ciasno w kamiennym garnku i przechowywać w chłodnym miejscu. Po dokładnym przemacerowaniu okrasa, zwaną też gęsiną, doskonała jest do smarowania chleba, kraszenia kartofli, dodaje się ją do kapusty i zup.

Spora część marcinkowych przysłów dotyczy właśnie spraw kulinarnych: „Święto Marcina dużo gęsi zarzyna", „Na święty Marcin gęsi tuczone dobrze smakują, gdy upieczone", „Na świętego Marcina lepsza gęś niż zwierzyna", „Na świętego Marcina gęś do komina".

Na świętego Marcina, po spłaceniu czynszów i rozliczeniu się z dworem, na stole pojawiały się pieczone gęsi – najlepsze i najtłustsze w tym czasie. Jak twierdzi Kolberg: „Pieczenie gęsi na św. Marcina (11 listopada) bardzo dawnych czasów zasięga; stąd to zapewne pochodzi, że włościanie zwykle natenczas znosili daniny, między którymi były także gęsi. Pobierający, mając ich dostatek, spraszał gości na ucztę z pieczonej gęsi. Zazwyczaj gęś pieczona bywa wówczas z kwaśnymi jabłkami (w nadzieniu). Bicie i pieczenie gęsi na św. Marcin może więcej stąd pochodzi, że są wtenczas najtłustsze i najsmaczniejsze, a wszakże się to podobnie dzieje z baranami pod jesień".

Zwyczaj ten przeniknął pod strzechy i świętomarcińska gęś pojawiała się też na chłopskich stołach. Uczta była pierwszą częścią zwyczaju związanego z tym dniem, część druga miała charakter wróżebny. Od bardzo dawna okres od 11 listopada młodzież traktowała jako czas wróżb i magicznych zaklęć. Najwięcej przepowiedni związanych z tym dniem dotyczyło pogody.

Święty Marcin uważany był za zwiastuna zimy. W legendzie przedstawiany jest jako rycerz na białym koniu, mieczem dzielący poły własnego płaszcza, aby okryć nimi biedaków. „Jak Marcin na białym koniu jedzie, to lekką zimę przywiedzie" i „Gdy na świętego Marcina śnieg choć prószyć poczyna, to zima się zaczyna". I choć w kalendarzu do zimy jeszcze daleko, to marcinkowe prognozowanie było na wsi powszechne. Przyglądano się drzewom, wierząc, że „Gdy liście na Marcina nie upadają, to mroźną zimę przepowiadają", „Mróz na Marcina, będzie tęga zima".

Wróżono z drzew, z wiatru: kiedy wiał wiatr południowy – zima

331

będzie lekka, północny – zima będzie ostra; najczęściej jednak z gęsiej piersi.

Kasper Twardowski w wierszu z 1630 roku pt. „Gęś św. Marcina albo pierwsza kolenda na szczęśliwe zaczęcie przyszłego roku", tak pisał:

(...) Polacy zaś ten zwyczaj mają,
W dzień świętego Marcina gęś tłustą piekają.
Skąd dwój pożytek biorą gospodarze starzy:
I mięso i praktykę, jeśli się im zdarzy
Widzieć makuły śniade kości obnażystej,
Spodziewają się pewnie zimy oparzystej;
Jeśli tez rydzowata, z brzegów zapalona,
Zapewne zima będzie przykra i szalona.
Będzie li tez bielizny miała w sobie wiele,
Niepochybna stateczność sanice się ściele.

A Oskar Kolberg wyjaśniał to tak:

„Zamożna gospodyni w jesieni, w dzień św. Marcina, zabija gęś i piecze w piecu, a gospodarz, obdzieliwszy swoją czeladkę cząstkami z tej gęsi, sam sobie zostawia piersi, ostrożnie mięso objada, oczyszcza kość piersiową, a jeżeli jest biała, rokuje zimę suchą i stałą; jeżeli jest sinawa i czerwona, zimę słotną; jeżeli pół biała od góry, a pół czerwona od spodu, wtedy pierwsze pół zimy ma być suche a drugie (...) słotne; jeżeli w cętki tu i ówdzie nakrapiana, znaczyć to ma zimę burzliwą i śnieżną".

W ten sposób już w średniowieczu stawiano w Polsce długoterminowe prognozy.

Gotuj na stół tłustą gęś, zwrózym z niej o zimie,
Mokre li albo mroźne rządy swe obejmie,
A nie żałuj naczynia dobrej myśli: wina!
Tego żąda po tobie twa wierna drużyna...

A osiemnastowieczny wierszyk tak komentuje te wróżby:

Marcin święty bez gęsi nas tego nauczy;
jeśli dzień czysty, zimy niedostatek dokuczy;
jeśli jaśnie pogodny: miej zimy nadzieję,
suchy mróz mokrych śniegów za szyję nawieje.

Powstawało mnóstwo przysłów. W 1666 roku mówiono: „Pierś z Marcinowej gęsi jeśli biała, to zima będzie dobrze statkowała", „Na święto Marcina najlepsza gęsina: patrz na piersi, patrz na kości, jaka zima nam zagości".

Ale żeby wróżyć z kości, najpierw trzeba gęś przygotować – oto kilka propozycji.

❖ GĘŚ Z JABŁKAMI ❖

Składniki:

1 młoda gęś (ok. 3–4 kg), łyżka soli, 1½ łyżeczki mielonego kminku, 1 kg jabłek (najlepiej szarych renet), 6–7 goździków, 3–4 łyżki posiekanych orzechów włoskich, łyżka miodu, łyżeczka masła, pół szklanki wytrawnego wina (najlepiej domowego z głogu lub róży)

Oczyszczoną i sprawioną gęś myjemy, wkładamy do zimnej wody, zostawiamy na 3–4 godziny, po czym wyjmujemy, osuszamy, nacieramy wewnątrz i z zewnątrz solą wymieszaną z kminkiem, zostawiamy na 2–3 godziny. Umyte renety osuszamy, łyżeczką wydrążamy gniazda nasienne, wydrążenia wypełniamy orzechami wymieszanymi z miodem; w każde jabłko wbijamy po 1–2 goździki. Nadziewamy gęś, zaszywamy, układamy w dużej, nasmarowanej masłem brytfannie, wstawiamy do mocno nagrzanego piekarnika pieczemy ok. 3–3,5 godziny, skrapiając winem i polewając wytworzonym sosem. Podajemy z pieczonymi jabłkami i duszoną kiszoną kapustą z rodzynkami i miodem.

❖ GĘŚ NADZIEWANA OWOCAMI ❖

Składniki:

Gęś (3–4 kg), łyżka suszonego majeranku, 4–5 ząbków czosnku, sól, pół łyżeczki pieprzu, 50 g ginu lub żubrówki, 6 dużych winnych jabłek, 100 g suszonych moreli, 50 g rodzynek, 4 suszone figi, 2 łyżki białego

wytrawnego wina, 2 łyżki posiekanych orzechów włoskich, ćwierć łyżeczki
mielonego cynamonu, pół łyżeczki majeranku, łyżeczka miodu, szczypta
soli, 3 łyżki masła, sok i otarta skórka z 1 cytryny, szczypta soli,
szczypta cukru

Gęś myjemy, osuszamy, odcinamy skrzydła i szyję (mrożoną gęś moczymy na noc
w zimnej wodzie). Posiekany czosnek ucieramy z solą, pieprzem i majerankiem,
nacieramy gęś wewnątrz i z zewnątrz, zostawiamy na 1–2 godziny w lodówce.
Rodzynki i morele myjemy, wkładamy do miseczki, zalewamy winem. Dwa jabłka
obieramy, usuwamy gniazda nasienne, kroimy na ósemki. Figi i osączone morele
kroimy w paski, łączymy z jabłkami i rodzynkami, dodajemy majeranek, cynamon,
szczyptę soli, orzechy i miód, mieszamy. Napełniamy gęś, spinamy wykałaczkami.
Masło ucieramy z cukrem, solą, sokiem i otartą skórką z cytryny. Smarujemy tym
gęś. Do brytfanny wlewamy ćwierć szklanki gorącej wody, układamy gęś, przykrywamy folią, wstawiamy do nagrzanego piekarnika, pieczemy ok. 2 godzin, od czasu do czasu smarując masłem i przekręcając gęś. Pod koniec pieczenia zdejmujemy
folię, zwiększamy temperaturę piekarnika do 200–220°C, gęś polewamy wódką
i pieczemy jeszcze ok. 40 minut, polewając wytworzonym sosem. Zostawiamy gęś
w zgaszonym piekarniku do ostudzenia, po czym dzielimy na porcje. Odtłuszczo-
ny sos przelewamy do rondelka, a tłuszczem smarujemy żaroodporny półmisek,
na których układamy porcje gęsi. Pozostałe jabłka myjemy, osuszamy, przekrawamy na pół, usuwamy gniazda nasienne, kroimy na ćwiartki, mieszamy z miodem
i łyżeczką soku z cytryny, oprószamy szczyptą majeranku. Tak przygotowane jabłka układamy wokół gęsi, wstawiamy do nagrzanego piekarnika na 20–30 minut.
Podajemy z całymi ziemniakami upieczonymi na gęsim smalcu i duszoną kapustą
z rodzynkami.

❖ GĘŚ NADZIEWANA KASZĄ GRYCZANĄ ❖

Składniki:

Młoda gęś (ok. 3 kg), 3–4 ząbki czosnku, 2 łyżki majeranku, łyżka soku
z cytryny, sól, pieprz

Nadzienie:

1½ szklanki kaszy gryczanej, 200 g wątróbek z drobiu, 2 duże cebule,
po 1 korzeniu pietruszki i marchewki, 4–5 suszonych grzybów, 2–3 ząbki
czosnku, po 2 łyżki posiekanej zielonej pietruszki i koperku, sól, pieprz,
2 łyżki masła, 2 surowe jajka

Umytą gęś osuszamy, odcinamy szyję i końce skrzydeł. Tuszkę układamy na desce, ostrym nożem rozcinamy grzbiet, wyjmujemy kości tak, aby mięso zostało przy skórze. Obrany czosnek siekamy, ucieramy z solą, pieprzem, majerankiem i sokiem z cytryny. Nacieramy tym mięso, owijamy folią, zostawiamy na 2–3 godziny w lodówce.

Umyte grzyby moczymy w niewielkiej ilości przegotowanej wody. Kości, skrzydełka i kości z szyi gęsi (skórę nacieramy solą i zostawiamy do nadziania) wkładamy do garnka, zalewamy 4 szklankami zimnej wody, zagotowujemy. Dodajemy umytą cebulę, grzyby, obraną marchewkę i pietruszkę, sól i pieprz. Gotujemy na niewielkim ogniu ok. godziny, przecedzamy przez sito. Umytą kaszę gotujemy w wywarze na sypko, studzimy. Wątróbki siekamy, obraną cebulę i ugotowane grzyby drobno kroimy. Na patelni topimy masło, szklimy cebulę, dodajemy wątróbki i grzyby, chwilę smażymy razem, zdejmujemy z ognia. Ugotowaną kaszę mieszamy z surowymi żółtkami, posiekaną natką i koperkiem. Ubijamy na sztywno pianę z białek. Do kaszy dodajemy usmażoną cebulę z wątróbkami i grzybami i pianę z białek, dokładnie mieszamy. Gęś napełniamy przygotowanym farszem, zaszywamy, układamy w nasmarowanej tłuszczem blasze i wstawiamy do mocno nagrzanego piekarnika (250°C). Pieczemy ok. godziny; po 30 minutach przekręcamy, a gdy skórka ładnie się zrumieni, zmniejszamy temperaturę (do 180–200°C). Pieczemy, skrapiając wodą, a później polewając wytworzonym sosem jeszcze ponad godzinę. Przed podaniem kroimy w grube plastry, obkładamy nadzieniem.

❖ GĘŚ FASZEROWANA CIELĘCINĄ ❖

Składniki:

Młoda gęś (ok. 4 kg), łyżka soli, 2 łyżki otartego majeranku,
2–3 ząbki czosnku, pół szklanki bulionu, łyżka masła

Farsz:

300 g cielęciny, 150 g wątróbki z gęsi lub cielęcej, namoczona w mleku
bułka, duża cebula, sól, pieprz, łyżeczka majeranku, 2 surowe jajka

Sprawioną i oczyszczoną gęś myjemy, usuwamy nadmiar tłuszczu (do nadzienia), zalewamy zimną wodą i zostawiamy na 3–4 godziny. Drobniutko posiekany czosnek ucieramy z solą i majerankiem. Wyjętą z wody gęś osuszamy, nacieramy dokładnie przygotowaną solą, zostawiamy na 3–4 godziny.

Przygotowanie farszu: Cielęcinę, cebulę i wątróbkę przepuszczamy przez maszynkę, dodajemy odciśniętą z mleka bułkę, drobniutko posiekany tłuszcz z gęsi, sól, pieprz, majeranek, mieszamy. Wbijamy jajka, dobrze wyrabiamy masę. Nadziewamy gęś, zaszywamy, układamy w wysmarowanej masłem brytfannie, skrapiamy bulionem, wstawiamy do nagrzanego piekarnika i pieczemy ok.3–4 godzin, od czasu do czasu skrapiając bulionem i polewając wytworzonym sosem. Miękką gęś dzielimy na porcje, układamy w żaroodpornym półmisku, podgrzewamy w nagrzanym piekarniku.

❖ GĘŚ NADZIEWANA WIEPRZOWINĄ ❖

Składniki:

Gęś, sól, 5 ząbków czosnku

na nadzienie:

300 g chudej wieprzowiny, wątróbka z gęsi (lub 100 g cielęcej),
bułka, cebula, łyżeczka tymianku, 2 jajka, sól, pieprz,
łyżka gęsiego smalcu (lub masła)

Wymoczoną i osuszoną tuszkę nacieramy roztartym z solą czosnkiem, zostawiamy na kilka godzin w chłodnym miejscu. Przygotowujemy nadzienie: zmielone mięso wieprzowe ucieramy w misce z namoczoną w mleku i odciśniętą bułką. Drobno posiekaną cebulę szklimy na tłuszczu i razem z drobno posiekaną wątróbką dodajemy do mięsa i bułki. Dodajemy żółtka, sól, pieprz i tymianek, wyrabiamy na jednolitą masę. Na koniec dodajemy ubite na sztywną pianę białka i delikatnie mieszamy. Nadziewamy gęś, zaszywamy, układamy na wysmarowanej tłuszczem blasze i wstawiamy do gorącego piekarnika. Pieczemy ok. 2 godzin, często polewając tłuszczem i skrapiając wodą.

❖ GĘŚ NA ZIMNO ❖

Składniki:

Gęś, sól, 2 szklanki białego wytrawnego wina, ćwierć szklanki
octu winnego, 2 marchewki, 2 pietruszki, pół selera, 2 cebule,
po 6–8 ziarenek angielskiego ziela i pieprzu, 2 listki laurowe,
po łyżeczce tymianku, imbiru i estragonu, 2–3 goździki, białko z jednego
jajka, 2 łyżeczki żelatyny

336 Wymoczoną i osuszoną tuszkę nacieramy solą i zostawiamy na kilka godzin w chłodnym miejscu. Wkładamy do dużego rondla, zalewamy winem, octem

i przegotowaną wodą (1 l), dodajemy zioła i korzenie oraz obrane i pokrajane w plastry jarzyny. Gotujemy ok. 3 godzin pod przykryciem, na małym ogniu, aż będzie zupełnie miękka, przekręcając kilkakrotnie w czasie gotowania. Miękką gęś wyjmujemy i układamy na półmisku, a smak, w którym się gotowała, przelewamy przez sito. Klarujemy białkiem, dodajemy rozpuszczoną żelatynę, krótko zagotowujemy i polewamy przestudzoną gęś, aby utworzyła się szklista powłoka. Podajemy na zimno z ostrym sosem (tatarskim, musztardowym, czosnkowym, cumberland).

❖ GĘŚ PIECZONA Z ZIOŁAMI ❖

Składniki:

Gęś, szklanka białego wytrawnego wina, pół szklanki bulionu,
po łyżeczce utłuczonych owoców jałowca i rozmarynu,
pół łyżeczki cząbru, sól, pieprz, łyżka masła

Wymoczoną i osuszoną gęś nacieramy z zewnątrz i wewnątrz solą zmieszaną z ziołami i pieprzem, zostawiamy na 4–5 godzin w chłodnym miejscu. Przed pieczeniem smarujemy tuszkę masłem, układamy na blasze i wstawiamy do nagrzanego piekarnika. Pieczemy ponad 2 godziny, polewając często tłuszczem oraz skrapiając bulionem i winem. Podawajemy na gorąco, z pieczonymi, obsypanymi rozmarynem ziemniakami i z sałatką z czerwonej kapusty.

❖ GĘSIA SZYJA PO POLSKU ❖

Składniki:

Szyja gęsi, gęsie podroby, szklanka jęczmiennej kaszy, mała cebula,
łyżka masła (lub gęsiego smalcu), 3 szklanki bulionu z kury, sól, pieprz,
łyżka majeranku

Z gęsiej szyi ściągamy skórę. Skórę nacieramy solą i majerankiem, zostawiamy na kilkanaście minut. Gęsią szyję i żołądek gotujemy w bulionie, miękkie wyjmujemy, studzimy. Umytą kaszę zalewamy gorącym bulionem (2 szklanki), zostawiamy, aby napęczniała. Z szyi obieramy mięso, drobno kroimy. Posiekaną cebulę szklimy na maśle (lub gęsim smalcu), dodajemy posiekane mięso, drobno pokrojony żołądek i posiekaną wątróbkę, chwilę smażymy razem. Łączymy z kaszą, dodajemy sól, pieprz i pozostały majeranek, dokładnie mieszamy. Nadziewamy gęsią szyję, zaszywamy z obu stron, układamy w rondlu, zalewamy pozostałym gorącym bulionem,

337

doprowadzamy do wrzenia, a później dusimy pod przykryciem na małym ogniu. Podajemy na gorąco z sosem spod duszenia lub na zimno z pikantnymi sosami.

Oprócz gęsi najbardziej znane są „marcińskie rogaliki". Słynie z nich Poznań i cała Wielkopolska, a także Opolszczyzna i Dolny Śląsk.

Świętomarcińskie rogale mogą być nadziewane orzechami, marmoladą lub marcepanem.

❖ ROGALIKI ŚWIĘTOMARCIŃSKIE ❖

Składniki:

Ciasto:

> 500 g mąki, 40 g drożdży, 1½ szklanki mleka, pół kostki masła (125g),
> 3 łyżki cukru, 1 jajko, szczypta soli

Nadzienie:

> 200 g cukru, 200 g rodzynek, łyżka koniaku, łyżka soku z cytryny,
> 100 g płatków migdałowych

Do posmarowania:

> żółtko, pól szklanki cukru pudru, 2–3 łyżki wody i łyżeczka soku z cytryny
> lub 2–3 łyżki białego wina

Drożdże dokładnie mieszamy z 3–4 łyżkami letniego mleka, zostawiamy na kilkanaście minut w ciepłym miejscu. Do miski przesiewamy mąkę, dodajemy sól, cukier, wlewamy mleko, wbijamy jajka. Wyrabiamy ciasto. W rondelku topimy połowę masła i razem z zaczynem drożdżowym wlewamy do ciasta. Bardzo dokładnie wyrabiamy. Gdy ciasto jest gładkie i lśniące, przykrywamy ściereczką i zostawiamy w ciepłym miejscu do wyrośnięcia. Rodzynki myjemy, sparzamy wrzątkiem, osączamy, wkładamy do miseczki, skrapiamy koniakiem i sokiem z cytryny, zostawiamy na kilkanaście minut, po czym mieszamy z cukrem i płatkami migdałowymi (część płatków zostawić do dekoracji). Pozostałe masło topimy w rondelku, lekko przestudzamy.

Wyrośnięte ciasto rozwałkowujemy na grubość ok.1,5 cm, kroimy na kwadraty. Każdy smarujemy stopionym masłem, na środku układamy nadzienie, zwijamy od jednego rogu do przeciwległego; formujemy zgrabne rogaliki, układamy na blasze. Każdy rogalik dekorujemy płatkami migdałowymi, przykrywamy ściereczką i zostawiamy do wyrośnięcia. Wyrośnięte smarujemy rozkłóconym surowym żółt-

338

kiem, wstawiamy do średnio nagrzanego piekarnika, pieczemy około pół godziny. Cukier puder ucieramy z gorącą zakwaszoną wodą lub winem i tak przygotowanym lukrem smarujemy jeszcze gorące rogaliki.

❖ ŚLĄSKIE MARTINKI ALBO PODKOWY ❖

Składniki:
Ciasto maślane:

kostka masła, 100 g krupczatki

Ciasto makaronowe:

200 g mąki pszennej (poznańska), 1 jajko, łyżka soku z cytryny,
1–3 łyżki przegotowanej letniej wody, cukier puder, pół laski wanilii

Ciasto maślane: na stolnicę przesiewamy krupczatkę, dodajemy masło, siekamy nożem na piasek, po czym szybko zagniatamy, formujemy kwadrat, owijamy folią, wstawiamy do lodówki.

Ciasto makaronowe: w przesianej na stolnicę mące robimy dołek, wbijamy jajko, wlewamy sok z cytryny i wyrabiamy ciasto, dodając wodę. Zagniatamy gładkie i lśniące ciasto, rozwałkowujemy na kształt koła, w środku układamy schłodzone ciasto maślane – ciasto makaronowe składamy jak kopertę. Wałkujemy oba ciasta, składając i przyciskając lekko (żeby nie popękało). Nadajemy formę prostokąta, po czym składamy 3 razy, owijamy w serwetkę i wkładamy do lodówki. Wałkowanie ciasta powtarzamy 3 razy co 20 minut. Ostatni raz rozwałkowujemy ciasto na grubość 1 cm, kroimy na prostokąty 5 × 10 cm. Każdy kawałek nacinamy od dłuższego boku co 2 cm nożem i lekko rozszerzamy, żeby nabrał kształtu rogala lub podkowy. Układamy na blasze (której się nie natłuszcza, lecz spłukuje wodą) i pieczemy 15–20 minut na jasnozłoty kolor w bardzo gorącym piekarniku (250°C). Gorące układamy na półmisku i obficie posypujemy cukrem pudrem wymieszanym z posiekaną wanilią.

ŚWIĘTA Z „IMPORTU"

Jeszcze kilka lat temu niewielu z nas wiedziało, że święty Walenty patronuje zakochanym, mało kto słyszał o świętym Patryku, a Halloween znaliśmy tylko z amerykańskich filmów jako dziecięcą zabawę. Niezwykle szybko przyjęły się w Polsce walentynki, coraz częściej też obchodzone są dzień świętego Patryka i Halloween. Wszystkie trzy święta zapożyczono z zachodnich kultur w celach czysto komercyjnych – święty Walenty ma nakręcać upominkowy interes, od świętego Patryka i Halloween oczekuje się zapełniania klubów i pubów. Zostaną na dłużej czy nie – czas pokaże. Na razie są obecne w polskim świątecznym kalendarzu. Zdaniem socjologów nowe zwyczaje łatwo się asymilują, jeśli zawierają elementy zabawy. Zdaniem psychologów popularność walentynek nie świadczy o braku miłości, tylko o tym, że nie mamy śmiałości w wyrażaniu uczuć. Profesor Janusz Czapiński, psycholog społeczny, tak uzasadnia przyjmowanie się nowych świąt w Polsce: „Brak ciągłości historycznej, kulturowej, spowodował, że polskie społeczeństwo nie ma korzeni. Nie mamy więc oporów z przyswajaniem rozmaitych świąt, o ile nie są to obce święta religijne. Wobec Hare Kriszna jesteśmy oporni, za to nie sprzeciwiamy się Halloween. Nie przeszkadza nam nawet bunt ze strony kleru, który nie akceptuje tego święta. To, że chętnie obchodzimy dzień świętego Patryka czy Beaujolais, wynika też z tego, że w Polsce nie ma święta wódki, a obchody tych świąt stanowią doskonały pretekst do napicia się. Gdyby w Polsce był odpowiedni klimat, chętnie importowalibyśmy parady z Ameryki Południowej".

❖ WALENTYNKI – ❖
ŚWIĘTA DOBRYCH UCZUĆ CZY HANDLOWCÓW

Walentynki – w Polsce święto to obchodzono po raz pierwszy w 1992 roku, kiedy to pani Nina Kowalewska, ówczesna szefowa polskiej filii Harlequina, sponsorując kilka godzin telewizyjnego programu, zachęcała z ekranów telewizorów do przeszczepienia do Polski tego święta miłości, sympatii i dobrych uczuć... Prawie dziesięć lat później według badań OBOP-u szał walentynek dopadł w Polsce około 80% uczniów i studentów, ale też aż...16% emerytów.

Wystarczyło niewiele lat, aby za sprawą mediów i handlowców walentynki poznał każdy Polak, a imię to nie kojarzyło się tylko z „Walentyna twist" i radziecką kosmonautką – pierwszą kobietą w kosmosie.

Dzień świętego Walentego obchodzi się dzisiaj zarówno w Anglii, jak i Francji, Niemczech, Holandii, Belgii czy Polsce. Wszędzie jest to niezwykle sympatyczne – choć nie ma co ukrywać – komercyjne święto.

Walentynki w Polsce, tak jak i w Ameryce, z której do nas przybyły, od ponad 10 lat wprowadzają w stan gotowości najpierw producentów, a później kupców. Wiele dni wcześniej, nim w kalendarzu pokaże się kartka z dniem 14 lutego, udekorowane na czerwono sklepy zachęcają do zakupów, pojawiają się też pierwsze zwiastuny tego sympatycznego święta – ozdobne kartki z amorkami, zdjęciami całujących się par, gołąbkami, różyczkami, serduszkami – powszechnie uznanymi symbolami wyrazów miłości i sympatii. Wydawcy i księgarnie przygotowują na ten dzień promocje popularnych romansów w specjalnych „opakowaniach", a cukiernie bombonierki w kształcie serca. Telewizja nadaje miłosne telenowele, rozmowy z aktorami, a udekorowane restauracje zapraszają na „romantyczne kolacje we dwoje". Do tej handlowo-miłosnej gry przystępują jubilerzy, producenci płyt, perfum, słodyczy, kubków, świec i tysięcy innych drobiazgów, na ogół czerwonych, w kształcie serca i z napisem „I love you" albo po prostu „Kocham cię".

W tym dniu można sprzedać wszystko: pluszowe poduszki w kształcie serca, czerwoną pościel, bieliznę (i to nie tylko damską, ale i męską), zegary, ramki do zdjęć w motywem miłosnym, pierścionki, czekolady – byleby odpowiednio zareklamowane, opakowane bądź tylko ozdobione.

A skąd to szaleństwo?

Oto kilka legend wyjaśniających narodziny tego święta:

341

1. Podobno korzenie tradycji Dnia Zakochanych sięgają starożytności. Dzień 14 lutego był w Rzymie wigilią Luperkalii, święta poświęconego Faunowi (przydomek Lupercus), bogowi pasterzy, opiekunowi trzód i lasów, święta oczyszczenia i płodności, obchodzonego, aż do późnej starożytności (stąd nazwa miesiąca *Februarius* – oczyszczać). Kapłani boga, tzw. *Luperci* – przyodziani tylko w skóry świeżo zabitego na ofiarę kozła, obiegali palatyńskie wzgórze, uderzając przechodniów rzemieniami ze skór zabitych zwierząt. Od takiego uderzenia kobiety odzyskiwały płodność. W tym dniu młodzieńcy wyciągali losy z imionami panien, które miały im towarzyszyć podczas wesołej zabawy.

2. Chrześcijańskim patronem Dnia Zakochanych został święty Walenty, przynoszący ulgę osobom cierpiącym na epilepsję i choroby nerwowe. Jak głosi legenda, Walenty, biskup Nahars (ob. Terni) udzielił ślubu Sarpii i Sabino. Sarpia była beznadziejnie chora, a Sabino pragnął z nią razem umrzeć. Biorąc ślub, prosił biskupa, aby „wymodlił śmierć również dla niego". Biskup Walenty nie mógł obojętnie patrzeć na męki kochanków. Modlił się żarliwie i Bóg go wysłuchał – Sarpia i Sabino umarli jednocześnie, trzymając się za ręce. (Około 100 lat temu na cmentarzu Pentima koło Terni odkopano grobowiec Sabino i Sarpii – ich dłonie były splecione).

3. Według innej legendy, za czasów cesarza Klaudiusza II, kiedy imperium potrzebowało jak najwięcej żołnierzy, cesarz zabronił udzielania ślubów; biskup Walenty, wbrew cesarskiemu edyktowi, udzielał ich potajemnie.

4. Jest jeszcze inna legenda. Uwięziony za szerzenie wiary chrześcijańskiej biskup Walenty przywrócił wzrok córce dozorcy więziennego. Zanim 14 lutego został poprowadzony na ścięcie, wysłał uratowanej dziewczynie kartkę z podpisem: „Od Twojego Walentego". I tak powstała walentynkowa tradycja wysyłania kartek.

A kim naprawdę był święty Walenty? Dokładnie nie wiadomo; nie jest też pewne, czy był jeden, czy kilku świętych o tym imieniu. Tajemnicą pozostaje też, dlaczego jego imię połączono z zakochanymi.

342

A stało się to w XIV wieku.

Nie wszędzie jednak tradycja była taka sama. W Niemczech Walenty został patronem wyłącznie epileptyków, a do Polski kult świętego przywędrował w średniowieczu właśnie stamtąd. Wizerunki świętego Walentego zawieszano nad łóżkami chorych na epilepsję, zwaną też chorobą świętego Walentego. O zdrowie dla nich modlono się:

O święty Walenty, pobozny kapłanie,
Niechaj ma niemoc zginie na twe zawołanie.

Ale też rzucano przekleństwa:„Bodaj cię świętego Walentego niemoc dopadła", „A bodajże cię święty Walenty ciskał" czy i „Święty Walek tych powali, co patronem go nie znali". Te siedemnastowieczne polskie przysłowia dotyczą choroby, z greckiego zwanej epilepsją, a przez całe wieki poczytywanej za dzieło szatana – mówiono też o niej „wielka choroba", „święta choroba" i „opętanie".

Nic właściwie dziwnego, skądinąd wiadomo, że wierzenia ludowe upatrywały źródła epilepsji, tak jak i miłości – właśnie w opętaniu.

W Anglii od wieków dzień świętego Walentego jest dniem zakochanych. W literaturze upamiętniony w piosence szekspirowskiej Ofelii. Tego dnia powinno wybrać się przyjaciela lub przyjaciółkę na cały rok.

Historycy kultury twierdzą, że tradycja obchodzenia 14 lutego jako dnia zakochanych sięga czasów renesansu. W tym dniu w elżbietańskiej Anglii ulicami przeciągały korowody muzyków, grających serenady pod oknami młodych panien, a chłopcy i dziewczęta posyłali sobie wzajemnie czułe bileciki, ukryte w jabłkach z lukru czy prawdziwych owocach.

Z Anglii zwyczaj ten trafił do Ameryki, Kanady i Australii, a w ostatnich dziesięcioleciach także do innych krajów.

❖ WALENTYNKOWE OBYCZAJE ❖

W średniowieczu w tym dniu wyznawano sobie miłość i przywiąza-
nie. Około XV wieku słowne wyznania zaczęły zastępować liściki
i bileciki. Podobno pierwszą pisemną walentynkę (oczywiście nie licząc legendarnego listu biskupa Walentego) – romantyczny wiersz –
wysłał żonie książę Karol Orleański z więzienia Tower, gdzie został
osadzony w 1415 roku po bitwie pod Azincourt. Według innej
nadawczynią pierwszej walentynkowej kartki była kobieta o nazwisku Brews.

Pierwsze bileciki były drogie. Były to małe dzieła sztuki z ilustra-
cjami wykonanymi akwarelami i miały najczęściej formę akrosty-
chu, czyli wiersza, w którym początkowe litery każdego kolejnego
wersu, czytane z góry na dół, tworzyły imię ukochanej. Używano
także kart rebusowych, w których niektóre słowa zastępowano ilu-
stracjami, wycinankami, na niektórych wzory wykłuwano igłą,
dziurkowano czymś ostrym, niekiedy wielokrotnie składano papier
i strofy zapisywano tak, by odczytanie było możliwe dopiero po ponownym, właściwym złożeniu kartki. Bileciki i liściki doręczano osobiście lub przez posłańca.

Pierwsze drukowane kartki walentynkowe pojawiły się w 1761 roku. Wykonywano je z wytłaczanego papieru i były to krótkie rymo-
wanki ozdabiane ręcznie malowanymi kwiatami, serduszkami, gołąbkami. Niektóre zawierały kawałki prawdziwych koronek lub
wstążek. Znacznie później drukować zaczęto kartki dowcipne – z sa-
tyrycznymi rysunkami i podpisami, np. „niekochany i zaniedbany",
„może jednak pomyślisz o mnie" itp.

Kartki wysyłane w tym dniu muszą być anonimowe, a jeśli podpi-
sane, to np.: „XXX" albo „Twój Walenty". Wysyłający kartkę w dniu
świętego Walentego nie liczy bowiem na wdzięczność, pragnie tylko,
aby adresat poczuł się doceniony i kochany. W krajach anglosaskich
w tym dniu karteczki walentynkowe rozsyłają sobie nie tylko zako-
chani; posyła się je każdemu, komu się dobrze życzy, kogo się lubi.
Dostają je więc przyjaciele od przyjaciół, nauczyciele od uczniów,
małżonkowie (w USA co roku wysyłanych jest około miliarda pocz-
tówek walentynkowych).

344

Ostatnio najmodniejszym sposobem uczczenia walentynek jest zamieszczanie ogłoszeń w prasie, wysyłanie e-maili i SMS-ów.

❖ WALENTYNKOWE SYMBOLE ❖

Trzy iksy – to w języku angielskim powszechnie używany znak wyrażający czułość i pocałunki.

Podobno powiązanie X z pocałunkiem wzięło się ze średniowiecza, kiedy mało kto potrafił pisać, i jeśli istniała konieczność wysłania listu, pod tekstem napisanym przez kogoś innego, niepiśmienny rysował w obecności świadków krzyżyk, a na znak szczerości intencji całował dokument.

Serce – przez tysiąclecia uważano je za siedzibę życia, siłę decydującą w sprawach dobra i zła. Od wieków symbolizuje miłość, wzruszenie, uczucie, życzliwość, przyjaźń, oddanie. Płonące serce jest symbolem gorącego uczucia i namiętności. W czasach najbujniejszego rozwoju kultury średniowiecza stało się tematem poematów miłosnych.

Kolor czerwony – współcześnie wyraża agresywność, żywotność i energię, kojarzy się to z ogniem i miłością; w połączeniu z sercem jest symbolem szczerości i ogromu uczuć. Ale czerwień nie zawsze była odbierana jednoznacznie. W starożytnym Egipcie uchodziła za symbol zła, w sztuce dawnego Meksyku była kolorem krwi, słońca i ognia, w Chinach bogactwa, a w chrześcijaństwie oznaczała krew ofiarną Chrystusa. Chociaż uważano ją też za barwę piekła i diabła.

Róża – czerwona róża, zwana królową kwiatów i będąca atrybutem Afrodyty i Adonisa, od wieków była symbolem namiętności, pragnienia i podziwu. W średniowieczu stała się symbolem miłości dworskiej, w epoce odrodzenia miłości zmysłowej, wolnej, a w naszych czasach to symbol sympatii, czci, uwielbienia, miłości mężczyzny do kobiety. W szczytowym okresie kultury mieszczańskiej (tzw. biedermeier) bardzo popularne było przekazywanie sobie informacji za pomocą zmyślnie układanych bukietów. Już w końcu XVIII wieku powstała symboliczna mowa kwiatów, którą posługiwano się przez następne dwieście lat. W 1899 roku powstał nawet „Słownik mowy kwiatów" ułożony przez G.W. Gessmana. Według niego róża czerwona mówiła – „oto jest rękojmia mojej miłości i wierności"; biała zapewniała o „wiecznym szczęściu czystej miłości", a pąk różany wyrażał „miłość pełną nadziei mimo zwątpienia i niepewności".

Lovebirds – to niezwykle częsty motyw walentynkowych kartek i ozdób. Najczęściej są to siedzące, zawsze w parach, papużki nierozłączki, zwane po angielsku ptaszkami miłości, lub gołębie. Stykające się dzióbkami – „całujące się" – gołębie, zwłaszcza białe, były w starożytności atrybutem bogiń miłości i płodności: Isztar, Kybele, Rei, Hery, Demeter, a przede wszystkim Afrodyty.

Koronki – pojawiający się często na kartkach element dekoracyjny nawiązuje do koronkowych chusteczek, które w dawnych wiekach damy celowo upuszczały przed upatrzonym rycerzem, aby ten podniósł chusteczkę i w ten sposób nawiązał romans. Damska chusteczka obok wstążki była też najczęstszym talizmanem zabieranym przez rycerzy jadących na wyprawę wojenną, mającym mu przypominać o ukochanej i chronić go od złego.

Love knots – podwójne kokardki umieszczane na kartkach są wyrazem przywiązania i trwałych uczuć.

❖ WALENTYNKOWE PREZENTY ❖

Walentynkowa tradycja wymaga, aby prócz kartki dać ulubionej osobie kwiaty i drobne podarunki. Podobno rozsyłanie drobnych upominków krewnym upowszechniło się w czasach królowej Wiktorii, której liczna rodzina – dzieci, wnuki, prawnuki – rozsiana była po całym świecie. W Anglii do dzisiaj najczęściej kupowanymi upominkami są w tym dniu wszelkiego rodzaju gadżety z serduszkami, biżuteria i bombonierki w kształcie serca, a np. we Włoszech popularnym walentynkowym prezentem zarówno dla pań, jak i panów jest czerwona bielizna.

346   W Stanach Zjednoczonych dziennikarze prześcigają się w informowaniu opinii publicznej, które gwiazdy filmowe otrzymały naj-

więcej walentynkowych dowodów uwielbienia. A oto kilka walentynkowych ciekawostek:

Aristoteles Onassis (grecki armator multimilioner) wysłał w tym dniu swojej ukochanej – słynnej śpiewaczce Marii Callas – kartkę z litego złota z serduszkiem wysadzanym brylantami i szmaragdami. Kartka zapakowana była w kopertę zrobioną z futra norek.

Nieznany wielbiciel ofiarował w tym dniu (w 1991 roku) Madonnie – aktorce i piosenkarce – malutką żywą małpkę kapucynkę w obróżce wysadzanej ulubionymi kamieniami gwiazdy – szmaragdami.

Do księgi rekordów Guinessa wpisano natomiast inny walentynklowy podarunek – słynna Julia Roberts dostała od cechu cukierników gigantyczny tort w kształcie serca, oblany różowym lukrem – po odkrojeniu kawałeczka aktorka przekazała tort dobroczynnej instytucji w Los Angeles.

❖ WALENTYNKOWE PRZYSMAKI ❖ ❖

Dzień świetego Walentego to doskonała okazja, żeby zaprosić ukochanego lub ukochaną na własnoręcznie przygotowaną kolację, błysnąć kulinarnym talentem (a przy okazji przekonać się, czy warto razem zostać na zawsze).

Amor omnia vincit et nos cedamus amori (miłość wszystko zwycięża i my ulegnijmy miłości) powiedział Wergiliusz. A o ileż łatwiej ulec miłości przy ładnie zastawionym stole. Od najdawniejszych czasów we wszystkich częściach świata starano się znaleźć uniwersalny środek na zdobycie, utrzymanie i sprostanie miłości. Wprawdzie miłosnego kamienia filozoficznego nie odkryto, ale za to trafiono na całe apteki mniej lub bardziej skutecznych środków.

Wybór produktów do przyrządzenia kolacji we dwoje jest przebogaty: ryby – uchodzące za doskonały afrodyzjak; jabłka – owoce miłości, orzechy i jajka – symbole seksu, różnolistne sałaty, jasnozielone awokado i łodygowe selery, a wszystko doprawione imbirem i miodem. Do tego świece, piękne nakryty stół i... nas dwoje.

347

❖ SEKRET AFRODYTY (to od jej imienia są afrodyzjaki) ❖

Składniki:

10–12 sztuk liści świeżego szpinaku, 4 jajka przepiórcze, 1 pomarańcza,
łyżka nasion sezamu, 20 g makaronu sojowego, łyżka oleju arachidowego

Sos:

2 łyżki miodu, 2 łyżki oliwy z oliwek, 3 łyżki sosu sojowego, 3 łyżki soku
i ćwierć łyżeczki otartej skórki z pomarańczy, łyżeczka oleju sezamowego,
łyżeczka posiekanego świeżego imbiru

Dokładnie mieszamy składniki sosu. Makaron układamy na sicie, zalewamy
wrzątkiem, osączamy. Na patelni rozgrzewamy olej, smażymy makaron. Ziarna
sezamu uprażamy na gorącej patelni. Jajeczka przepiórcze gotujemy na twardo.
Umyte liście szpinaku osuszamy, pomarańczę obieramy, kroimy na cienkie półplasterki, usuwamy pestki. Łączymy liście szpinaku z pomarańczą i sezamem, wlewamy sos, mieszamy, dekorujemy smażonym makaronem i połówkami jajek przepiórczych.

❖ OGIEŃ MIŁOŚCI (Podobno rozpala namiętność) ❖

Składniki:

Mała główka kruchej sałaty, 2 twarde mięsiste pomidory,
2 łodygi selera naciowego, 5–6 rzodkiewek

Sos:

2 łyżki czerwonego octu winnego, pół szklanki oliwy z oliwek,
łyżka drobno posiekanych kaparów, sól, pieprz

Obrane łodygi selera kroimy w plasterki, pomidory sparzamy, obieramy ze skórki,
kroimy w paski (usuwamy pestki), sałatę rwiemy na kawałki, rzodkiewki kroimy
w plasterki. Łączymy składniki sałatki, polewamy sosem, dokładnie mieszamy.

❖ POCAŁUNEK KUPIDYNA, czyli faszerowane awocado ❖

Składniki:

2 owoce awocado, 2 twarde mięsiste pomidory, 1 niewielka cebula,
łyżka drobniutko posiekanej zielonej pietruszki,
2 łyżki soku i ćwierć łyżeczki otartej skórki z cytryny, sól, pieprz,
ćwierć łyżeczki startej gałki muszkatołowej

348

Pomidory sparzamy wrzątkiem, obieramy ze skórki, kroimy w drobniutką kostkę, tak samo kroimy cebulę. Owoce awocado przekrawamy wzdłuż na pół, usuwamy pestkę, a miąższ delikatnie wydrążamy łyżeczką, drobniutko siekamy. Posiekany miąższ łączymy z pomidorem, cebulą, zieloną pietruszką, sokiem i otartą skórką z cytryny, solą, pieprzem i gałką muszkatołową. Ucieramy na gładka masę, schładzamy, nadziewamy nią połówki awocado. Wstawiamy na godzinę do lodówki. Przed podaniem przybieramy gałązkami zielonej pietruszki.

❖ ZUPA Z LUBCZYKU ❖
teraz, kiedy w każdym supermarkecie przez cały rok sprzedają świeże zioła,
nie będzie kłopotu z jej przygotowaniem

Składniki:

3 łyżki posiekanych listków lubczyku, 1 spora cebula, łyżka masła,
1½ szklanki bulionu z kurczaka, pół szklanki śmietany, surowe żółtko,
sól, pieprz do smaku

Drobno posiekaną cebulę szklimy na stopionym maśle, dodajemy 2 łyżki posiekanych listków, wlewamy gorący bulion i gotujemy na niewielkim ogniu ok. 15 minut. Śmietanę dokładnie rozkłócamy z żółtkiem, solą i pieprzem, wlewamy do zupy i mieszając, podgrzewamy (nie gotujemy). Podajemy z grzankami z bułki, przed podaniem posypujemy pozostałym lubczykiem.

❖ OKOŃ MORSKI W IMBIROWYM SOSIE ❖
imbir uważany jest za „korzeń powodujący ogień w ciele"

Składniki:

2 filety z okonia (po 200 g każdy), łyżka soku z cytryny, ćwierć łyżeczki
otartej skórki z cytryny, szklanka bulionu z ryby lub wywaru z warzyw,
4 łyżki posiekanego szczypiorku

Sos:

2 łyżki drobno posiekanego świeżego imbiru, łyżka sosu sojowego,
2 łyżki oliwy, ew. łyżka wywaru z ryb, szczypta soli i pieprzu

Zagotowujemy bulion z ryby z sokiem i otartą skórka z cytryny, wkładamy filety, gotujemy ok. 10 minut. Miksujemy dokładnie imbir z sosem sojowym i oliwą, doprawiamy do smaku solą i pieprzem. Ugotowaną rybę układamy na ogrzanych talerzach, polewamy sosem, posypujemy szczypiorkiem.

349

❖ KAWA KARDAMONOWA ❖

Składniki:

Łyżka świeżo mielonej kawy, łyżka mielonego kardamonu,
szklanka wody, pół szklanki śmietanki lub tłustego mleka,
1–1½ łyżki miodu

Dokładnie mieszamy kawę z kardamonem, zalewamy wrzątkiem, stawiamy na niewielkim ogniu i podgrzewamy 2–3 minuty. Dodajemy ciepłą śmietankę i miód, mieszamy, rozlewamy do 2 filiżanek.

❖ OGNISTA WÓDKA ❖

którą należy przygotować najpóźniej 1 lutego i po kieliszeczku podajemy do kolacji przy świecach (alkohol w nadmiarze działa już tylko nasennie)

Składniki:

½ litra czystej wódki, strąk świeżej papryczki chili

Strąk wkładamy do butelki i zostawiamy na 2–3 tygodnie. Przed podaniem mrozimy.

❖ KREM ORZECHOWY ❖

Składniki:

200 g posiekanych orzechów włoskich,
kilka połówek orzechów do dekoracji, szklanka koziego mleka,
2½ łyżki miodu, 3 surowe żółtka

Drobno posiekane orzechy zalewamy mlekiem i gotujemy na maleńkim ogniu, aż płyn zgęstnieje. Zestawiamy z ognia. Żółtka ucieramy z miodem, wlewamy do mleka, dokładnie mieszamy. Rozlewamy do dwóch salaterek, dekorujemy połówkami orzechów.

❖ MORELOWE ZŁOTO ❖

Składniki:

250 g moreli lub puszka moreli w syropie, 25 g mleczka pszczelego

Dokładnie miksujemy.

❖ WSCHODNI NEKTAR ❖

Składniki:

> 10 jajeczek przepiórczych, łyżeczka oleju sezamowego, 2 łyżki ryżowej
> wódki sake, pół szklanki miodu

Miksujemy jajeczka z miodem i olejem na puszystą masę; po zmiksowaniu dokładnie mieszamy z wódką.

❖ PŁOMIENIE MIŁOŚCI, czyli ananasowy deser ❖

Składniki:

> 1 ananas, 2–3 łyżki masła, 2–3 łyżki cukru (najlepiej brązowego),
> 2 łyżki rumu

Z obranego ananasa wydrążamy zdrewniały środek, miąższ kroimy na plastry. Żaroodporny półmisek lekko smarujemy masłem, w stopionym maśle zanurzamy plastry ananasa, układamy na półmisku, posypujemy cukrem, wstawiamy do nagrzanego piekarnika i zapiekamy, aż cukier mocno zbrązowieje. Po wyjęciu z piekarnika polewamy rumem, podpalamy, płonące podajemy na stół.

❖ DZIEŃ ŚWIĘTEGO PATRYKA ❖

Święty Patryk jest obok Mikołaja i Walentego najpopularniejszym świętym na świecie. Wszędzie, gdzie mieszkają Irlandczycy – zresztą, jak głosi popularne powiedzenie, w dniu jego święta *everyone's Irish*, czyli wszyscy są Irlandczykami – czci się jego pamięć powszechną zabawą. Tradycją stały się już organizowane z tej okazji parady uliczne.

Kim był święty Patryk? O jego życiu zachowało się niewiele wiadomości. Zwany apostołem Irlandii, pochodził najprawdopodobniej ze Szkocji, Walii lub Bretanii. Podobno w Irlandii przebywał od 405 roku jako jeniec, następnie żył w klasztorach Galii, w 432 roku został biskupem, a rok wcześniej papież wysłał go do Irlandii. Katolicki biskup płynął tam pełen obaw: jak lud, od zarania żyjący wśród celtyckich bogów i pogańskich obrzędów, przyjmie jego Boga? Statek przybił do wschodniego brzegu na północy wyspy, w miejscu zwanym

351

Saul. Misjonarz najpierw pozyskał dla nowej wiary wodza plemienia, potem prosił go o zgodę na dalsze jej szerzenie. Przyjmowano go życzliwie i w 445 roku na wzgórzu Ard Mhacha założył pierwszy kościół, który stał się jednocześnie siedzibą biskupa. Z czasem wokół kościoła wyrosło miasto Armagh, które na 600 lat stało się siedzibą królów Ulsteru. W V wieku Irlandia przyjęła chrześcijaństwo, a 17 marca, dzień Patryka, stał się wielkim narodowym świętem. W tym dniu w całym kraju odbywają się słynne „zielone parady" i strumieniami leje się „zielone piwo".

W Polsce najpierw irlandzcy przedsiębiorcy – wzorem swego kraju – 17 marca zorganizowali niewielką uliczną paradę, potem na pomysł czerpania korzyści z dnia świętego Patryka wpadły puby (irlandzkie najczęściej tylko z nazwy), zachęcając do świętowania z kuflem zielonego piwa. „Ulicami Warszawy przejdzie dziś zielona parada, w zatłoczonych pubach i restauracjach zagra tradycyjna irlandzka muzyka, strumieniami lać się będzie zielone piwo. Dziś dzień św. Patryka. Kilka lat temu w Polsce mało kto wiedział o tym święcie. Teraz ma stałe miejsce w kalendarzu polskich świąt. (...) W dzień św. Patryka Irlandczycy przebywający w Polsce przebierają się. Każdy obowiązkowo musi mieć na sobie jakiś zielony akcent – wstążkę, ubranie. Niektórzy malują na zielono twarze i włosy. Bardzo często pojawia się też symbol zielonej wyspy – listek koniczynki. Choć święto Patryka nie ma nic wspólnego z naszą tradycją, Polacy również chętnie je obchodzą. Zamieniliśmy tylko nazwę na swojsko brzmiące »święto piwa«. Wszak św. Patryk to patron Irlandii, a piwo – to narodowy napój Irlandczyków (...) – pisała „Gazeta Wyborcza" 17 marca 2001 roku. Dziś w wielu miastach odbywają się „zielone parady", koncerty irlandzkiej muzyki, zabawy. Ale na razie jest to obca tradycja, a w zabawach uczestniczą przede wszystkim młodzi ludzie, i to tylko w większych miastach.

❖ IRLANDZKIE PRZYSMAKI ❖

❖ IRISH STEW – irlandzki gulasz ❖

Składniki:

1 kg baraniny bez kości, 750 g ziemniaków,
500 g cebuli, łyżeczka suszonego tymianku, 2 szklanki bulionu
z kurczaka, 2 łyżeczki soli, pieprz, łyżka masła,
2–3 łyżki posiekanej zielonej pietruszki

Mięso po usunięciu tłuszczu i żył myjemy, osuszamy, kroimy na cienkie plasterki. Obraną cebulę kroimy w plasterki, układamy na talerzu, posypujemy solą i tymiankiem. Obrane ziemniaki myjemy, kroimy na plastry. Żaroodporną formę smarujemy masłem, wkładamy ⅓ ziemniaków, posypujemy lekko solą, na nich układamy połowę mięsa posypanego pieprzem i solą i połowę cebuli, następnie warstwę ziemniaków, znowu mięso i cebula, ostatnią warstwę stanowi pozostała ⅓ ziemniaków. Zalewamy gorącym bulionem, formę zamykamy, wstawiamy do nagrzanego (do 180°C) piekarnika, zapiekamy ok. 90 minut. Ziemniaki powinny się rozgotować i utworzyć gęsty esencjonalny sos. Przed podaniem posypujemy obficie posiekaną natką.

❖ COLCANNON – kapusta w ziemniaczanym purée ❖

Składniki:

Mała główka białej lub włoskiej kapusty (500–600 g),
500 g ziemniaków, szklanka lekkiego bulionu,
pęczek cebulki dymki, sól, pieprz,
szklanka śmietany, 2 łyżki masła

Kapustę drobno szatkujemy, wrzucamy do rondla, zalewamy gorącym bulionem, gotujemy, bulion odparowujemy. Ziemniaki myjemy, gotujemy w mundurkach, obieramy, przepuszczamy przez praskę lub maszynkę. Dymkę drobno kroimy, mieszamy ze śmietaną, wlewamy do dużego rondla i podgrzewamy na niewielkim ogniu 4–5 minut, po czym cały czas podgrzewając, stopniowo dodajemy ziemniaki i kapustę, dokładnie mieszamy, przyprawiamy do smaku solą i pieprzem. Przekładamy purée do ogrzanej salaterki, w środku potrawy robimy dołek, wlewamy stopione masło.

353

❖ POTATO APPLE CAKE – ziemniaczane ciasto z jabłkami ❖

Składniki:

500 g ziemniaków, ok. 100–120 g mąki, 2–3 winne jabłka, łyżka soku
z cytryny, 2 łyżki masła, sól, 2 łyżki cukru pudru, 2 łyżki masła

Umyte ziemniaki gotujemy w mundurkach, obieramy, miksujemy z masłem i solą
na gładkie purée, dodajemy mąkę, wyrabiamy ciasto, formujemy spory placek,
dzielimy go na 4 części. Umyte jabłka obieramy i po usunięciu gniazd nasiennych
kroimy w plasterki, skrapiamy sokiem z cytryny. Ćwiartki ciasta rozpłaszczamy
(lub lekko rozwałkowujemy), tak aby powstały równe placki. Na dwóch plackach
układamy jabłka, posypujemy cukrem i grudkami masła, przykrywamy pozostałymi plackami, lekko zaciskamy brzegi, smażymy na dużej patelni na niewielkim
ogniu po 10 minut z każdej strony.

❖ IRISH COFFEE – irlandzka kawa ❖

Składniki:

Pół szklanki mocnej gorącej kawy, kieliszek irlandzkiej whisky, cukier,
łyżka bitej śmietany

Dokładnie mieszamy alkohol z cukrem, wlewamy do dużego kieliszka z długą nóż-
ką, ogrzewamy chwilę nad płomieniem, aż cukier się rozpuści, dopełniamy kieliszek (1 cm powyżej brzegu) gorącą kawą, mieszamy, dekorujemy bitą śmietaną.
Uwaga! Śmietana nie może zmieszać się z kawą, ponieważ ten irlandzki gorący
specjał pije się „poprzez” zimną śmietanę.

HALLOWEEN,
czyli KOŚCIOTRUPY, STRZYGI I WYDRĄŻONA DYNIA

Halloween nie pochodzi, jak się powszechnie sądzi, z Ameryki, ale
z Wysp Brytyjskich. Jest starą celtycką tradycją, która do Ameryki
przywędrowała w XIX wieku wraz z imigrantami z Irlandii. Symbolem Halloween jest wydrążona dynia z wyciętymi oczami, nosem
i ustami oraz zapaloną wewnątrz świeczką. Początki święta wywodzą się z tradycji Celtów, wierzących w życie po śmierci i wędrówkę
duchów. W kalendarzu Celtów 31 października był ostatnim dniem

roku. Święto to – All Hallow E'en – symbolizowało schyłek cyklu płodności; ziemia przygotowywała się do nadejścia zimy, a nocą duchy zmarłych wędrowały po ziemi. Był to dzień ostatecznych rozrachunków żywych z umarłymi – duchami opiekuńczymi domostw i nieczystymi siłami, które przed zimowym chłodem chciały się schronić wśród ludzi. Był dniem pożegnania duchów ludzi zmarłych w ciągu ostatniego roku i rozrachunkiem Dobra ze Złem. W tym dniu Celtowie zbierali się przy ogniskach, aby złożyć ofiary bogowi śmierci Samhaine; duchom stawiano pożywienie i odprawiano rytuały, by w spokoju odeszły do swego świata i nie niepokoiły żyjących (zobacz polskie „dziady")

Na ceremonię Celtowie przychodzili zawsze poprzebierani, z wydrążoną rzepą, do której wkładali palącą się świecę. Niecodzienny strój i niecodzienna „latarnia" miały ochronić przed wędrującymi duchami. Strój miał sprawić, że złe duchy nie rozpoznają ludzi i nie skrzywdzą ich, a światło w wydrążonych rzepach odstraszało złe moce. Ze świętem tym wiązało się całe mnóstwo fantastycznych rytuałów i obrzędów. Jeszcze dziś w wielu regionach świata wystawiany jest przed dom talerz ze strawą dla zbłąkanych dusz.

Do dzisiaj ALL HALLOW E'EN (wigilia wszystkich świętych) należy do najważniejszych świąt w Irlandii. W dzień ten przez wiele stuleci obowiązywał post i potrawy świąteczne nie zawierały mięsa. Podawano więc ciasto ziemniaczano-jabłkowe, placki ziemniaczane, ziemniaczany pudding albo torciki z jagodami zwane *blackberry pies* i wypieki: *colcannon* – rodzaj zapiekanki ziemniaczano-kapuścianej czy *barm brack* (*brack* – pieczywo o sile symbolu, nazwa tego chleba z owocami wywodzi się od słowa *breac* – nakrapiany. Jest więc *barm brack* – upieczony na proszku, jest *tea brack* z suszonymi owocami moczonymi w naparze herbacianym).

W jednej z tych potraw zawsze znajdowała się niespodzianka – starannie owinięta w pergamin obrączka ślubna, srebrna moneta, guzik lub metalowy naparstek. Kto znalazł w swoim kawałku niespodziankę, wiedział, co go czeka w przyszłym roku – pierścionek oznaczał zamążpójście, moneta – władzę, guzik – starokawalerstwo, naparstek – staropanieństwo.

Samhain, starożytne celtyckie święto, przetrwało w USA i w wie-

355

lu krajach Europy jako Halloween – zdegradowana forma pogańskich obrządków oraz chrześcijańskiej wigilii Wszystkich Świętych.

Do najpopularniejszych potraw przygotowywanych w Ameryce w dzień zaduszny należy dziś zapewne niezwykle prosta jednogarnkowa potrawa nazwana:

❖ POCZĘSTUNEK CZAROWNICY ❖

Składniki:

Duży kurczak, spora cebula, 6 małych kiełbasek (frankfurterek), seler naciowy, 2 listki laurowe, kilka ziarenek ziela angielskiego i pieprzu, 1–2 goździki, sól, ćwierć szklanki ryżu, 4 szklanki przegotowanej wody

Umytego kurczaka dzielimy na części, wkładamy do dużego rondla, dodajemy seler naciowy, cebulę, sól i korzenie, zalewamy wodą i gotujemy około 40 minut. Kiedy jest już miękki, wyjmujemy, usuwamy kości, a mięso kroimy w kostkę. Wywar przecedzamy. Mięso z kurczaka, umyty ryż i kiełbaski ponownie wkładamy do rondla, zalewamy przecedzonym wywarem, gotujemy ok. 30–40 minut.

❖ DIABELSKA POKUSA ❖

Składniki:

1 kg ugotowanych w mundurkach ziemniaków, 250 g tuńczyka z puszki, 3 jajka, łyżka drobniutko posiekanej zielonej bazylii, łyżeczka kaparów, łyżeczka marynowanego zielonego pieprzu, sól, pieprz, 1½ szklanki lekkiego bulionu

Obrane ziemniaki przepuszczamy przez maszynkę, dodajemy rozgniecionego widelcem tuńczyka, zielony pieprz, kapary, listki bazylii, wbijamy jajka, masę dokładnie wyrabiamy, doprawiamy do smaku solą i pieprzem. Masę owijamy w gazę lub lnianą ściereczkę, związujemy końce, układamy w rondlu, zalewamy gorącym bulionem i gotujemy ok. 40 minut na niezbyt silnym ogniu. Zostawiamy w wywarze do lekkiego ostygnięcia, po czym wyjmujemy, układamy na desce, przykrywamy drugą, obciążamy. Po wystygnięciu kroimy w ukośne plastry, podajemy z pikantnymi sosami.

❖ DIABEŁ ❖

Składniki:

Szklanka ryżu, pęczek zielonych liści gorczycy lub lubczyku, 2 łyżki soku ze szpinaku, łyżka masła, sól, resztki wędlin

i pieczeni – ok. 400 g, 2 łyżki masła, listek laurowy, 3–4 goździki, po pół
łyżeczki pieprzu, imbiru i gałki muszkatołowej, pół szklanki bulionu

Na patelni topimy masło, wrzucamy pokruszony listek laurowy, goździki i imbir
i chwilę smażymy, mieszając. Dodajemy pokrojone w kostkę resztki wędlin i pieczeni, posypujemy pieprzem i gałką muszkatołową, podlewamy bulionem. Dokładnie mieszamy i dusimy na niewielkim ogniu pod przykryciem. W dużej ilości
wody gotujemy ryż, odcedzamy. Liście gorczycy lub lubczyku wrzucamy na wrzątek, blanszujemy, wyjmujemy łyżką cedzakową, przelewamy zimną wodą, drobno siekamy, mieszamy z ryżem, sokiem ze szpinaku i masłem. Wkładamy do formy z kominkiem, mocno ugniatamy, wykładamy na ogrzany półmisek, w środek
wkładamy duszone mięso.

Obecnie święto Halloween najbardziej rozpowszechnione jest
w krajach anglosaskich, ma ono charakter pogańskiej zabawy. Obchodzi się je w wigilię chrześcijańskiego dnia Wszystkich Świętych.
    W Ameryce obchodzi się Halloween od drugiej połowy XIX wieku.
Dziś dzień ten stał się jednym z najważniejszych i najhuczniej obchodzonych świąt we współczesnym amerykańskim kalendarzu.
Gromady przebranych dzieci chodzą od domu do domu i płatają go-
spodarzom figle. Przed każdym domem stawia się dynię z wyciętą
groźną gębą i świeczką w środku oraz wiaderko ze słodyczami dla
dzieci. Dla starszych organizowane są bale, na których „ obowiązują
upiorne przebrania i akcesoria – czarownice, wiedźmy, upiory, strzy-
gi, wampiry ze sztucznymi szczękami i trzycalowymi kłami, ciężko
ranni owinięci w bandaże, szkielety”. Wieczorem przez ulice Nowego Jorku przetacza się monstrualna Halloween Parade. W taki sposób
Amerykanie oswajają się z nieuchronnością śmierci.
    W Polsce z roku na rok coraz większą popularnością cieszą się bale
halloweenowe organizowane w noc z 31 października na 1 listopada. Wśród pracujących młodych ludzi do dobrego tonu należy poka-
zanie się na takim balu w odpowiednim potwornym przebraniu.
Najpopularniejsze postaci zaduszkowej przebieranki to duchy, strzy-
gi, czarownice, kościotrupy.

Alfabetyczny spis potraw

Spis treści